# RENÉ MANZOR

René Manzor est réalisateur et écrivain. Remarqué par Steven Spielberg après ses deux premiers films – *Le Passage* et *3615 Code Père Noël* –, il part pour Los Angeles où il devient scénariste, réalisateur et *ghost writer* pour les grandes productions. De retour en France, il réalise *Dédales* et publie son premier roman, *Les Âmes rivales* (2012) aux éditions Kero. Son dernier livre, *Celui dont le nom n'est plus* a paru en 2014 chez le même éditeur et a reçu le prix « Polar » du meilleur roman francophone 2014 au Festival de Cognac.

**Retrouvez toute l'actualité de l'auteur sur :**
**www.renemanzor.com ou**
**https://www.facebook.com/rmanzorlink**

# CELUI DONT
# LE NOM N'EST PLUS

# RENÉ MANZOR

# CELUI DONT LE NOM N'EST PLUS

**KERO**

© Kero/Éditions de l'épée, 2014
ISBN : 978-2-266-25397-0

*Pour Marie,*
*Celle pour qui mon cœur bat.*

« *Un seul être vous manque, et tout est dépeuplé.* »

Alphonse DE LAMARTINE

# 1

Les gyrophares bleus et rouges tournoyaient en silence, éclairant par intermittence les façades de la rue. Leur lumière crue, chargée d'urgence et de tragédie, avait inondé les voilages des fenêtres avoisinantes, transpercé les paupières endormies, et réveillé les résidents maintenant agglutinés aux carreaux.

Dehors, les voitures de police et les ambulances semblaient faire le siège de la propriété des Kumar. Deux barrages condamnaient la rue et des agents locaux en uniforme terminaient d'installer des Rubalises. Les policiers maintenaient à distance les badauds et les journalistes déjà nombreux malgré l'heure matinale et l'épuisante bruine londonienne.

Un Land Cruiser s'arrêta devant les barrières. Le conducteur baissa sa vitre pour présenter un badge à l'agent de faction. Ce dernier le salua et ouvrit aussitôt la clôture. Le 4 × 4 alla se garer entre les véhicules de secours.

Le détective chef inspecteur[1] McKenna en descendit. Ce colosse irlandais de cinquante-quatre ans n'avait plus que la peau sur les os. Malgré sa taille imposante, il avait l'air affaibli de l'intérieur, les joues creusées, les yeux hantés par un passé proche qui transpirait chaque jour davantage. Il était le plus ancien gradé de Scotland Yard et faisait en sorte qu'on ne l'oublie jamais. Son caractère bourru et son manque chronique de diplomatie l'aidaient à réduire les échanges sociaux à leur strict minimum.

— Il y a du café ? grommela-t-il à la jeune policière qui lui tendait une combinaison isolante.

— Non, monsieur, mais il reste du jus de chaussette hindou, si ça vous dit.

McKenna ne répondit pas. Il ne supportait pas l'humour sur les scènes de crime. Il trouvait ça indécent. L'influence des séries télé était telle que les jeunes recrues se sentaient obligées de plaisanter pour avoir l'air pro. L'excuse invoquée était toujours la même. Ces vannes à deux balles étaient censées leur permettre de surmonter la dureté du métier. Les médecins, au bloc opératoire, ne faisaient-ils pas de même ?

« Oui, mais eux, ils sauvent des vies, répondait invariablement McKenna. Nous, on ramasse des cadavres. »

Tandis qu'il enfilait la combinaison et des protège-chaussures, il s'attarda un moment sur les curieux qui continuaient d'affluer. Quel plaisir pouvaient-ils éprouver à rester plantés là, sous la pluie ? Connaissaient-ils seulement la victime ?

Son métier de flic, McKenna l'avait appris dans les rues de Belfast. La violence y faisait partie de la vie quotidienne, autant que la pluie et les attentats. Dès

1. Équivalent britannique de commissaire de police.

12

qu'il y avait plus de deux garçons ensemble, vous pouviez vous attendre à des insultes et à des bousculades ; si vous ajoutiez une fille au cocktail, vous aviez des bagarres. Des coups, il en avait reçu suffisamment pour apprendre à en donner. La boule à zéro, les poings serrés, un père absent, une mère faisant ce qu'elle pouvait et une scolarité jamais plus d'un mois au même endroit. C'était ça, son enfance. À force d'user ses culottes courtes sur les bancs de la police locale, il avait fini par s'y sentir chez lui. Étrange comme les vocations vous tombent dessus parfois.

McKenna fut bientôt rejoint par son jeune et fringant supérieur hiérarchique. Tenue impeccable, calvitie conquérante, le superintendant Jason Quinn ne put réprimer une toux bien grasse :

— Putain de vaccin. Tu vas voir qu'ils vont encore nous dire que le virus a muté. Comment tu fais pour rien attraper, Mac ?

— L'alcool. Ça tue les microbes, à ce qui paraît.

Quinn haussa les épaules et emboîta le pas à son détective.

— Ça fait deux meurtres rituels, Mac. Deux putains de sacrifices humains en vingt-quatre heures. Je croyais qu'on tenait le coupable ! Alors, quoi, l'homo qu'on a arrêté hier, couvert du sang de sa victime, c'est pas lui qui a tué ?

— Il ne s'appelle pas « l'homo ». Il s'appelle Cooper. Roddy Cooper. Et rien n'empêche qu'il ait tué hier et qu'aujourd'hui ce soit quelqu'un d'autre.

— Avec le même M.O.[1] ? Tu penses à quoi ? À une secte ?

---

1. Mode opératoire.

— Peut-être, ouais. On a retrouvé le meurtrier ?

— Pas encore, mais il sera facile à identifier. C'est un festival d'empreintes, là-dedans. Comme hier.

Un policier souleva la Rubalise pour qu'ils franchissent le périmètre de sécurité.

— Le divisionnaire a imposé un moratoire à la presse en raison de la personnalité de la victime.

McKenna jeta un regard interrogateur à son supérieur. La réponse arriva sous la forme d'une photo.

— Andrew Kumar, représentant de Wall Street à la Bourse de Londres, mais surtout… *ami personnel de l'ambassadeur américain.*

Quinn avait fait sonner ses six derniers mots comme s'il s'agissait d'une sentence. McKenna soupira.

— Me dis pas que tu me retires l'enquête…

— Ça, ça va dépendre de toi.

— Tu veux quoi ? Un résultat en vingt-quatre heures ?

— Arrête, tu sais bien que c'est pas ça…

— Toi, tu me caches quelque chose.

— J'ai quelque chose à te dire, ouais. Et commence pas à monter sur tes grands chevaux, d'accord ? L'ambassade américaine a sollicité l'aide du FBI. Ils ont affrété un avion spécial depuis New York, cette nuit.

— Comment ça, « cette nuit » ?

— La femme de Kumar a découvert le corps hier soir à 22 heures en rentrant du cinéma avec ses enfants.

— Et elle nous prévient que maintenant ?

— Qu'est-ce que tu veux que je te dise ? soupira Quinn sur la défensive. Mme Kumar a paniqué. Son premier coup de fil a été pour un compatriote : son ami l'ambassadeur. C'est lui qui a pris les choses en main.

14

— En ne prévenant pas la police ? On est quoi, nous, le cinquante et unième État ?

Le superintendant s'assura de l'absence d'oreilles indiscrètes puis grommela :

— Fais pas chier, McKenna. Ils nous prêtent leur meilleur criminologue. J'ai lu le C.V., c'est impressionnant : spécialiste en satanisme et meurtres rituels, titulaire d'un doctorat en mythologies comparées...

Le détective eut un rictus amusé avant de trancher :

— Tu lui feras visiter la ville.

— Non, c'est toi qui la superviseras. On n'a pas le choix, vieux. Article 137 de la convention Europol/FBI. Extension mutuelle de juridiction non exécutive pour les ressortissants des pays signataires. Je te demande juste de la ménager, c'est tout.

— De *la* ménager ?

— Elle est venue directement de l'aéroport sans passer par son hôtel.

Avant que McKenna puisse ouvrir la bouche, le superintendant fit signe à une jeune femme d'une trentaine d'années de les rejoindre. Grande, brune, pleine d'assurance, elle avait déjà revêtu sa combinaison isolante.

— Dr Dahlia Rhymes, je vous présente le détective chef inspecteur McKenna, en charge de l'enquête pour le Yard.

Le colosse irlandais lui tendit la main en la dévisageant. Les traits de la jeune femme trahissaient un manque de sommeil évident.

— Vous avez bien fait de venir, docteur, c'est la période des soldes.

— Je déteste le shopping, répliqua-t-elle en ôtant son gant de latex pour serrer la main offerte. Mais

15

rassurez-vous, détective chef inspecteur, mon rôle se bornera à celui de consultante.

— La victime numéro deux n'est pas plus importante à mes yeux que la première, renchérit-il calmement.

— C'est aussi mon avis, monsieur, répondit Dahlia avec un sourire qui n'était que poli. Votre supérieur m'a transmis le dossier. Je l'ai parcouru rapidement et je me suis permis de jeter un coup d'œil sur la scène de crime, en vous attendant.

Le regard que McKenna lança au superintendant était sans équivoque. Il n'appréciait pas le manque de délicatesse dont Quinn avait fait preuve à son égard. Dahlia crut bon de dissiper la gêne en ajoutant :

— Je tiens à vous dire à quel point je suis honorée de collaborer avec l'officier le plus médaillé de Scotland Yard.

— C'est aux morts que les médailles vont le mieux, docteur.

Sur ce, McKenna tourna les talons et se dirigea vers la maison, laissant derrière lui une Dahlia dépitée. Elle se tourna vers Quinn, lequel, en bon politique, tenta d'arrondir les angles :

— C'est de la modestie…

McKenna était tout sauf misogyne. Que son consultant soit une femme n'avait rien à voir avec le manque de bienveillance qu'il manifestait à son égard. Pour lui, c'était un boulet qu'on lui avait collé. Et un boulet, masculin ou féminin, restait un boulet.

Un inspecteur noir de trente ans accueillit le détective à son entrée dans le hall de marbre.

— C'est au premier, boss. Les gars du labo viennent de partir. Ils en ont eu pour leur argent.

Svelte et athlétique, l'inspecteur Jack Berg aurait pu facilement se lancer dans une carrière sportive si sa vie dissolue ne l'avait porté vers des horaires et un régime peu stricts. Sous ses faux airs de beau parleur, il cachait une personnalité plus introvertie.

— Aucun signe d'effraction, boss. Comme dans le cas précédent. L'agresseur connaissait la victime. Il avait les clés ou on lui a ouvert en toute confiance.

Dahlia accéléra le pas pour ne pas se laisser distancer dans l'escalier. L'inspecteur Berg coula un regard concupiscent vers elle.

— La famille est encore sur place ? s'enquit McKenna.

— Non. Ils sont à l'ambassade américaine. En fait, les Kumar…

— Je sais, je sais, interrompit le détective sans parvenir à dissimuler son agacement.

— Le dossier ne mentionne pas le type d'organes prélevés sur la victime d'hier, déclara Dahlia en s'imposant dans la conversation. Vous avez les conclusions de l'autopsie ?

— La victime d'hier était de religion juive, mademoiselle. On ne peut pas l'autopsier sans dérogation du Grand Rabbin.

— Vous êtes gentil, vous évitez les « mademoiselle », rétorqua-t-elle. C'est *Dr Rhymes* ou *Agent Spécial Rhymes*, comme vous voulez.

Berg chercha le regard de son chef, mais n'y trouva aucun soutien. McKenna se contenta d'enfiler des gants stériles et d'énumérer ses ordres :

— Je veux les images des caméras de surveillance du quartier dans un rayon de dix miles.

— Ça va être comme hier avec la victime de Kensington, boss. On va faire chou blanc. C'est terrible à dire, mais plus les quartiers sont riches, moins on les surveille. Il n'y a que cent caméras à Hampstead contre mille cinq cents à Brixton. Allez comprendre…

— Le métro, il y a bien des caméras dans le métro, non ?

Berg hocha la tête.

— Ben, tu me rapportes les images. Et puis, vérifie les alibis de tous les réguliers de la maison : femme de ménage, baby-sitter, mère poule. Tous ceux qui ont un double des clés. Mais aussi les secrets de famille : navigation Internet, qui couche avec qui, etc.

Berg acquiesça et s'éloigna pour téléphoner.

En pénétrant dans le bureau, McKenna parcourut la pièce d'un regard clinique, précis, efficace. La table de travail avait été saccagée, la lampe à LED brisée contre le clavier de l'ordinateur. L'écran affichait encore les cours de la Bourse de New York. Le siège était renversé, ainsi que de nombreux objets. Seul le portrait de l'épouse et des enfants Kumar semblait avoir miraculeusement résisté à l'assaut.

— La victime a été agressée ici, déclara Dahlia. Puis elle a été traînée inconsciente dans le living. Vos C.S.I.[1] ont retrouvé une compresse de chloroforme. Ce qui suggère que le tueur n'est pas d'une grande force physique.

Le détective hocha la tête d'un air absent. Il s'imprégnait des lieux, déambulant dans la pièce, appréciant son exquise décoration. Le mobilier était authentiquement ancien, le piano à queue, un Steinway, les

---

1. *Crime scene investigators* : policiers scientifiques.

tableaux, de maîtres, le lustre, un vénitien Murano. De lourdes draperies encadraient les hautes fenêtres. L'épaisse moquette blanche achevait de conférer à l'endroit une sérénité de temple contrastant avec la sauvagerie qui s'était exprimée là. Mais les temples n'étaient-ils pas des lieux propices aux sacrifices ?

— Il y a un tablier ensanglanté dans la cuisine, poursuivit la criminologue qui supportait mal d'être ignorée. Le tueur a pris soin de protéger ses vêtements, durant le rituel.

— Le rituel ? fit McKenna, choqué. La mutilation, vous voulez dire.

— Il n'a pas tué dans un accès de rage. La préparation mortuaire du corps témoigne d'un grand respect pour la victime.

— Je ne suis pas sûr que la famille partage votre point de vue.

Le détective s'accroupit et découvrit des empreintes rouges laissées par des semelles sur la moquette et, avant cela, sur le parquet. Il sortit un téléphone de sa poche et les étudia attentivement à la lumière du portable.

— Ce que je veux dire, monsieur, c'est que…

— Avant de me parler du « respect » du tueur, parlez-moi de sa pointure.

— Pardon ?

McKenna se redressa en désignant les empreintes sur le parquet.

— 37. Escarpins à talons plats, commenta-t-il calmement. Le tueur est une femme. Les faits, Rhymes. Intéressez-vous d'abord aux faits. Il sera toujours temps de sortir votre psychologie de bazar quand vous en saurez plus sur l'affaire.

Dahlia se mordit les lèvres, pestant contre elle-même. Elle s'en voulait de cette première impression qu'elle avait donnée de ses compétences. Les gens vous faisaient toujours payer leur première impression. Mais, surtout, elle n'avait pas apprécié le ton paternaliste de son collègue. Elle n'était pas une jeunotte qui faisait son stage. Il lui fallait mettre les choses au point.

— Avec tout le respect que je vous dois, monsieur, je ne suis pas ici pour les faits. Vous avez assez de monde pour ça. On m'a demandé de mettre à votre disposition mes connaissances en matière de crimes rituels et de science comportementale. Et je ne pense pas que nous soyons nombreux autour de vous à pouvoir remplir ces fonctions.

— C'est juste. Mon intention n'était pas de vous blesser.

— J'accepte vos excuses, monsieur.

— Qui a parlé d'excuses ?

— Je ne sais pas, j'ai cru comprendre que…

— Vous avez mal cru.

McKenna et Dahlia se toisèrent un instant, puis le détective tourna les talons pour se rendre dans la pièce adjacente, là où le Mal l'attendait.

## 2

McKenna fut d'abord assailli par des effluves qu'il reconnut aussitôt, un mélange d'encens et de charogne, une odeur tellement présente qu'elle irritait ses cinq sens. C'était la deuxième fois en vingt-quatre heures qu'il se retrouvait face à un sacrifié. Et, malgré tout ce qu'il pouvait se raconter pour diminuer l'impact du premier regard, le spectacle auquel il avait été confronté la veille l'avait secoué jusque dans ses fondations. Pourtant, il en avait vu des cadavres dans sa carrière ! Et dans tous les états. Mais il y avait ici une alliance malsaine du « monstrueux » et du « sacré » qui le troublait. Comment pouvait-on faire subir cela à quelqu'un ? Quelle perversité pouvait justifier qu'on éventre un être humain comme on vide un poisson, qu'on lui vole ses organes et qu'on abandonne sa carcasse en pâture aux gens qui l'aimaient ? Jusqu'où fallait-il descendre dans les entrailles du malheur pour qu'un être doté de raison en arrive à de pareilles extrémités ?

Il marcha vers le centre de la pièce.

Et il accepta de voir.

Là, étendu sur une table inclinée, gisait le corps nu d'Andrew Kumar. Il était couché sur le côté droit, la main droite sous la joue et la gauche sur la cuisse. Un linceul blanc le recouvrait jusqu'à la taille. McKenna serra les mâchoires en notant certains détails, comme cette plaie béante et suintante de viscères qui s'étendait du ventre jusqu'au menton.

Dahlia rejoignit le détective près de la victime. McKenna se rendit compte qu'un de ses hommes les observait timidement depuis l'entrée. Grand, maigre, petites lunettes rondes, Harry Bauman, vingt-cinq ans à peine, donnait l'impression de n'avoir jamais été exposé aux rayons du soleil.

— Viens par ici, fiston. C'est pas dans ton école de cyberflics que tu verras ce genre de choses.

La criminologue semblait plus à l'aise que la jeune recrue.

— Monsieur, dit-il en les rejoignant à contrecœur. Vous ne pensez pas que… je devrais faire sortir la demoiselle ?

— Pas de sexisme, Bauman. Les femmes ont le même estomac que les hommes. Elles ont droit au même spectacle.

Dahlia approuva. McKenna contourna le cadavre. Le mobilier et les objets à proximité étaient éclaboussés de sang. Quant au mur le plus proche, il présentait, ici et là, des empreintes sanglantes de mains parfaitement distinctes, comme si l'assassin avait dû y prendre appui pour s'aider dans la manipulation du corps.

Au pied de la victime, le détective remarqua la présence d'une bassine contenant des restes humains. Le jeune inspecteur étouffa un haut-le-cœur dans son mouchoir.

— Ça va aller, Bauman ? demanda McKenna.

— Oui… bredouilla-t-il sans conviction. C'est juste… euh… l'odeur, je…

— Je comprends. Va faire un tour dehors et fais passer le message. Si un seul de nos gars s'avise de parler aux journalistes, je m'occuperai personnellement de son cas, c'est clair ?

Le policier acquiesça. Soulagé de décamper, il se rua dans l'escalier, ravalant le flot de bile qui remontait dans sa gorge.

McKenna dégaina un portable, ouvrit l'application « Dictaphone » et le tendit à Dahlia :

— Si vous commenciez votre « consultation » par un rapport, docteur Rhymes…

Il avait fait sonner les guillemets du mot « consultation », sans sarcasme aucun. Il voulait juste savoir si le boulet qu'on lui avait assigné allait ou non lui être d'une quelconque utilité.

Pour Dahlia, c'était une occasion rêvée de corriger la première impression qu'elle avait laissée. Elle se pencha légèrement pour examiner le sol et enclencha l'enregistrement :

— *Des marques anciennes, sur le tapis, révèlent que la table a été déplacée.*

La criminologue leva les yeux vers le plafond, en vérifia l'alignement, puis continua :

— *Le but étant que le corps du sacrifié soit parallèle à la poutre maîtresse du toit. La tête, elle, est dirigée vers le sud, selon la tradition. Deux des pieds de la table ont été surélevés pour permettre l'écoulement des liquides. Ceux-ci sont recueillis dans une bassine, afin qu'aucune humeur ne se perde.*

Dahlia plongea une main gantée dans le torse ouvert du cadavre et en palpa l'intérieur avant de poursuivre son récit, imperturbable :

— *Le tueur a prélevé tous les organes thoraciques*

23

*et abdominaux du défunt, mais il ne s'est pas défoulé sur lui. Au contraire. Il l'a préparé pour l'après-vie en suivant scrupuleusement le rite funéraire des bouddhistes Lao.*

— À quoi vous voyez ça ?

— D'abord à la position du corps, en lion couché. C'était celle de Bouddha dans ses derniers instants. Et puis, à plein d'autres détails qui sont plus spécifiquement Lao, comme le parallélisme à la poutre maîtresse du foyer, le fait de peigner le mort, de l'oindre.

Dahlia passa ses doigts gantés de latex sur le front du cadavre. Elle préleva un résidu d'huile qu'elle approcha de ses narines.

— *L'onguent utilisé est un mélange de cendre sacrée et de pâte de santal.*

McKenna était bluffé par la précision de ce que sa partenaire pouvait déduire à partir d'une simple odeur. En se penchant vers la victime, il remarqua un détail qui lui avait échappé jusqu'ici. Les doigts de sa main gauche étaient liés entre eux. Le fil remontait le long du bras pour être noué autour du cou. Il se tourna vers Dahlia et demanda :

— Ça fait partie du rite funéraire, ça aussi ?

— Absolument. Un unique fil de coton doit relier les doigts des mains aux orteils, en passant par le cou. Chez les bouddhistes Lao, le mort est attaché pour éviter qu'il ne revienne parmi les vivants.

Le détective leva les yeux vers Dahlia. Elle était sérieuse.

Il éprouva tout de même le besoin de vérifier. Il souleva le linceul au niveau des pieds du cadavre. Les orteils étaient bien ligaturés.

Poussée par son intuition, la criminologue força

l'ouverture de la bouche du défunt, luttant contre la rigidité cadavérique. Du miel séché la maintenait fermée. Elle en sortit un écu d'argent.

— Une signature ? demanda McKenna, médusé.

— Non. Un péage. La coutume est de déposer une obole sous la langue des morts. Elle est destinée au gardien de l'autre monde.

Le détective n'en revenait pas. Comment pouvait-on faire preuve de tant d'obligeance après tant de sauvagerie ?

Quelque chose attira l'attention de McKenna au-dessous de la table funéraire. Il récupéra son portable auprès de sa collègue et s'en servit à nouveau pour éclairer. La lumière de l'écran fit apparaître une feuille parcheminée, au verso de la planche.

— Putain de Dieu… murmura-t-il.

Il tendit le cou pour mieux comprendre ce qui la maintenait en place. Mais il dut détourner la tête tant la puanteur était insupportable. La page avait été collée grâce à une épaisse couche de graisse, sans doute prélevée sur le cadavre. Le policier respira profondément plusieurs fois pour vaincre ses nausées. Puis il retint sa respiration et s'accroupit à nouveau. Il décolla délicatement la feuille avec son mouchoir et se redressa avec elle comme on remonte à la surface. Il la tenait à bout de bras, le plus loin possible de ses narines.

Dahlia le rejoignit et photographia immédiatement la relique, de peur que le message ne s'efface. C'était une épitaphe, écrite à la plume en lettres de sang. On pouvait y lire :

« *Puissent ces sacrifices apaiser l'âme de Celui dont le Nom n'est plus.* »

# 3

Dahlia regardait les paysages de Londres défiler par la fenêtre dégoulinante de pluie. Elle n'avait jamais mis les pieds en Angleterre, et tout ce qu'elle avait pu en voir jusqu'ici se limitait à l'aéroport de Heathrow et au manoir des Kumar. Elle n'avait même pas eu le temps de descendre à son hôtel pour y déposer sa valise et y prendre une douche.

Elle n'était pas du genre à faire passer son confort personnel avant son travail. Du reste, rien ne passait avant son travail. Elle lui avait tout sacrifié : ses loisirs, sa vie privée… Si tant est qu'on puisse appeler « loisirs » les rares moments de détente qu'elle s'accordait. Lire un bon livre avec un verre de chardonnay, faire ses courses le week-end au marché de Greenwich Village, c'était ça, ses loisirs. Quant à sa vie privée, elle se résumait à ces bars où elle allait lever, deux fois par mois, des militaires en permission. Elle les choisissait pour leur physique avantageux et leur faible Q.I. Pas de conversation, pas de préliminaires, plusieurs accouplements dans la nuit et aucun nom ni numéro échangés le lendemain matin. C'était ça, sa vie privée. Et cela lui convenait parfaitement.

Elle jeta un œil vers McKenna qui conduisait en silence. Ce gaillard à la cinquantaine bien sonnée avait tout du macho irlandais pour qui les femmes n'avaient pas plus de place dans la police que la fidélité dans son lit. Il n'avait pas prononcé un mot depuis qu'ils avaient quitté la scène de crime. Et elle n'avait pas osé entamer une conversation. Ils étaient partis du mauvais pied, tous les deux. Mais existait-il une bonne façon d'accepter quelqu'un qu'on vous impose ? Comment aurait-elle réagi si on l'avait forcée à travailler avec McKenna sur une de ses enquêtes ? Certainement comme lui. Ou pire. Elle ne supportait pas qu'on empiète sur ses plates-bandes. Le détective avait juste voulu marquer son territoire, rien de plus.

— Je peux vous poser une question ? se risqua-t-elle à demander.

— Vous venez de le faire… rétorqua-t-il.

Dahlia hocha la tête d'un air entendu. Encore une de ces piques destinées à la déstabiliser. Malgré les bonnes intentions de la criminologue, son « partenaire » avait le don de la mettre systématiquement sur la défensive. Et elle détestait cela. Mais c'était à elle de faire le nécessaire pour se faire accepter. À elle de se révéler indispensable.

— D'après ce que j'ai lu dans le dossier, continuat-elle, le sacrifié d'hier, Alan Ginsburg, était éviscéré bien sûr, mais allongé par terre, nu sous un linceul blanc, une bougie allumée près du visage. C'est bien ça ?

— Oui.

— Est-ce que ses pieds étaient orientés vers la porte ?

McKenna réfléchit un moment, avant d'acquiescer. Intriguée, elle fit remarquer :

— Ce n'était pas inscrit dans le dossier. Est-ce que quelque chose m'aurait échappé ?

— Non. Mais à nous certainement. Comme vous le disiez tout à l'heure, nous ne sommes pas nombreux dans l'équipe à posséder votre genre de compétences.

L'estomac de Dahlia se noua aussitôt.

— En disant cela, je ne voulais pas être présomptueuse, monsieur, je…

— Je sais, trancha-t-il. Vous pensez à un autre rite funéraire ?

La criminologue était tellement tendue qu'elle prit une profonde inspiration avant de répondre :

— Le judaïque, mais, si ça avait été le cas, les miroirs auraient été recouverts d'un drap et les portraits retournés.

— Ils l'étaient, affirma McKenna, sans quitter la route des yeux.

— Ce n'était pas mentionné sur le procès-verbal non plus. Vous comptiez m'en parler quand ? s'enquit-elle avec une pointe de sarcasme.

— On en parle maintenant, non ?

Dahlia fulminait intérieurement. Comment être efficace si les gens avec lesquels elle était censée collaborer lui cachaient des informations ?

Elle serra les dents et continua de creuser :

— Est-ce que le tueur précédent aurait laissé autre chose sur sa scène de crime qui ne figure pas au procès-verbal ? Un message-épitaphe, par exemple ?

McKenna la gratifia d'une moue ironique.

— Mes hommes sont retournés sur place pour fouiller à nouveau.

— Vous n'êtes pas très partageur, détective chef inspecteur.

— Je décide seul, en général.

Dahlia se sentait aussi indispensable à l'équipe que ces riches touristes de l'espace que les missions soviétiques embarquent car elles n'ont pas d'autre choix économique.

— Comment c'était déjà ? demanda McKenna.

— Quoi donc ?

— Les mots de l'épitaphe.

Elle s'adossa à son siège et, les yeux perdus dans les embouteillages, cita de mémoire :

— *« Puissent ces sacrifices apaiser l'âme de Celui dont le Nom n'est plus. »*

— « Celui dont le Nom n'est plus », ça évoque quelque chose pour vous, docteur Rhymes ?

Devait-elle voir dans cette question l'ébauche d'un début de collaboration ? Elle voulut y croire.

— Ça dépend des croyances. Pour les religions monothéistes, ça évoque Dieu. Car, d'après la Bible, « Dieu n'a pas de nom ». Pour les polythéistes, ça évoque la punition suprême.

McKenna se tourna vers l'agent du FBI, une question muette dans le regard, ce qui la poussa à préciser :

— Sous l'Égypte antique, par exemple, effacer le nom de quelqu'un, ne plus le nommer équivalait à le plonger dans l'oubli.

— Quel genre d'être humain peut espérer trouver le repos de l'âme en mutilant à mort deux personnes ? déclara McKenna, perdu dans ses pensées.

Le cellulaire fixé au tableau de bord sonna, interrompant leur échange. Le détective l'attrapa et aboya :

— D.C.I. McKenna.

Il écouta attentivement les informations qu'on lui communiquait tout en jetant un regard oblique vers Dahlia.

— Où ça ?… OK, je vois. Elle a dit quelque chose ?

Le policier s'arrêta à un feu rouge et ferma les yeux en grimaçant comme si les nouvelles le contrariaient.

— À quel hôpital ? soupira-t-il. Non, non, je préfère l'interroger moi. J'aurai peut-être plus de chance qu'avec celui d'hier. Vous vous occupez du mari et des voisins ? Tu m'envoies leur déposition par e-mail. Et puis aussi… euh… extrait du casier, papiers d'immigration, tout ce que tu trouves sur elle. À plus.

Il raccrocha soigneusement et demeura songeur.

— Ils ont retrouvé la meurtrière ? s'enquit Dahlia.

McKenna acquiesça, l'air sinistre.

— Nora Gyulay : soixante-dix ans. Restauratrice dans le East End. Une intime des Kumar. C'est l'ancienne nourrice de la victime. Des cheminots l'ont repérée sur une voie de triage en gare de Paddington.

— Elle avait un bagage avec elle ? demanda Dahlia.

— Rien qui puisse contenir des organes. Ses vêtements étaient couverts de sang. Des analyses sont en cours. Elle n'arrête pas de pleurer.

— Comme le tueur d'hier.

McKenna se tourna vers sa consultante, surpris qu'elle soit au courant de ce détail.

— Ça, c'est dans le dossier, ironisa-t-elle.

Ils roulèrent un moment en silence avant que Dahlia s'autorise à préciser :

— Ils pleurent parce qu'ils ont tué quelqu'un qu'ils aiment.

Une nouvelle fois, le détective se tourna vers la criminologue qui fixait la route.

— Qu'est-ce que vous en savez ?

— Appelez ça une intuition, répondit-elle pour simplifier. L'épitaphe parle de sacrifice. On ne peut sacrifier que ce que l'on aime. Dans la Bible et dans le Coran, quand Dieu exige un sacrifice d'Abraham, c'est Isaac qu'il réclame. Son fils unique. L'être auquel il tient le plus au monde. Pour Nora Gyulay, cette personne, c'était sans doute celui dont elle était la nourrice : Andrew Kumar.

— Il n'y avait pas de lien de parenté entre l'assassin d'hier et sa victime, fit remarquer McKenna, incrédule.

— Il n'y en a pas entre des amoureux, mais leur lien affectif est parfois plus fort qu'un lien de sang.

Le détective considéra un moment la remarque de sa consœur avant de rétorquer :

— Si l'on en croit les témoignages de leur entourage, Roddy Cooper et Alan Ginsburg ne se connaissaient pas. Donc, pour le lien affectif, c'est mal barré.

— Sauf s'ils s'aimaient à l'insu de leur entourage…

McKenna sourcilla en attente d'un éclaircissement. Elle s'en rendit compte et ajouta :

— J'ai lu dans le dossier que Roddy Cooper, le premier meurtrier, était homosexuel. La pression sociale est telle qu'aujourd'hui encore bon nombre d'entre eux vivent une double vie. Nos deux tueurs ne pleurent pas sur leur sort, monsieur. Ils pleurent la perte insupportable de l'être qui comptait le plus pour eux. Comme Abraham l'aurait fait si Yahvé n'avait pas retenu son bras.

Les dernières paroles de Dahlia avaient affecté McKenna bien plus qu'il ne souhaitait le montrer. Il se réfugia dans le silence comme on s'isole sous un voile dans le but de garder son chagrin secret. Et de pouvoir y survivre.

4

Le Land Cruiser pénétra dans l'enceinte du prestigieux St Mary's Hospital et se gara sur le parking extérieur.

Situé à deux pas de la gare de Paddington et de la Cité de Westminster, l'hôpital dans lequel Fleming avait jadis découvert la pénicilline attisait aujourd'hui la convoitise des promoteurs. Leur intention était de racheter le site pour y construire trois mille appartements de luxe. Mais aucun gouvernement jusqu'ici n'avait osé se mettre l'opinion publique à dos en validant le projet.

Les yeux de Dahlia s'attardèrent un moment sur la splendide architecture fin XIX$^e$ de la façade, sur la beauté de ses arcades victoriennes que le Londonien ne remarquait plus. À commencer par McKenna. Depuis son arrivée, elle était fascinée par cette façon qu'avait le présent de Londres de s'immuniser contre son passé, de se prémunir contre le poison de la tradition par une sorte d'accoutumance, de gain de tolérance à sa toxicité. Elle aurait tant aimé maîtriser ce pouvoir pour gérer son propre passé.

Le détective dégaina sa carte de police et échangea

quelques mots avec l'hôtesse d'accueil. Elle opina en pointant le doigt en direction des ascenseurs.

Au sortir de la cabine, la chambre de Nora Gyulay était facile à repérer. Deux policiers montaient la garde devant la porte.

La vieille dame hongroise gisait, immobile, sous des draps anonymes. Fixée sur son front avec du sparadrap, une sonde nasale lui soufflait de l'oxygène dans les narines. On lui avait placé un cathéter au poignet et une poche de sérum physiologique s'y écoulait lentement. Elle était d'une pâleur cadavérique, mais ce qui frappait, au premier regard, c'étaient les larmes intarissables qui ruisselaient sur ses joues.

Nora Gyulay était originaire de Budapest. Elle avait commencé à travailler à l'âge de dix ans comme la plupart de ses camarades de classe. À peine savait-on lire qu'il fallait déjà gagner sa vie ! Son premier métier consistait à fabriquer des tracts pour le Parti, tracts qu'elle avait piétinés, quatre ans plus tard, en allant fleurir la tombe de Petöfi. Ce défilé pacifique, en l'honneur du poète hongrois, avait été pris pour une manifestation antigouvernementale. Et ordre avait été donné à la police politique de tirer sur la foule.

Nora avait perdu ses parents ce 22 octobre 1956. Elle les avait vus s'écrouler sous les balles de ses compatriotes, le nez dans des fleurs qui ne leur étaient même pas destinées.

Pourtant, malgré ce lourd héritage, rien ne semblait préparer la respectable femme de soixante-dix ans que Nora était devenue à la folie meurtrière qui avait été la sienne, la veille. Son casier judiciaire était vierge. Elle avait en horreur tout ce qui pouvait constituer un accroc à la légalité. Non pas qu'elle fût une sainte, mais… ce n'était pas dans sa nature de faire le mal. Elle avait des principes et une morale sans faille, mise à l'épreuve par soixante années dc dur labeur. Alors, qu'est-ce qui avait pu la pousser à tuer ? Et de manière aussi atroce ?

— Elle vous a parlé ? demanda McKenna, prêt à coucher la suite du témoignage sur son carnet.

— Presque pas, fit le docteur. Nous lui avons donné un sédatif. Elle convulsait. Elle répond aux questions par des signes de tête. Elle est commotionnée et présente une amnésie antérograde partielle.

— C'est-à-dire ?

— Elle ne se souvient ni de l'acte d'homicide ni des moments qui l'ont précédé. En revanche, elle pleure la disparition d'un bébé.

— Un bébé ? s'étonna Dahlia qui ne quittait pas Nora des yeux.

— Elle l'appelle Andrew…

— C'est le prénom de sa victime, intervint McKenna.

— Vous voyez bien, conclut le praticien. Elle est dans la confusion la plus totale. Vous êtes sûr de vouloir l'interroger ?

— De vouloir essayer en tout cas.

— Très bien. Pas plus de cinq minutes. De toute façon, elle doit être transférée à Wandsworth d'un instant à l'autre.

McKenna approuva. Le médecin fit entrer les enquêteurs et referma la porte derrière eux.

— Bonjour, madame, je suis le D.C.I. McKenna de Scotland Yard. Et voici le Dr Rhymes. Nous voudrions vous poser quelques questions à propos de la mort de M. Kumar. Vous vous sentez capable d'y répondre ?

Nora fit non de la tête, essuyant ses larmes avec un mouchoir. Ses yeux rougis et hagards fixaient quelque chose. McKenna suivit son regard et réalisa que c'était Dahlia qu'elle dévisageait. Embarrassée, la criminologue saisit cette occasion pour improviser une nouvelle approche :

— Madame Gyulay, nous essayons juste de comprendre ce qui a pu arriver à Andrew. Sa femme et ses enfants ont le droit de savoir, vous ne croyez pas ?

Nora acquiesça en pleurant. Puis elle regarda avec horreur ses mains aux veines saillantes.

— J'avais… du sang sur moi. Est-ce que… est-ce que c'est vraiment moi qui ai tué Andrew ?

Sa voix brisée et ses sanglots en disaient long sur sa détresse. Dahlia se tourna vers McKenna, lequel l'encouragea de la tête à poursuivre l'interrogatoire à sa manière. Alors, elle s'approcha et prit la main de la vieille dame en demandant :

— Vous ne vous rappelez pas ce qu'il s'est passé, madame Gyulay ?

Nora secoua la tête entre deux spasmes.

— Peut-être qu'en répondant à nos questions, les souvenirs reviendront. Vous voulez bien essayer ? Ça ne prendra que quelques minutes.

Nora hésita, puis opina timidement.

— Ça fait combien de temps que vous vivez à Londres ?

— Cinq ans, cette année.

— Vous avez un très bel accent. Vous êtes de quelle origine ?

— Hongroise, répondit-elle fièrement. Budapest.

— Vous êtes restauratrice dans le East End, c'est ça ?

— Oui, madame. Le *Paprika*, une des meilleures tables de Brick Lane, à ce qu'on dit. Mon mari doit être mort d'inquiétude. Je n'ai eu qu'une minute pour lui téléphoner et… je ne savais pas comment lui expliquer.

— Ne vous inquiétez pas, intervint McKenna. Vous allez pouvoir lui parler longuement après cet entretien.

Cette réponse eut pour effet immédiat de rendre Nora plus réceptive au détective, lequel en profita pour participer à l'interrogatoire :

— En dehors de cette activité dans la restauration, vous exercez également à Hampstead chez les Kumar, c'est exact ?

— Oui, monsieur.

— Quel genre de travail faites-vous à Hampstead ?

— Je fais… euh…

Elle s'interrompit avant de rectifier douloureusement :

— Je faisais à manger tous les jours sauf le mardi et le week-end. Et je m'occupais des enfants jusqu'à 18 heures. Après, je filais au restaurant.

— Hier, c'était mardi. Donc, hier, vous ne vous êtes pas rendue chez les Kumar ?

— Jamais le mardi, monsieur. Après les jours de marché, il y a beaucoup de nettoyage à faire.

— Alors, dans ce cas, comment expliquez-vous que vos empreintes ensanglantées soient présentes sur la scène de crime ?

— Je… je… je ne me l'explique pas, monsieur, bafouilla Nora.

Une alarme d'e-mail résonna. McKenna plongea la main dans sa poche et en sortit son cellulaire. Il vérifia le message puis se tourna vers Dahlia en lui présentant le téléphone.

— Le sang que vous aviez sur vous est bien celui de M. Kumar, madame. Je suis désolé. Je viens d'en avoir confirmation par le labo. On a retrouvé des traces de chloroforme sur vos mains. La pointure et le modèle de vos chaussures correspondent aux empreintes de pas relevées sur place.

Le brusque rappel des faits poussa Nora à fuir dans la torpeur du début de l'entretien. Mais cela n'empêcha pas le détective de poursuivre :

— Qui vous a appris à opérer ?

— À quoi ? balbutia Nora, d'une voix à peine perceptible.

— Les organes de M. Kumar ont été prélevés. Qui vous a appris à faire ça ?

Nora eut un haussement d'épaules d'incompréhension.

— Je n'ai pas fait d'études, monsieur, affirma-t-elle, l'esprit déjà lointain.

— Pourquoi êtes-vous allée en gare de Paddington, après le meurtre ? Vous y aviez rendez-vous ?

La vieille dame était à bout de fatigue, de larmes et de mots. Elle parvint à peine à balbutier :

— Je suis… désolée, monsieur. Je… ne me souviens pas. Tout ce que je sais, c'est que… mon bébé est mort par ma faute. Et ça… je ne me le pardonnerai jamais.

## 5

Contrairement à Michelangelo qui attaquait les blocs de marbre pour en libérer les statues prisonnières, Nils Blake sculptait pour briser ses propres chaînes. Celles qui l'avaient assujetti des années durant aux mensonges des salles d'audience, à la manipulation des faits. À trente-six ans, il était l'un des avocats les mieux payés du barreau de Londres. Il pratiquait l'art de l'illusion, accaparant l'attention du jury par des tours de passe-passe oratoires qui avaient plus à voir avec la prestidigitation qu'avec la culpabilité ou l'innocence des prévenus.

Immoral en toute légalité, il avait trompé plus d'une fois cette femme aveugle qu'est la Justice en faisant acquitter ses clients. Et, le lendemain matin, elle s'était retrouvée seule dans un lit vide, sans chaleur et sans draps. Comment pouvait-on rêver d'être impartiale quand on était une femme trompée ? Comment ne pas se sentir faillible dans l'ombre de ce doute-là ?

Depuis cinq mois, Nils avait tourné le dos à cette existence. Il vivait reclus dans son hôtel particulier de Soho transformé en atelier. Des heures durant, il maniait le maillet, la gouge et le ciseau, il sculptait le bois ou pétrissait la glaise sans relâche pour donner vie aux images qui le hantaient : des créatures hybrides d'homme et d'animal dont le regard borgne semblait lui demander des comptes. Il ne répondait plus au téléphone et ne parlait à personne, à l'exception de l'épicier du coin qui, de temps à autre, venait livrer chez lui.

Pourtant, Nils n'était pas quelqu'un de sombre, loin de là. Il émanait de lui un optimisme neuf qu'il tentait d'apprivoiser, tant bien que mal. Comme s'il avait eu besoin de refaire connaissance avec lui-même avant de pouvoir se confronter à nouveau à l'extérieur. Sa minceur confinait à la maigreur, mais ses yeux de survivant respiraient la joie de revivre.

De son passé d'avocat, Nils ne voulait plus. Il en avait l'intime conviction. Et la visite-surprise de Maggie Hall, dans sa retraite ce matin-là, mettait en danger ses résolutions. Il connaissait, pour l'avoir pratiquée maintes fois, la force de persuasion de son ex-associée. Maggie était un pitt-bull, elle ne lâchait jamais prise et, tôt ou tard, il serait amené à lui céder. Il le savait. Car il se doutait bien de ce qui motivait sa visite à Soho.

Du fond de son living-atelier, il la suivait du coin de l'œil, tandis qu'elle traversait son bric-à-brac d'œuvres en cours, s'attardant devant telle ou telle statue avec l'indifférence du touriste surchauffé venu chercher l'air conditionné d'une galerie.

À cinquante-cinq ans passés, Maggie était encore très séduisante. Sa distinction naturelle et ses cheveux blancs sur les tempes ne parvenaient pas à étouffer son sex-appeal. Fascinante, drôle, volontaire, vénéneuse, elle offrait en option toute la gamme des ennuis possibles qu'une femme fatale peut générer. Le droit était toute sa vie. Ses ex-maris pouvaient en témoigner.

— On aurait mieux fait de se voir au cabinet, dit-elle, entrant tout de suite dans le vif du sujet. Ce n'est pas vraiment le bon endroit pour en parler.

Sa voix voilée, ciselée par quarante ans de nicotine, ajoutait un appât à ses hameçons de séductrice. Nils continua de travailler la glaise, bien décidé à ne pas s'interrompre.

— Je ne vois aucun bon endroit pour en parler, Maggie.

— Ça te va bien, ces quelques kilos en plus.

— Mais si tu tiens à le faire, alors autant que ce soit ici. Garde juste ton dossier fermé. Tu connais ma position.

— Et tu connais la mienne. Nous sommes encore associés, toi et moi, non ?

— Plus pour longtemps. Je vous ai remis ma démission, Miss Hall, et vous l'avez acceptée.

— Avec deux mois de préavis.

— Dont il ne reste qu'un, aujourd'hui. Et quoi, tu voudrais me forcer à plaider, c'est ça ?

— Qui parle de te forcer ? Te motiver, ça se tente, non ? Ne plus vouloir pratiquer le droit, ça ne veut pas dire cesser de s'y intéresser pour autant. Je pourrais avoir besoin de l'avis de mon partenaire, d'un conseil.

— D'un conseil, toi ?

— Oui, moi. Je n'ai jamais connu une affaire où l'angle de défense soit aussi complexe à trouver, figure-toi ! En général, on a le choix entre « coupable » et « non coupable ». Or, ici, les agresseurs ressemblent à des victimes.

Cette dernière phrase sensibilisa l'avocat, qui interrompit son travail pour lever les yeux vers Maggie. Elle avait réussi la phase un : capter l'attention du jury. Elle embraya aussitôt sur la phase deux.

— Qu'est-ce que tu sais de l'affaire ?

— Ce qu'ils en ont dit à la télé, répondit Nils, en retournant à son travail.

Il ne souhaitait pas entrer plus avant dans la conversation. Maggie se chargea de l'y maintenir.

— Deux personnes mutilées chez elles et dépouillées de leurs organes, et ce, à vingt-quatre heures d'intervalle. Deux meurtriers distincts qui ne se connaissent pas entre eux, mais qui partagent un même goût pour une mise en scène mystique de leurs méfaits. Leurs empreintes sanglantes tapissent leurs scènes de crime respectives. Ils ne nient pas les faits. Ils disent juste ne pas se souvenir d'en être les auteurs.

Nils écoutait le pitch de Maggie avec un mélange d'admiration et de méfiance. Il connaissait le talent de son ex-associée pour faire « sonner » une affaire comme une bande-annonce. À l'instar d'une comédienne désireuse de décrocher un rôle, elle s'était habillée pour cette audition, il en était certain. Emmitouflée dans un trench, béret assorti et pull de cachemire à col roulé, sa tenue jurait avec la glaise, le plâtre et la poussière de l'atelier. Et c'était justement ce qu'elle souhaitait : rappeler à Nils que la sculpture n'était pas son terrain d'expertise. Que leur arène à tous les deux, c'étaient les prétoires. Et ce fut dans cet esprit qu'elle servit sa première balle de match :

— Lorsque tu as entendu parler de cette histoire à la télé, et s'il te plaît réponds-moi franchement, est-ce que tu t'es demandé une seconde qui aurait les couilles de défendre ces assassins ?

— Bien sûr. Je me suis même dit qu'il n'y avait que toi pour t'intéresser à des cas aussi désespérés.

— Je n'ai pas le talent de plaider, Nils, tu le sais. J'ai juste celui de choisir qui plaide. Et tu es ce qu'il y a de mieux.

Il eut un demi-sourire triste. Il détourna le regard et soupira longuement.

— L'opinion publique est choquée. Elle veut du sang. Elle serait prête à rétablir la peine de mort demain matin si on faisait un référendum. Ces deux meurtriers vont être jugés aussi rapidement que le système judiciaire le permet. La Couronne n'a qu'une hâte, c'est que cette histoire soit oubliée au plus vite. L'audience préliminaire est prévue lundi prochain et le procès dans moins de deux mois.

— Mais l'enquête est toujours ouverte, non ?

— Et ça ne leur pose aucun problème. Depuis la mort de Kumar, ce matin, tous les voyants sont au rouge. L'ambassade américaine fait pression sur le Home Office. Le ministre de l'Intérieur vient d'invoquer le Crime and Security Bill pour justifier la priorité à donner à cette affaire. Le Terrorist Act, Nils, rien que ça. Ils sont en train de piétiner les droits de la Défense. À ce train-là, il n'y aura aucune négociation possible avec la Couronne.

— Si leur avocat décide de plaider coupable, ils seront contraints de négocier.

— Ils exigeront la peine maximale et l'avocat commis d'office sera bien obligé de s'incliner. À moins bien sûr que, face à eux, ils aient une vraie star du barreau.

— Écoute, Maggie, j'apprécie ce que tu essaies de faire pour moi. Tu crois qu'en me remettant au boulot, je…

— Ça fait cinq mois, Nils. Ta convalescence est terminée.

— Physiquement oui, mais… je ne peux plus mentir, Maggie. Et un avocat qui ne ment pas… il est au chômage.

Elle acquiesça sans éprouver le moindre scrupule à faire partie de la première catégorie. Il poursuivit :

— C'est comme une nouvelle chance qu'on m'a donnée, tu comprends ça ? Je veux faire autre chose de ma vie. Je veux… être *utile* aux autres.

— Parce que tu te trouves *utile*, ici ? s'indigna-t-elle en désignant les statues autour d'eux.

— Je compte l'être, en tout cas. Quand je me serai… reconstruit.

Il était conscient de ses contradictions. Quant à Maggie, elle avait senti une vulnérabilité à fleur de peau dans la voix de son associé, une sensibilité qu'elle ne lui connaissait pas. Alors, elle posa une main amicale sur son épaule et lui parla avec conviction et sincérité.

— Nils… Être *utile*, c'est exactement ce que je te propose. On ne gagnera pas un rond sur cette affaire ! Les accusés sont de petites gens sans casier : le premier est garagiste, la seconde, restauratrice. Une meurtrière de soixante-dix ans, Nils ! La police l'a retrouvée, il y a trois heures, errant en gare de Paddington, couverte du sang de sa victime. Elle n'a aucun souvenir de ce qui s'est passé. Exactement comme l'autre éventreur.

— L'autre quoi ?

— Éventreur, c'est comme ça que les médias les appellent, lança-t-elle dans un soupir.

Il haussa les épaules. La presse serait toujours la presse. Son addiction pour le sensationnel était telle qu'elle ne se contenterait jamais du réel. Quand il leva les yeux vers Maggie, elle examinait une boucharde avec perplexité.

— Pourquoi tu tiens tant à cette affaire ? demanda-t-il en récupérant son outil.

— Parce que je ne la comprends pas. Je te demande juste d'étudier le dossier et de me donner ton avis. Ça ne t'engage pas à grand-chose.

Elle fit glisser son classeur jusqu'à lui. Il le fixa comme un objet contagieux. Le silence s'éternisait et Maggie était prête à renoncer quand Nils demanda :

— Il y a quoi dans ton dossier ?

Censurant tout élan d'enthousiasme, elle ouvrit calmement la chemise cartonnée et lui présenta les documents qu'elle contenait :

— Une copie des procès-verbaux initiaux, la liste des indices relevés par la police scientifique, un croquis des deux scènes de crime, les photos des présumés coupables, l'interrogatoire des proches effectué par notre propre enquêteur et surtout…

Elle sortit une enveloppe de papier kraft qu'elle posa sur la pile.

— Les clichés des victimes. Je te préviens, c'est pas joli joli. L'autopsie d'Alan Ginsburg est prévue en milieu d'après-midi et celle de Kumar ce soir.

Nils hésita encore, comme s'il se méfiait de l'effet que l'appel du vide pourrait avoir sur ses résolutions. Maggie surveillait le pli du coin de l'œil comme un pêcheur son bouchon. Et lorsque son confrère se décida à mordre, elle ne montra rien de sa satisfaction. Le plus dur était de lui faire ouvrir l'enveloppe. Les photos se chargeraient du reste.

Il les regarda l'une après l'autre. Un frisson le parcourut en découvrant les deux sacrifiés. Ces hommes avaient sans doute été de simples pères de famille. Ils avaient éduqué leurs enfants, les avaient veillés quand ils étaient malades, s'étaient inquiétés lors de retards inopportuns, sans se douter que c'étaient eux, les parents, qui viendraient à manquer.

Mais, malgré l'abomination de ces actes, malgré la distance glacée que la mort lui imposait, Nils se sentait en étrange communion avec chacune de ces victimes. Et, comme elles probablement, il ne pouvait s'empêcher de s'interroger sur l'intention des bourreaux.

— La meurtrière, tu as sa photo ?

— Dans l'autre enveloppe, fit Maggie en masquant une excitation grandissante.

Nils passa en revue les clichés et s'arrêta sur celui de Nora Gyulay. Comment imaginer que cette vieille dame au visage digne et à l'aspect inoffensif ait pu commettre un crime aussi épouvantable ? Quelle motivation mystérieuse pouvait justifier pareille barbarie ?

# 6

Le carrelage était immaculé et les tables de dissection en acier rutilant. Pourtant, l'Institut médico-légal de Lambeth ne parvenait pas à se débarrasser de cette odeur de mort et de désinfectant qui imprimait jusqu'à l'air froid qu'on respirait.

Avec leurs tuniques couleur menthe, leurs visières en plastique, leurs masques et leurs gants stériles, McKenna, Dahlia Rhymes et la pathologiste ressemblaient à des grands prêtres penchés sur l'agneau qu'ils venaient de sacrifier.

Le cadavre d'Alan Ginsburg gisait au centre de la salle d'autopsie sous la lumière blanche des Scialytiques, une étiquette attachée à l'orteil droit. Sa peau retroussée et sa cage thoracique ouverte comme un portail osseux laissaient entrevoir l'absence d'organes. Seuls les muscles sectionnés et les artères amputées étaient apparents.

Kimberley Myers, la médecin légiste, était une femme trapue, la quarantaine, coupe à la garçonne, bras massifs et hanches que l'on devinait trop larges. Sa grande compétence la rendait allergique aux questions des profanes. Ses jugements étaient expéditifs et

46

péremptoires. Tolérant mal la contradiction, elle avait tendance à préférer la compagnie des morts à celle des vivants. Derrière ses Clubmasters à monture d'écaille, ses yeux noisette étaient aussi pénétrants qu'un scalpel. Et ils avaient pris en grippe « la Ricaine » dès les présentations. Aussi Kimberley s'adressa-t-elle à McKenna en ignorant royalement Dahlia, laquelle choisit de ne pas s'en offusquer.

— Nous avons affaire à un bon préleveur. Une seule incision médiane xypho-pubienne, une sternotomie tout ce qu'il y a de plus classique avec libération des muscles pectoraux et abdominaux, et tout ça à cœur battant.

— Tu veux dire qu'il était encore en vie quand les incisions ont été pratiquées ? demanda-t-il.

— J'en ai bien peur.

— C'est le principe du sacrifice, intervint Dahlia. C'est la souffrance du supplicié qu'on offre aux dieux, pas ses entrailles.

Kimberley dévisagea McKenna, l'air de dire « de quoi elle se mêle, celle-là ? ». Mais le détective enchaîna :

— Il n'y avait pas de traces d'anesthésique dans son sang ?

— En dehors du chloroforme inhalé, aucun. Contrairement à ce qu'on voit fréquemment dans les films, le chloroforme n'est pas très efficace, comme narcotique. Au mieux, son inhalation peut provoquer un évanouissement de quelques minutes.

— Excuse-moi d'insister, Kim, mais… qu'est-ce qui te permet d'affirmer qu'il était encore en vie quand on lui a ouvert le ventre ?

47

— L'infiltration du sang dans les tissus, répondit-elle avec cette suffisance qu'ont parfois les médecins quand ils oublient que tout le monde n'est pas né avec un stéthoscope autour du cou. Si tu entailles un cadavre, le sang s'écoule très lentement et ne peut donc pas saturer les tissus voisins. Si tu pratiques la même lésion sur quelqu'un de vivant, le rythme cardiaque s'accélère et le sang afflue vers la blessure pour tenter de la cicatriser. Les tissus sont alors gorgés d'hémoglobine, comme c'est le cas ici.

Elle se pencha sur le corps et, d'un bruit spongieux, mit en évidence les muscles pectoraux et abdominaux pour étayer son argumentation.

McKenna acquiesça en faisant la grimace. Ce qu'il supportait le moins, durant les autopsies, c'étaient justement les bruits.

— Je comprends, mais… s'il avait été conscient, au moment des incisions, les voisins l'auraient entendu hurler.

La légiste leva un index professoral, faisant signe à McKenna de la suivre. Dahlia leur emboîta le pas. Ils s'assemblèrent autour de la tête du cadavre. Délicatement, Kimberley fit rouler le corps sur le flanc et désigna des marques rougeâtres sur la nuque :

— Tu vois ces irritations ? Ce sont des marques de ligatures. *Ante mortem*.

— Un bâillon ? déduisit-il.

La pathologiste acquiesça.

— Il y a les mêmes autour des poignets et des chevilles. Le but étant de s'assurer de la qualité des organes prélevés, fit-elle en laissant retomber le cadavre sur le dos.

Face à l'expression perplexe de McKenna, Kimberley soupira, agacée d'avoir à préciser sa pensée :

— Tout bon préleveur se doit de garder le donneur vivant le plus longtemps possible. Dans une transplantation, on n'arrête le cœur qu'au dernier moment, car c'est lui qui assure l'irrigation des organes.

— Le tueur était donc parfaitement au courant de la manière de procéder...

— Ça ne fait aucun doute.

— Mais enfin, protesta McKenna, incrédule, personne ne peut s'improviser chirurgien du jour au lendemain. Il faut dix ans d'études. C'est du travail de pro, ça !

La légiste retira ses gants en grimaçant. Elle les flanqua dans une poubelle, repoussa une balance à fléau qui lui barrait la route et s'éloigna vers les lavabos en disant :

— La technique est pro, mais les actes sont loin de l'être. C'est coupé au bon endroit mais un peu n'importe comment. Ça ressemble à une « première fois ». Une mauvaise première fois.

McKenna la suivit. Dahlia profita de ce tête-à-tête impromptu avec le cadavre pour faire ses propres constatations.

— Quant aux points de suture, poursuivit Kimberley, ils sont folkloriques.

Elle se frictionna avec une lotion antiseptique.

— Quand on prélève des organes au bloc opératoire, reprit le détective, on les conserve comment ? Dans la glace ?

— Pas directement. Si l'organe gèle, ses propriétés sont détruites. Il existe des conteneurs isothermes spécialement conçus pour le transport des greffons à une température constante de quatre degrés.

— Ça ressemble à quoi ?

— À une glacière de camping.

Dahlia et McKenna échangèrent un coup d'œil qui posait la même question muette : où étaient passées ces glacières ?

— Et ça se conserve longtemps, un organe ?

— Cela dépend duquel. Trente-six heures, le rein, douze, le foie… six, les poumons et seulement quatre pour le cœur.

Le détective revint vers le sacrifié et le contempla dans toute son horreur chirurgicale :

— Moi, je voudrais bien qu'on m'explique comment un garagiste et une restauratrice peuvent pratiquer de telles opérations.

Cette remarque laissa tout le monde sans voix.

En descendant l'escalier de l'Institut médico-légal, McKenna échangeait encore ses impressions avec Dahlia.

— Les deux éventreurs ont été retrouvés errant dans un lieu public. Le premier sur une aire d'autoroute. La deuxième dans une gare. Et ils n'avaient ni organes sur eux ni glacière.

— Ils les ont forcément livrés à quelqu'un, conclut Dahlia.

Le détective s'arrêta au milieu des marches, considérant cette remarque de bon sens avant de poursuivre :

— Sur une aire d'autoroute, je comprends, il n'y a pas de caméras, mais une gare… Pourquoi prendre un risque pareil ?

— Les éventreurs ont bien pris le risque de ne pas mettre de gants.

Quand ils accédèrent à l'accueil, le visage de McKenna se chargea d'inquiétude. Il se tourna vers Dahlia et lui lança :

— Euh... attendez-moi ici, je reviens tout de suite.

Il pressa le pas, la distançant, avant de disparaître derrière la guérite de l'entrée.

— Qu'est-ce qui se passe ? grommela McKenna.

Il s'adressait à un garçon de dix-huit ans qui l'attendait à l'accueil, assis sur un banc, un casque d'iPod sur les oreilles.

— C'est Miles, répondit gravement l'adolescent. Il a recommencé. J'ai essayé de te joindre sur ton portable, mais tu réponds pas.

Le détective dégaina son téléphone et constata que sa batterie était à plat.

— Il est où ? le pressa-t-il en tentant de réprimer une panique grandissante.

— T'inquiète pas, il est rentré.

McKenna souffla, soulagé, et se tourna vers l'endroit où il avait abandonné Dahlia. Il dut faire quelques pas en arrière pour l'apercevoir, par-delà la guérite. Elle parcourait les annonces des panneaux d'affichage.

— C'est qui ? s'enquit l'adolescent qui avait rejoint son père.

— Une collègue qui est arrivée ce matin, trancha-t-il, ramenant son fils à l'abri des regards.

— Elle vient d'où ?

— De New York.

— Comme maman ?

51

— Oui, soupira tristement McKenna. Comme maman.

— Tu me la présentes ?

— Non, Peter. La voiture est ouverte. Vas-y, j'en ai pour deux minutes.

L'adolescent soupira, déçu, et poussa à contrecœur la porte de l'IML, tandis que McKenna revenait vers Dahlia.

— Je suis désolé, un problème avec mes enfants. Faut que j'y aille.

La criminologue hocha la tête, surprise, mais se risqua tout de même à demander :

— Pour les images de la gare, je peux venir avec vous, demain matin ?

— Si le décalage horaire ne vous chatouille pas trop.

— Je serai réveillée avant vous.

— Ça, ça m'étonnerait.

Dahlia le regarda s'éloigner. Elle avait imaginé toutes sortes de profils psychologiques pour cerner la personnalité de McKenna, sauf celui de père.

## 7

La prison de Wandsworth était le plus grand centre de détention de Londres. Son architecture victorienne, en étoile à six branches, combinée à une couleur de sang coagulé suffisait à donner le frisson à quiconque s'aventurait sous ses hauts murs sinistres. Elle semblait avoir été conçue comme une arme de dissuasion. Mille huit cents détenus s'y entassaient.

Érigée en 1851, Wandsworth était tristement célèbre pour son *separate system*, inspiré de la méthode de réclusion des ermites. Tout avait été mis en œuvre pour isoler les prisonniers qui, du coup, ne se croisaient jamais. Durant leurs rares sorties dans les couloirs ou dans la cour, ils étaient cagoulés et portaient des chaussures feutrées pour étouffer leurs pas. Réduits à l'état de numéros, leurs noms, leurs histoires et leurs crimes n'étaient connus que d'eux-mêmes. Les gardes avaient interdiction de leur parler. Contraints de fréquenter quotidiennement la chapelle, les détenus étaient installés dans des cabines individuelles comparables aux stalles des chanoines. Bien qu'assis à quelques centimètres les uns des autres, ils ne pouvaient voir que le célébrant et leur gardien.

Le but de toutes ces mesures d'isolement était double : pousser le prisonnier à la pénitence par la réflexion silencieuse et casser la sous-culture criminelle que la promiscuité carcérale encourageait. Les châtiments corporels avaient été monnaie courante à Wandsworth. Infligés sous les ordres d'un magistrat, ils punissaient systématiquement tout manquement au règlement intérieur de la prison.

Ces pratiques d'un autre âge avaient cessé à la fin des années cinquante. Du moins, officiellement. Car, aujourd'hui encore, des rumeurs circulaient à propos du comportement de certains gardiens accusés d'entretenir une culture de la peur, sous couvert de préserver les traditions.

Un taxi longea Heathfield Road et se présenta devant l'entrée de Wandsworth. Il franchit le premier muret d'enceinte avant de se ranger devant l'impressionnante porte de la prison dont la forme rappelait celle d'un pont-levis. Sa voûte ajourée, bardée de barreaux, évoquait une herse surplombant de lourds battants qui rechignaient à s'ouvrir.

Sur le point de descendre du taxi, Nils aperçut la meute de journalistes qui battait le pavé devant l'entrée. Ils s'étaient installés là lors du transfert du premier éventreur. Depuis, ils guettaient les allées et venues des visiteurs, se disputant la moindre rumeur comme les pigeons d'un parc les miettes qu'on veut bien leur lancer.

Ce que Nils supportait le moins, dans l'idée de reprendre temporairement du service, ce n'était pas tant la visite qu'il s'apprêtait à faire que les rapports avec les médias qu'elle impliquait. Il se prit à regretter d'avoir quitté la sérénité de son atelier pour replonger dans ce cirque. D'autant que, parmi les reporters présents, certains l'avaient reconnu et se ruaient déjà vers son taxi.

Il paya le chauffeur, prit une profonde inspiration et se jeta dans l'arène, sa mallette à la main.

— Maître Blake ? Alors, ça y est, c'est officiel, c'est vous qui représentez les éventreurs ?

— Pas de commentaires pour l'instant, fit Nils en se frayant un chemin vers l'entrée.

Une journaliste le retint par la manche.

— Allez, maître, une petite info, histoire qu'on ne soit pas obligé d'inventer…

— Oh, je ne me fais pas de souci. Vous le ferez quoi qu'il arrive.

Grâce à l'appui des deux policiers de faction, il parvint à s'extraire de la foule pour disparaître derrière la lourde porte.

Nils franchit le portique de sécurité, récupéra sa mallette et s'enregistra à la réception. Il fut bientôt rejoint par un surveillant qui l'escorta jusqu'aux ascenseurs.

Le sergent Maddox, soixante-cinq ans, comptait une vingtaine de centimètres de plus que l'avocat. Il était à quinze jours de sa retraite et faisait de moins en moins d'efforts pour mettre de l'eau dans son vin. Ses quarante-sept années à Wandsworth l'avaient convaincu d'une chose : la réinsertion était une chimère inventée par les systèmes judiciaire et policier pour faire tourner leur fonds de commerce. Pour lui, un criminel le restait toute sa vie, alors autant faire en sorte qu'elle soit la plus courte possible.

Maddox introduisit une clé dans le clavier de commande et la cabine se mit en marche vers les étages inférieurs.

— C'est au sous-sol, maintenant ? s'étonna Nils.

— Pour les ordures dans son genre, ça devrait toujours être au sous-sol.

L'avocat préféra ne pas relever. Il avait fallu qu'il tombe sur un facho. C'était bien sa chance !

— Putain de baveux, grommela le garde, en dévisageant Nils avec dégoût. Il n'y a que les tunes et les gros titres des journaux qui intéressent les gens comme vous, pas vrai ?

— Vous avez lu ça où ? Dans le *Journal officiel* ou dans le tabloïd avec lequel vous vous torchez ?

Le garde haussa les épaules tout en lui adressant un regard de haine pure.

— Je me demande comment vous pouvez dormir la nuit en défendant ces fumiers.

— Tout le monde a le droit d'être défendu, sergent. Même quelqu'un comme vous.

Les portes de l'ascenseur s'ouvrirent sur une sorte de cave aménagée, une galerie creusée dans la pierre qui conduisait à six portes métalliques rouillées. Des ampoules nues et pâlichonnes pendaient à intervalles réguliers. L'ensemble évoquait les oubliettes du Moyen Âge.

— Ma cliente n'a rien à faire ici ! s'insurgea Nils. Elle est en détention provisoire, sous mandat de dépôt.

— Le dépôt est à cet étage, maître, répliqua le garde en ouvrant la marche. Enfin… il l'était en 68 quand j'ai fait mes débuts. Charles Bronson y a fait un court séjour. Et Oscar Wilde, avant lui. Il nous arrive d'y mettre encore des détenus, quand on affiche complet, là-haut. Ah, on savait y faire, à cette époque-là, avec les assassins ! Faut dire qu'avec la pendaison, il y avait moins de récidives. Mais aussi moins de boulot pour vous, je vous l'accorde, maître... Voilà, nous y sommes.

Il fit glisser le loquet d'un judas, jeta un œil à l'intérieur et déverrouilla la vieille porte qui grinça de tous ses gonds. Elle s'ouvrit sur une pièce minuscule, plongée dans une semi-obscurité. La main de Nils chercha l'interrupteur... En vain.

— Il n'y a pas de lumière ?

— Elle en a pas besoin.

L'avocat fusilla le garde du regard.

— Précisez ce que vous entendez par « besoin », sergent ? Et faites attention à ce que vous dites, car vous pourriez être en désaccord total avec la Déclaration des droits de l'homme.

Maddox eut l'air légèrement dérouté. Nils choisit de l'ignorer. Il s'avança dans la pièce et, grâce au rai de lumière de l'entrée, parvint à discerner la silhouette de Nora, assise sur une paillasse.

Les coudes de la vieille dame reposaient sur ses genoux, ses mains soutenaient son front en tenaille. Elle portait des menottes aux poignets et des entraves aux pieds. Tout autour, l'humidité suintante des murs et du sol était palpable. Nils était révolté.

— J'exige que vous sortiez ma cliente de ce cachot immédiatement et que vous la transfériez dans une cellule décente où nous pourrons nous entretenir.

— Attendez, vous savez ce qu'elle a fait, mère-grand ?

— Je me fous de savoir ce qu'elle a fait. Vous n'êtes pas juge, que je sache !

— Et vous ? Vous vous prenez pour…

— Je vais vous dire pour qui, trancha le défenseur. Pour Nils Blake, l'avocat qui a fait cracher trois millions de livres à Rupert Murdoch et fait fermer *News of the World*. Vous voulez quoi ? Que j'attaque cette prison pour cinq millions ? Alors, voilà comment je vois les choses : soit ma cliente dispose d'une cellule de détention provisoire digne d'une démocratie comme la nôtre, soit je vous attaque vous, Wandsworth et cette ville, c'est clair ?

Dix minutes plus tard, Nora Gyulay était escortée par Maddox jusqu'à une cellule moderne à l'étage.

— Ma cliente n'aura pas besoin de cette quincaillerie durant notre entretien, merci, dit Nils sur un ton qui ne souffrait aucune contestation.

Le surveillant haussa les épaules et défit les entraves de sa prisonnière en marmonnant :

— C'est votre vie, après tout.

Puis il s'éclipsa, prenant soin de verrouiller la porte derrière lui.

— Asseyez-vous, je vous en prie, fit Nils à Nora en désignant l'une des deux chaises de la cellule.

La vieille dame obéit et s'accouda à la table, la tête basse. Il en profita pour l'étudier. Ses traits étaient doux et harmonieux. Une certaine dignité émanait d'elle en dépit du chagrin qui semblait la terrasser. Elle n'avait rien du monstre dont les journaux allaient se délecter.

*Mon Dieu*, songea-t-il, *elle a l'air de la grand-mère idéale !*

Il s'assit face à elle, ouvrit sa mallette et en sortit une tablette numérique.

— Madame Gyulay ? Mon nom est Nils Blake. Je suis avocat. Est-ce que vous avez déjà choisi un de mes confrères pour vous représenter ?

— Non, monsieur, répondit-elle. Je n'ai pas d'argent, je ne peux pas...

— Votre argent ne m'intéresse pas, madame. Mon travail ne vous coûtera rien. Alors, si vous le voulez bien, je vais vous poser quelques questions et après nous verrons comment procéder. Cela vous va ?

Nora hocha la tête avec pudeur. La façon dont elle avait prévenu Nils de son manque de moyens avait rassuré l'avocat sur le potentiel de sa cliente à supporter cet interrogatoire. Malgré son état de choc évident, elle avait conservé un certain contact avec le réel.

— Je tiens à ce que vous sachiez qu'à la fin de notre entrevue, vous serez en droit de refuser que je vous représente. Il se peut très bien, par exemple, que vous ne me jugiez pas apte à vous défendre, ou que vous n'ayez pas confiance en moi. Quoi qu'il en soit, vous n'aurez pas à vous justifier.

— Je ne peux pas être défendue, monsieur.

— Tout le monde a le droit de l'être, madame.

— Non... vous ne comprenez pas... Je vous suis très reconnaissante de vouloir me défendre, mais... ce que j'ai fait est indéfendable. C'est...

Elle s'interrompit, ne trouvant pas les mots pour qualifier ses actes. L'avocat lui tapota la main amicalement.

— Laissez-moi en juger, vous voulez bien ?

Pour la première fois, le regard de la vieille dame hongroise croisa celui de Nils. Il put y lire une aspiration à être jugée et condamnée pour ses actes. Plus que d'une relaxe ou d'une absolution que personne ne pouvait lui donner, Nora semblait en quête de pénitence.

— La seule chose que je vous demande, madame Gyulay, c'est de ne jamais me mentir. Je serai beaucoup plus efficace si je sais ce qu'il s'est réellement passé. Dans le cas contraire, je serai obligé d'inventer et donc forcément de faire des erreurs. Vous me promettez de ne pas me mentir ?

Nora acquiesça avec franchise.

Il ouvrit un dossier.

— Vous avez déjà été arrêtée ou condamnée, madame ?

— Non, monsieur.

— Depuis combien de temps travaillez-vous pour les Kumar ?

— Quarante-quatre ans cette année, monsieur.

Nils fronça les sourcils. Il ne comprenait pas. Nora s'en rendit compte et précisa :

— Mon mari et moi travaillions déjà pour les parents d'Andrew, avant sa naissance.

— Andrew ?

— Kumar, répondit Nora, les larmes aux yeux. Dans leur maison familiale, à Washington. Mon mari était leur chauffeur et moi…

Nora baissa la tête, terrassée par le chagrin. Nils l'observa, comme s'il testait sa sincérité.

— Madame Gyulay, aviez-vous une raison particulière de ne pas aimer M. Kumar ?

— J'étais sa nourrice, monsieur. Je me suis occupée de lui, depuis sa naissance. Je… je l'aimais comme un fils.

La vieille dame se mit à sangloter. Nils préserva sa neutralité en se replongeant dans le dossier.

— Dans le rapport de police, vous déclarez ne pas vous rappeler être allée chez M. Kumar, hier soir.

— Je n'y vais jamais le mardi. Le plus gros chiffre d'affaires de notre restaurant se fait les jours de marché et on n'est pas trop de quatre pour assurer le service à l'heure du dîner.

Nils consulta un moment ses papiers avant de reprendre :

— Pourtant, si j'en crois le témoignage de votre mari, à l'heure du crime, vous n'étiez pas au restaurant. Il ne se souvient pas de vous avoir vue partir, mais il a parlé d'un paquet que vous auriez reçu. Vous vous rappelez ce paquet ?

Ces quelques mots eurent l'effet d'un catalyseur sur la mémoire de Nora. Elle se figea soudain et releva la tête, comme illuminée.

— Un paquet, oui… un paquet d'Andrew…

— C'est lui qui vous a adressé ce paquet ?

— Il y avait son nom sur la boîte.

— Qu'est-ce qu'il y avait dedans ?

— Je n'en sais rien. Mais… ça avait l'air urgent.

— Suffisamment urgent pour que vous décidiez d'aller le rejoindre ?

— Oui.

— Vous êtes donc allée voir M. Kumar hier soir dans sa propriété de Hampstead avec ce paquet, c'est ça ?

Sous le choc de cette révélation, la voix de Nora se mit à trembler :

— C'est bien ça, oui. Je me suis rendue là-bas. Oh ! mon Dieu, c'est horrible…

Elle se remit à pleurer. Nils patienta quelques secondes, le temps qu'elle se reprenne, puis demanda :

— Combien de temps êtes-vous restée chez M. Kumar hier soir ?

Les yeux de Nora allaient et venaient comme s'ils cherchaient à fixer les fragments de mémoire qui refaisaient surface.

— Du thé. Il m'a demandé de lui faire du thé.

— Où était-il ?

— À l'étage.

— Et vous ?

— À la cuisine.

— Qu'avez-vous fait ensuite ?

Nora fit un effort colossal pour se rappeler, mais ne parvint qu'à se déstabiliser davantage. Son inconscient refusait d'aller fouiller plus profond. C'était une question de survie. Des sanglots emportèrent ses dernières résistances.

— Je ne sais pas, je ne sais pas...

— Votre mari a cherché à vous joindre sans y parvenir. Il a même appelé la police pour signaler votre disparition. Où avez-vous passé la nuit, madame Gyulay ?

— Je ne m'en souviens pas, monsieur, répondit-elle en reniflant. Peut-être à la gare ?

— À la gare de Paddington ? Là où la police vous a découverte ?

— Peut-être... En tout cas, ça ne change rien. Quand je me suis réveillée, j'étais couverte de sang et la police dit que c'est celui d'Andrew. Mes empreintes sont partout. Je suis allée chez lui, hier soir. Alors, c'est sûrement moi qui l'ai tué.

— On ne peut ni condamner quelqu'un ni l'innocenter avec des « sûrement », madame Gyulay. La police fait son travail, et c'est normal. Mais son interprétation des faits n'a qu'une importance relative. Ce qui compte pour moi, c'est la vôtre. Vous êtes la seule à détenir la vérité. Et moi, je ne suis ici que pour vous aider à y voir clair. Je ne vous juge pas, je suis votre allié, vous comprenez ?

Nora hocha la tête en essuyant ses larmes.

Soudain, la main droite de l'avocat se mit à trembler, sans raison. Une crampe s'ensuivit qui paralysa son bras droit. Embarrassé, il se leva et s'éloigna de sa cliente, en se massant discrètement, pour faire cesser la crampe.

*Comment ai-je pu oublier de prendre mon traitement ?*

Cela faisait cinq mois qu'il avalait sa vingtaine de pilules quotidiennes à heure fixe, sans jamais manquer une prise. Était-ce la visite de Maggie qui avait provoqué cet oubli ou bien la fascination qu'avait exercée sur lui l'affaire des éventreurs ?

— Est-ce qu'il y avait quelqu'un d'autre, en dehors de vous, chez M. Kumar, hier soir ?

— Non.

— Vous avez parlé à quelqu'un, avant d'aller le voir ?

— Non, monsieur.

Nils revint vers la table et glissa sa main crispée dans la poche de sa veste.

— Est-ce qu'on vous aurait menacée de s'en prendre à un proche, si vous n'agissiez pas ainsi ?

Nora fit un effort pour se rappeler.

— Je ne me souviens pas. Je suis désolée, je… Je me rappelle juste cette musique dans ma tête… tout ce sang partout et… et mon réveil à la gare.

— Quelle musique ?

— Pardon, monsieur ?

— Vous avez parlé d'une musique dans votre tête. Vous vous souvenez de quelle musique il s'agit ?

— J'ai dit « musique », monsieur ?

Il acquiesça. Nora haussa les épaules, honteuse. Nils soupira. Il ne lui restait pas beaucoup d'hypothèses à explorer.

— Je suis désolé de vous poser cette question, madame Gyulay, mais… est-ce qu'il vous est déjà arrivé d'entendre des voix ? Des voix qui vous obligent à faire des choses ?

— Non, monsieur, répondit Nora, vexée. Ce sont les fous, qui entendent des voix.

Il examina sa cliente en silence. Elle ne ressemblait ni à une folle ni à une meurtrière. Et il ne pouvait s'empêcher d'éprouver de la compassion pour elle.

Nils poussa la porte des toilettes. Il ouvrit sa mallette, tira sur une fermeture à glissière et en sortit une dizaine de boîtes de médicaments. Il y récupéra une vingtaine de comprimés, regarda un moment sa main tremblante qui les contenait tous et les mit en bouche.

Il but à même le robinet pour avaler le cocktail.

Lorsque Nils quitta la prison par la sortie dérobée de Heathfield Square, il repensait à l'émotion qu'avait suscitée en lui l'entretien avec la vieille dame hongroise. Il avait l'impression dérangeante d'avoir interrogé la mère de la victime plutôt que son bourreau. Une chose était certaine : Nora Gyulay était profondément endeuillée par la disparition de Kumar. Pourtant, elle l'avait éventré et dépouillé de ses organes sans le moindre scrupule. Comment était-ce possible ?

Un coup de klaxon sortit l'avocat de ses pensées. Un coupé Jaguar était garé juste en face. À l'intérieur, Maggie lui faisait de grands signes. Il traversa la route pour la rejoindre, tout en gardant prudemment la main droite dans sa poche.

— C'est gentil de venir me chercher, dit-il en montant à bord. Comment tu savais que je sortirais par là ?

— Je connais du monde à l'intérieur, tu sais ?

— Un ex-mari ? ironisa-t-il.

— Un prétendant, répliqua-t-elle, le sourire mutin. Alors, qu'est-ce que tu penses de Mme Gyulay ?

Nils ne trouvait pas les mots pour définir ce qu'il ressentait. Mais son expression suffit à Maggie.

— Je savais qu'elle te plairait.

— Et l'autre, il est comment ?

— Tout aussi coupable et tout autant victime.

— Il a un avocat ?

— Il *avait*.

Nils jeta un regard à Maggie signifiant : « Tu n'abandonnes jamais. »

— La ligne de défense, c'est quoi pour toi ? s'enquit-elle.

Il réfléchit un moment avant de lui donner son point de vue :

— Elle n'a aucun mobile. Elle adorait la victime. La plupart des criminels, à sa place, clameraient leur innocence ou simuleraient la folie. Or elle ne fait ni l'un ni l'autre. Elle a le sentiment d'avoir tué, elle ne le nie pas. Mais elle ne se souvient pas de l'acte en lui-même. Sa mémoire semble avoir occulté partiellement les faits. Un spécialiste devrait pouvoir mesurer l'étendue de cette amnésie. Et si l'autre éventreur présente les mêmes symptômes, on a peut-être le début d'une ligne de défense…

— Tu l'auras, ton spécialiste. Et si ses conclusions ne vont pas dans ton sens ?

— Alors, ce sera le train-train habituel, les preuves indirectes, le bénéfice du doute, on sera baisés en une semaine.

— Toi, baisé ? Laisse-moi rire. Si Jésus t'avait eu comme avocat, on l'aurait acquitté. Et ça nous aurait évité pas mal d'emmerdes à tous, d'ailleurs.

Nils apprécia ce trait d'esprit très « Maggie Hall ». Au bout de quelques secondes, il se risqua à demander :

— Tu crois que je peux rencontrer le premier éventreur ?

— Tu le vois demain matin.

Épaté, il secoua la tête.

— Tu ne prévois pas l'avenir, tu le prépares, c'est ça ?

— C'était l'opinion de mes trois ex. Regarde où ça m'a menée. Je te dépose chez toi ?

## 8

Entre le périphérique londonien et l'autoroute M25 s'étendait le Londres extra-muros : *Outter London*, le refuge des classes moyennes depuis que les prix du mètre carré de la capitale s'étaient envolés.

Les McKenna y avaient trouvé la maison de leurs rêves, le genre qu'on dessine quand on est enfant, avec son toit pointu, sa cheminée qui fume, son garage et son bout de jardin. Même si, pour se payer ce rêve, il leur avait fallu accepter qu'il ressemble, à la brique près, à celui de leurs cent cinquante voisins.

À l'instar des géoglyphes incas, la forme de leur lotissement de Sutton n'était perceptible que vue d'avion : un double cercle concentrique de maisons identiques se faisant face, liées entre elles par une même rue qui les desservait toutes.

Le Land Cruiser s'y engagea puis se rangea sur l'allée privée d'un pavillon ocre aux volets blancs que rien ne distinguait des autres, en dehors d'un vélo traînant sur la pelouse.

McKenna descendit et pressa le pas vers la maison. Il jeta un œil par-dessus son épaule pour s'assurer que Peter le suivait bien. Il y avait un mélange de crainte et de remords, dans le regard de son fils, l'impression confuse d'avoir mal agi.

— Tu as bien fait de me prévenir, Pete. Ça ne rend pas service à ton frère de le couvrir dans un cas pareil. T'inquiète pas, ça va s'arranger, je vais trouver une solution.

Il entraîna son fils en le tenant par la nuque, sous le regard inquisiteur d'un voisin qui s'arrêta un moment de tailler ses lauriers.


Le désordre qui régnait à l'intérieur de la maison était impressionnant. Des vêtements parsemés cohabitaient avec des restes noircis de repas, des livres de classe avec des jeux vidéo. Pourtant, McKenna et Peter n'y virent rien d'anormal. Ils se contentèrent d'enjamber les obstacles sur leur chemin.

Tim, quinze ans, interpella son père, tout en continuant de jouer à *Grand Theft Auto* avec son frère Ewan, douze ans.

— Ne le dispute pas, papa, d'accord ?

— Il est où ?

— Dans sa chambre.

— Il était comment ton cadavre ? demanda Ewan avec la fascination morbide des garçons de son âge.

— Mort, trancha McKenna en s'élançant dans la cage d'escalier.

Mais, une fois à l'abri des regards, il s'immobilisa, la main sur la rampe, pour prêter l'oreille à l'échange entre ses enfants.

— Il a dit quoi, murmura Tim à Peter.

— Qu'est-ce que tu veux qu'il dise ?

— Tu crois qu'il va le frapper ? s'enquit Ewan.

— Ça va pas, non ? Depuis quand papa frappe ? Il t'a déjà frappé, toi ?

— Non, mais…

— Mais quoi ?

— Euh… rien.

Le cœur de McKenna se mit à battre plus vite. Ces quelques paroles avaient suffi à provoquer chez lui un sentiment d'impuissance qu'il ne parvenait pas à juguler. Cela lui arrivait fréquemment. Dès qu'il devait faire face au jugement de ses enfants, il était comme paralysé. Il trouva juste la force de s'adosser au mur de l'escalier. Puis il ferma les yeux à l'instar du condamné qui attend l'échéance du peloton d'exécution.

— Papa nous aime, OK ? Alors, arrête avec tes questions cons.

Peter avait dit cela comme pour s'en convaincre. C'était du moins ce qu'avait ressenti McKenna. Et cela l'avait déstabilisé. Ses propres enfants doutaient-ils des sentiments qu'il éprouvait pour eux ?

McKenna savait, pour l'avoir vécu, qu'on ne peut pas mentir impunément à un enfant. Tôt ou tard, il découvre la vérité. Et celle-ci pulvérise le cocon protecteur de l'enfance avant que la métamorphose ne soit terminée. Pour la larve qui se prétend adulte, la vérité devient alors synonyme de danger. Et on la fuit comme la peste pour conserver un semblant d'équilibre.

Seule Gillian était parvenue à guérir le détective du mensonge. En franchissant avec elle le porche de leur nouvelle maison, il s'était senti renaître. Grâce à elle, leurs enfants étaient nés immunisés contre cette maladie et la vérité avait poussé dans leur foyer comme du chiendent. Mais, en partant, Gillian avait emporté le mode d'emploi avec elle et le naturel chassé de McKenna était revenu au galop.

La vérité se nourrit du partage.

Le mensonge, du secret.

Il avait eu tout le temps dans la voiture d'imaginer les différentes façons d'aborder à nouveau le sujet de la fugue avec son petit dernier. Mais force était de constater qu'il les avait déjà toutes essayées. Il avait épuisé les sanctions, s'était montré tantôt sévère, tantôt compréhensif. Rien n'y avait fait.

Si cet acte récurrent était un message que Miles lui adressait, alors il ne l'avait toujours pas décodé. Et cela faisait maintenant un an qu'il s'acharnait dessus. Un an que Miles éprouvait le besoin de quitter la maison, sans prévenir. Cela ne dépassait généralement pas les vingt-quatre heures, mais c'était largement suffisant pour plonger toute la famille dans l'angoisse.

En plus de gérer l'absence de réponse à ses propres questions, McKenna avait dû en imaginer de satisfaisantes pour apaiser celles de ses enfants. Que pouvait bien faire Miles tout seul dehors ? Où dormait-il ?

Il avait essayé d'interroger le déserteur à son retour, mais celui-ci refusait obstinément de s'expliquer. Il s'enfermait dans sa chambre sans verrou et rattrapait les cours qu'il avait manqués. Le détective, qui connaissait toutes les techniques pour arracher des aveux à des voyous, s'était jusqu'ici montré impuissant à obtenir le moindre indice avec son propre fils.

Arrivé en haut de l'escalier, McKenna se rendit compte que la porte de Miles était entrouverte, au bout du couloir. Il voulut y voir un signe, la promesse de pourparlers envisageables, le refus de tout autisme péremptoire.

Un rai de lumière s'échappait de la chambre, inondant le corridor et effleurant le seuil de la pièce où les enfants n'avaient plus le droit d'entrer. Celle qui devait rester verrouillée toute la journée.

McKenna s'y arrêta quelques secondes, s'adossant à son battant comme s'il cherchait à y puiser la force dont il allait avoir besoin. Il bascula la tête en arrière et ferma les yeux. Des effluves du passé semblèrent transpirer de cet endroit, ceux du parfum de sa femme. Mais, très vite, il censura ces souvenirs avant qu'ils ne l'affaiblissent davantage.

Fidèle au rituel qui annonçait sa venue, il toqua à la porte en tapotant avec ses doigts comme font les impatients.

— Entre, papa, fit tristement une voix d'enfant.

En pénétrant dans la pièce, il savait exactement où serait son petit garçon de dix ans et ce qu'il ferait. Sans surprise, il le trouva assis à son bureau, en train de rédiger consciencieusement ses devoirs.

Bien décidé à ne pas laisser la monotonie de ces face-à-face lui enlever tout espoir de résolution, le père opta pour une attaque frontale.

— Écoute, Miles, on s'est déjà dit tout ce qu'on va se dire là. Alors, pourquoi tu continues ?

L'enfant poursuivit son travail sans répondre.

McKenna l'observa en silence, puis s'approcha en tentant une nouvelle fois de trouver les mots justes, ceux qui pourraient enfin pousser son fils à se confier.

— Pourquoi tu te sauves comme ça, Miles ? Qu'est-ce qu'il y a de mieux dehors que tu ne trouves pas chez nous ? Est-ce que tu ne te sens pas assez libre,

71

ici ? Est-ce que… je suis trop sévère avec toi ? Si c'est ça, dis-le-moi et on fera en sorte que tu te sentes bien.

Le stylo de l'enfant s'arrêta au milieu d'un mot. Il n'avait toujours pas la force de répondre, mais la sincérité de son père l'avait ému.

— Qu'est-ce que tu fuis, en partant ? Est-ce que quelqu'un dans la famille a dit quelque chose qui t'a blessé ? Est-ce que *moi*, j'ai fait quelque chose qui t'a blessé ? Si c'est le cas, Miles, il faut que tu me le dises. Tu sais, les papas font des erreurs, aussi, sans s'en rendre compte. Quand les mamans sont là, elles peuvent leur dire qu'ils se trompent, mais quand elles ne sont plus là, c'est… compliqué.

La gorge du détective se noua. Il y eut un silence gêné. Par-dessus l'épaule de l'enfant, McKenna aperçut ses exercices d'orthographe et surtout le dernier mot inachevé, qu'une larme, en s'écrasant, venait de transformer en pâté.

Le point d'acuponcture de son fils n'était pas si loin du sien. Il allait devoir fouiller là où ça faisait mal.

— Ça fait un an que maman nous a quittés, Miles. Si c'est son absence que tu fuis, alors je ne peux rien faire pour toi. À part essayer de la compenser du mieux que je peux. Comme je fais avec tes frères. Je sais que maman s'y prenait beaucoup mieux que moi, pour vous élever. Et, crois-moi, je suis bien placé pour savoir que la vie était beaucoup plus *fun* avec elle. Mais… aujourd'hui on n'est plus que cinq dans l'équipe. Et on sera plus jamais six.

McKenna sentit ses larmes monter. Il lui fallut toute la puissance de sa paternité pour les assigner à résidence.

— La seule chose qu'on supporterait pas, tes frères

et moi, c'est... c'est d'être quatre. Tu peux comprendre ça ?

Miles hocha la tête. L'engourdissement momentané des cordes vocales de son père l'avait touché. Sans le regarder, il essuya ses joues barbouillées de pleurs. Puis, entre deux sanglots, il trouva la force de bredouiller :

— Je veux qu'on s'en aille d'ici, p'pa.

Le visage de McKenna s'assombrit. Une partie de lui était soulagée d'obtenir enfin un aveu, mais l'autre s'inquiétait de sa nature. Il se colla contre le dos de son fils et lui caressa la tête maladroitement.

— Pour aller où, fiston ?

— Je veux... une autre maison, déclara l'enfant en luttant contre ses spasmes. Une maison à nous.

— Mais elle est à nous, cette maison.

— Elle est pas qu'à nous, p'pa...

Miles sanglota de plus belle et s'essuya les narines avec le revers de la main. McKenna le prit dans ses bras puissants. Il le serra contre sa poitrine en le berçant tendrement. Ce n'était pas ses frères que Miles cherchait à fuir, ni son père. C'était cette maison qui lui rappelait trop l'absence de sa mère, le bonheur dont on l'avait privé.

Sans le savoir, l'enfant venait d'appuyer sur le point le plus douloureux de McKenna. Car cette maison et les souvenirs qu'elle renfermait étaient tout ce qui lui restait de sa femme. Tout ce qui lui avait permis de survivre à leur séparation. La quitter, c'était la perdre une deuxième fois. Exorciser le chagrin de son fils revenait à attiser le sien.

— C'est notre maison que tu fuis, Miles ? murmura-t-il avec appréhension.

73

Le petit garçon hocha la tête en libérant ses derniers sanglots. McKenna crispa ses paupières en une grimace de douleur.

— On va en chercher une autre, fiston. Mais, d'abord, il faut que j'en parle avec tes frères.

— On en a déjà parlé, répliqua l'enfant en se redressant et en fixant son père. Peter et Tim, ils s'en foutent et Ewan, il est d'accord, à condition qu'on change pas d'école.

McKenna baissa les yeux, choqué d'être le dernier au courant. Comment avait-il pu passer à côté de ça ? Combien d'autres choses aussi essentielles pour sa famille ignorait-il ?

Son travail avait toujours constitué une partie importante de sa vie, mais sa femme veillait à ce qu'il ne perde jamais le contact avec ses enfants. Elle lui rapportait toutes leurs conversations, même les plus bénignes. Depuis son départ, c'était la tempête. Leur foyer était un vaisseau sans capitaine qui menaçait à chaque instant de s'éventrer sur les récifs. La lumière rassurante du phare s'était éteinte, la visibilité sur l'avenir était nulle.

— Mais toi, papa, poursuivit Miles, tu es d'accord pour qu'on parte ?

De toute évidence, il ne l'était pas. Toutefois, il se devait de l'être s'il voulait avoir une chance d'écoper son bateau et de sauver son équipage.

— Ça va être dur, fiston, répondit-il en reposant l'enfant sur le sol. Mais, si ça peut t'aider… on partira.

— Quand ?

— Ben, euh… le temps de chercher.

— T'auras jamais le temps de chercher, p'pa. T'as trop de travail…

Il disait vrai. McKenna le savait.

— Avec tes frères, tu dégrossis. Depuis le temps que tu te balades, tu dois bien connaître le quartier !

— Comment on fera, pour payer ? On n'a pas d'argent.

Le détective comprit qu'il n'y aurait pas d'échappatoire à cette conversation. Miles connaissait son dossier sur le bout des doigts et il comptait bien agiter sa muleta jusqu'à l'estocade. Il fallait lui donner une réponse, *la* réponse, celle qu'il appelait de ses vœux.

— Ben... on mettra celle-ci en vente, déclara-t-il faussement détaché.

Le petit garçon dévisagea son père. Il prit conscience qu'il ne plaisantait pas et ses larmes reprirent de plus belle.

— C'est vrai, p'pa ? Tu promets ?

McKenna s'accroupit devant lui. Il le regarda droit dans les yeux :

— Tu as ma parole. Mais toi, faut que tu me promettes de ne plus jamais te sauver.

Victime d'un trop-plein d'émotions, Miles se jeta dans les bras de son père et le serra fort en chuchotant :

— Ça va aller, p'pa. Tu verras, ça va aller...

McKenna sourit tristement, portant déjà sur les murs autour d'eux un regard plein de désespérance.

# 9

Elle déposa sa valise à l'entrée, retira son blouson et le jeta sur le lit. Ses yeux balayèrent le décor neutre de la pièce et n'y trouvèrent rien susceptible de l'agresser. Elle aimait l'ambiance impersonnelle des chambres d'hôtel, le fait qu'aucun objet ne puisse lui rappeler quelque chose de douloureux.

Pour Dahlia, le mot *home* n'avait jamais rien évoqué de paisible ou de rassurant. Elle avait appris très jeune que l'enfance n'est pas la plus belle période de la vie. Dans sa famille, il n'y avait eu ni havre de paix, ni refuge possible, ni jardin secret, ni droit d'asile. Le maître de maison avait tous les droits. Et il en disposait comme bon lui semblait sans que personne y trouve à redire.

La maîtresse de maison faisait bonne figure à son bras quand ils paradaient ensemble les dimanches au temple, mais les six jours restants, elle était son esclave. Elle cuisinait pour lui, lavait pour lui, travaillait aux champs pour lui, et écartait les cuisses chaque fois que l'envie lui prenait. Les enfants qui étaient venus « sanctionner », comme il disait, leurs échanges de fluides n'avaient jamais été désirés. La

76

plupart étaient mort-nés. Quant aux trois survivants, deux garçons et une fille, ils étaient tolérés comme on supporte la grêle ou les sauterelles. Dieu les avait épargnés. Il avait donc ses raisons. Mais le maître de maison n'éprouvait aucune affection pour eux. Il les considérait comme des accidents de parcours dus à l'interdiction biblique de toute idée de contraception ou d'avortement. Et il ne manquait pas une occasion de le leur rappeler.

Dahlia s'arrêta un moment à la hauteur de la table de nuit et en regarda le tiroir avec un mélange de curiosité et d'appréhension. « Dans toutes les chambres d'hôtel, il y en a une », lui avait-il dit. Il fallait qu'elle vérifie. Elle ne pensait déjà plus qu'à cela.

Elle s'assit sur le rebord du lit, prit une profonde inspiration et tira la poignée d'un coup sec. À l'intérieur du compartiment ne figuraient que des brochures. Le livre avec lequel elle avait appris à lire, celui qu'on lui avait inculqué avant les tables de multiplication, celui que l'on disait « saint » bien que responsable de tant de guerres et de morts, la Bible, pour ne pas la nommer, ne s'y trouvait pas. Mais la peur de sa présence avait suffi à remuer la vase des souvenirs et Dahlia ne pouvait plus s'en protéger. Ses lèvres tremblantes prononcèrent les premiers versets qui lui revenaient en mémoire :

*Deutéronome, chapitre XXI, versets 18-21 : « Si un homme a un enfant indocile et rebelle, n'écoutant pas la voix de son père [...] et ne lui obéissant pas même après qu'il l'a châtié [...] les siens le lapideront et il mourra. Tu ôteras ainsi le mal du milieu de toi, afin que les autres apprennent et soient dans la crainte. »*

Le maître de maison était pasteur. Et, en tant que ministre du culte, il avait exigé que chacun de ses rejetons connaisse les Écritures révélées sur le bout des doigts. Tous les soirs, en rentrant de l'école, en plus de leurs devoirs, Dahlia et ses deux frères devaient en réciter de longs passages. La moindre faute, la moindre hésitation était passible d'une privation de repas. Dahlia avait jeûné tant de fois étant enfant qu'aujourd'hui encore elle entretenait une relation ambiguë avec la nourriture. Elle n'y trouvait aucun plaisir, mais ne pouvait plus sauter un repas sans avoir l'impression d'avoir quelque chose à se reprocher.

*Matthieu, chapitre VI, versets 17-18. « Quand tu jeûnes, parfume ta tête et lave ton visage, afin de ne pas montrer aux hommes que tu jeûnes, mais à ton Père qui est là dans le lieu secret : et ton Père, qui voit dans le secret, te le rendra. »*

Elle alluma la lumière de la salle de bains comme on se redresse dans son lit après un cauchemar, pour le faire disparaître. Malgré tous ses efforts pour oublier les paroles venimeuses qu'elle avait apprises, malgré les études poussées qu'elle avait menées pour les discréditer ou en comprendre le sens caché, ces maudits versets avaient gardé ce pouvoir néfaste sur elle. À travers eux, son père lui parlait encore aujourd'hui dans leur « lieu secret », à l'instar de l'œil qui, dans la tombe, fixait toujours le Caïn d'Hugo.

L'image que lui renvoya le miroir la fit frémir. Ses joues s'étaient creusées davantage et ses yeux noirs meurtris par le manque de sommeil étaient cernés de violet.

*Il faut que je mange !* pensa-t-elle. *Il faut que je dorme !*

Mais en dépit de la pâleur de son teint, il irradiait de Dahlia une aura mystérieuse qui compensait largement le manque de soin qu'elle prenait de son apparence. Elle n'avait besoin ni de maquillage ni de tenues aguichantes pour être séduisante. La grâce transpirait de tous ses gestes et ses vêtements sans style ne parvenaient pas à faire oublier sa féminité.

Elle s'était réveillée à 2 heures du matin avec une furieuse envie de rentrer chez elle. Le décalage horaire n'était pour rien dans ce qu'elle ressentait.

New York lui manquait.

Comme elle, la Grosse Pomme était insomniaque. Avec le temps, les deux colocs avaient pris l'habitude de se tenir compagnie la nuit, de se confier leurs rêves, leurs désillusions. Accoudée seule aux comptoirs de sa ville, Dahlia ne l'était jamais vraiment. Alors qu'ici, la solitude lui pesait.

Lassée de faire les cent pas, elle avait poussé la porte de sa chambre, descendu le majestueux escalier incurvé qui conduisait à l'accueil et s'était aventurée jusqu'au bar de l'hôtel. C'était dans ce cadre victorien que Sir Winston Churchill planifiait, paraît-il, ses opérations de guerre. Et la légende voulait qu'il existe encore un passage secret sous le hall d'entrée, reliant le St Ermin's au Parlement.

Toutefois, à cette heure, le bar était fermé. Le réceptionniste avait gentiment proposé à Dahlia de contacter pour elle le room service ; elle avait décliné. Cela équivalait à remonter dans sa chambre et elle éprouvait un besoin impérieux de changer d'air. Elle demanda s'il y avait un pub ouvert dans le quartier. Le concierge lui indiqua l'adresse la plus proche et proposa de lui commander un taxi. Mais elle préférait marcher.

En sortant sur le parvis de l'ancien manoir, elle admira son illumination élégante. Sa cour centrale bordée d'arbres était éclaboussée de blanc, tandis que les façades rouges qui l'entouraient irradiaient une lueur dorée.

Dahlia franchit la haute grille de fer forgé qui balisait l'entrée du St Ermin's et s'engagea dans Broadway. Elle ne put s'empêcher de lever les yeux vers le panneau rotatif à trois faces arborant fièrement les lettres chromées de NEW SCOTLAND YARD.

Pourquoi avait-elle accepté cette mission ? Pour démontrer quoi ? Et à qui ? À ses supérieurs ? Elle n'avait plus besoin de les impressionner. Les multiples affaires qu'elle avait contribué à résoudre avaient fait d'elle une des criminologues les plus demandées du FBI. Alors, pourquoi cet excès de zèle ? Cherchait-elle à se prouver quelque chose à elle-même ou bien ses motivations étaient-elles purement carriéristes ?

Perdue dans ses pensées, elle avait oublié de suivre les instructions du concierge et se retrouva bientôt au bord de la Tamise. Une bouffée d'enfance l'envahit lorsqu'elle aperçut les flèches de l'abbaye de Westminster et le beffroi de Big Ben. Elle pouvait presque voir Peter Pan, Wendy et ses frères se poser sur les aiguilles de l'horloge géante.

Dahlia entretenait un lien particulier avec le conte de J. M. Barrie. C'était cette histoire qui lui avait valu quarante jours d'enfermement sans lumière dans la cave de la maison familiale de Caroline du Sud. Le maître de maison interdisait qu'on écoute de la musique, qu'on assiste à une pièce de théâtre ou qu'on aille au cinéma. Tous ces arts étaient jugés blasphématoires, Dahlia en avait fait la cruelle expérience.

Un soir, en rentrant de l'école, elle s'était arrêtée quelques secondes devant le fronton d'un cinéma qui programmait le *Peter Pan* de Walt Disney. Elle avait profité d'un instant de distraction de la dame du guichet pour s'introduire dans la salle en cachette. Et là, tapie dans le noir, elle avait ressenti les mêmes émotions que les premiers spectateurs du cinématographe. Des images géantes s'animaient devant ses yeux ébahis. Elles avaient même le pouvoir de parler. Des êtres humains pouvaient voler, des fées avaient le droit d'exister et les enfants perdus comme elle étaient accueillis sans passeport au Pays Imaginaire.

De retour dans sa chambre, Dahlia se fit couler un bain. Elle fouilla les poches de son blouson et en sortit son portable. Puis elle composa un numéro qu'elle connaissait par cœur. En attendant qu'on réponde, elle vérifia le contenu du minibar.

— Allô ?

Un opérateur lui demanda aussitôt :

— Identifiez-vous.

— Agent Spécial Dahlia Rhymes, numéro de code 3864 U.S.C. 58902, dit-elle en attrapant un échantillon de J&B. J'appelle de Londres. J'ai besoin de parler à M. Turner.

— Ne quittez pas. Je vous transfère, répondit l'opérateur.

Le portable coincé entre l'oreille et l'épaule, Dahlia

ouvrit la mini-bouteille de whisky et en avala le contenu.

— Alors, Rhymes ! aboya son supérieur. Comment trouvez-vous Londres ?

Sa voix était si timbrée que Dahlia avait éprouvé le besoin d'écarter le combiné.

— Ça manque de sommeil, monsieur, dit-elle en défaisant les boutons de sa chemise. J'appelle pour mon rapport, sur le dossier Kumar.

— Écoutez, Rhymes. Ne gaspillez pas votre forfait. On se fout de ce dossier, d'accord ? Si on vous a envoyée là-bas, c'est juste parce que l'ambassadeur nous casse les couilles. Alors, arrangez-vous pour que Merrick soit content et ramenez votre cul ici, le plus vite possible. On a du travail sérieux pour vous.

— Je ferai de mon mieux, monsieur.

— Je n'en doute pas une seconde, conclut-il avant de raccrocher.

Dahlia soupira et coupa son smartphone. Elle revint vers la salle de bains et retira sa chemise. Elle laissa traîner machinalement son regard sur le miroir où se reflétait son dos. Les cicatrices de son enfance avaient grandi avec elle.

# 10

La procédure anti-suicide, à Wandsworth comme dans toutes les maisons d'arrêt, voulait qu'on retire aux prisonniers leur cravate, leurs lacets de chaussures, leur ceinture et jusqu'à leur montre, afin d'éviter qu'ils ne s'en servent pour mettre fin à leurs jours.

Pourtant, la veille, en apportant son dîner à Roddy Cooper, le surveillant de garde l'avait trouvé inconscient, baignant dans son sang. Il s'était ouvert les veines avec ce qu'il avait de plus tranchant sur lui : ses dents.

Nils se réveilla en sursaut. Il tendit une main maladroite vers son téléphone qui vibrait sur la table de nuit. C'était Maggie. Elle appelait pour l'informer de la tentative de suicide du premier éventreur. Tentative, car l'équipe médicale d'urgence dépêchée sur place l'avait réanimé. Il avait été transféré à Broadmoor, un hôpital psychiatrique pénitentiaire.

Maggie avait tenté d'utiliser cet incident dramatique

pour provoquer le report de l'audience préliminaire, mais le bureau du juge avait refusé.

*Le bureau du juge ? Mais quelle heure est-il ?*

Il se redressa brusquement et dégagea ses coussins pour jeter un œil sur le réveil.

*9 h 30 !*

Nils bondit hors du lit, le téléphone vissé à l'oreille, et descendit précipitamment les marches de la mezzanine qui donnait sur le living-atelier de son hôtel particulier. Il le traversa en titubant et poussa la porte de la salle de bains.

Maggie avait pris sur elle de confirmer son rendez-vous du matin avec Roddy. Il la remercia sommairement et raccrocha.

Il resta quelques secondes à observer son visage dans le miroir au-dessus du lavabo, questionnant son empressement. Qu'y avait-il de si urgent à se rendre à Broadmoor ? Pourquoi avait-il accepté aussi facilement de reprendre du service ? Était-ce parce que le témoignage de Nora l'avait ému ou bien parce que quelque chose, dans cette affaire, semblait l'attirer inexorablement ?

Il alluma sa chaîne hi-fi et les notes de *La Grande Sarabande* de Haendel s'égrenèrent, sacralisant tous ses gestes. Il glissa un thermomètre sous sa langue et attrapa son tensiomètre sur une étagère. Il l'enfila autour de son biceps, enclenchant son mécanisme de gonflage automatique.

Malgré les cinq mois écoulés, il ne s'était toujours pas habitué à son statut de transplanté. Si les gestes médicaux quotidiens s'étaient automatisés, sa raison n'avait pas suivi. Elle remettait même fréquemment en question leur nécessité.

*C'est fou comme l'esprit reste convaincu que le corps lui ment en permanence. On s'imagine avoir vingt ans à soixante, on s'offusque quand des jeunes vous appellent « monsieur » ou « madame » à cause de je ne sais quelle différence physique et, pendant ce temps, nos rêves et nos fantasmes ne prennent pas une ride.*

Le corps de Nils était convalescent, mais son esprit avait l'impression de renaître. Et toute cette médicalisation l'amarrait au quai d'un organisme auquel il ne s'identifiait plus.

L'alarme du thermomètre interrompit ses pensées. Il le consulta, le désinfecta et le replaça dans son étui. Il s'approcha d'une charte accrochée au mur et y nota sa température et sa tension. Il mentionna la date, l'heure, avant de revenir vers le lavabo. Il ouvrit l'armoire à pharmacie et en sortit sa collection de pilules qu'il avala avec un verre d'eau.

Toutes ces actions, Nils les avait répétées des centaines de fois. Et il devrait les reproduire encore et encore.

La Mercedes CLA de l'avocat franchit la première enceinte du Broadmoor Hospital. Le niveau de contrôle y était équivalent à celui d'une prison de haute sécurité.

Une première digue humaine : pièce d'identité, fouille du véhicule, passage des effets personnels aux rayons X... Tout le monde y avait droit. Les patients à leur arrivée, bien sûr, mais aussi les visiteurs et le personnel soignant.

Nils récupéra son portable et sa mallette sur le tapis roulant, signa le registre des visites et reçut un badge à porter en pendentif.

Restait la deuxième ligne de défense : un portail métallique coulissant devant lequel deux surveillants montaient la garde jour et nuit. L'avocat montra son badge et fut escorté jusqu'à l'ascenseur.

Arrivé au troisième étage, il s'approcha de l'accueil et déclina la raison de sa présence à l'infirmière de faction. Cette Coréenne de quarante ans avait le regard lucide de ceux à qui la vie n'a rien offert sur un plateau. Elle dévisagea Nils un moment, puis attrapa un trousseau de clés derrière le comptoir.

— Vous allez avoir du mal à l'interroger, maître. Il n'a pas prononcé un mot depuis son arrivée. Même quand il pleure, c'est en silence. Il ne s'alimente pas et ne dort pas.

— Il est sous médication ?

— Il le sera, dès que son état somatique le permettra. Il a perdu beaucoup de sang cette nuit. Transfusion et neuroleptiques ne font pas bon ménage.

— Neuroleptiques ?

— Halopéridol, dix milligrammes, c'est ce que prévoit son traitement.

— Son traitement contre quoi ?

— La schizophrénie. Il en présente tous les symptômes. Ne vous fiez pas à sa passivité apparente. Chez les catatoniques, cet état précède souvent des crises d'agressivité soudaine. Votre client a quand même éventré quelqu'un pour lui arracher tous ses organes !

Elle déverrouilla une double porte qui s'ouvrit sur un large corridor donnant sur des chambres équipées de baies vitrées. Ici, pas d'angle mort. Tout était prévu pour surveiller les moindres faits et gestes des patients dangereux.

En traversant ce couloir, Nils eut l'impression de visualiser un condensé de tout ce que le cerveau humain pouvait imaginer de déviances. Tantôt amorphes, tantôt violents, tantôt suppliants, les visages des résidents interpellaient l'avocat, le mettant mal à l'aise, exigeant de lui une réponse silencieuse qu'il ne pouvait apporter. Souhaitaient-ils qu'on leur ouvre la porte, qu'on les guérisse plutôt que de les soigner, ou qu'on les laisse vivre avec leur différence ?

Regarder ces malades constituait une provocation.

Les ignorer, une insulte.

L'infirmière se rendit compte du trouble que ressentait Nils et jugea utile de préciser :

— Je sais ce que vous pensez, maître, mais ça ne changera rien à leur état. La société nous les confie car elle ne sait pas quoi en faire et qu'elle ne veut surtout pas les croiser dans la rue. La plupart sont irrécupérables, même si, pour trouver un sens à notre métier, nous *voulons* croire à la guérison de quelques-uns. Malheureusement, nous ne sommes que des soignants, pas des guérisseurs.

L'infirmière installa l'avocat dans une grande pièce équipée d'une table, d'une chaise et d'un divan. Murs, plancher et mobilier fusionnaient dans un blanc laiteux. La lucarne, grande, était située à deux mètres au-dessus du sol. Sa lumière qui tombait en cascade semblait prioritaire, comme si l'architecte des lieux avait voulu se garantir des ténèbres.

La soignante abandonna Nils un moment, le temps d'aller chercher son patient. L'avocat fit quelques pas dans la pièce et tenta de déplacer la chaise pour s'y asseoir. Mais il n'y parvint pas. Les meubles étaient vissés au sol. À y regarder de plus près, tout, dans cet endroit, était pensé pour protéger une bête sauvage contre sa propre furie.

Pas d'angles aigus dans le mobilier.

La surface des murs, elle-même, était molle.

Quant à la fenêtre, elle était inaccessible.

Des bruits familiers annoncèrent l'arrivée du détenu. Le traînement de pieds caractéristique et le cliquetis de chaînes ne laissèrent planer aucun doute sur les mesures de sécurité en vigueur à Broadmoor. Roddy devait avoir poignets et chevilles menottés dans un harnais en toutes circonstances. Sa tentative de suicide, si elle allait entériner sa culpabilité aux yeux de l'opinion, allait aussi avoir pour effet de la mobiliser encore plus. Il était hors de question que les éventreurs échappent à leurs juges. Et la Couronne ne le savait que trop.

Ce qui frappa le plus Nils, en découvrant son nouveau client, ce fut la douceur naturelle qu'il dégageait. En dépit de ses entraves, il avait l'air de tout sauf d'un coupable. L'avocat avait déjà éprouvé ce sentiment face à Nora. Et malgré leur forte différence d'âge, leur détresse était la même. Vingt-cinq ans à peine, un physique de jeune premier, des traits androgynes, presque féminins, et une maigreur adolescente. Rien à voir avec la carrure d'un monstre, tel qu'on se l'imagine. Ses grands yeux verts semblaient fixer un point invisible devant lui avec une obstination de boussole.

Nils grimaça en remarquant les pansements suintants que Roddy portait aux poignets sous ses menottes.

— Je vais vous demander de lui retirer ses bracelets, le temps de notre entretien.

— C'est que… nous avons des consignes très

strictes, maître. Il s'est tailladé les veines à coups de dents et rien ne l'empêche de recommencer.

— Et avec les pieds, il est censé se faire quoi ?

L'infirmière eut un geste d'impuissance, comme pour dire « je ne fais pas les règles, je les applique ».

— Non, sérieusement, poursuivit-il, je crois que votre domaine d'expertise est médical avant tout, non ? Regardez ses pansements ! Les menottes sont en train de rouvrir ses plaies et les empêchent de cicatriser correctement. En ce moment, ce n'est pas lui qui se taillade les veines, c'est votre règlement qui s'en charge.

Nils espérait secrètement que son intervention établirait d'emblée un rapport de confiance entre lui et son client, mais Roddy n'avait pas levé les yeux.

L'infirmière examina les poignets de son prisonnier, redevenu l'espace de quelques secondes son patient, et, au vu de leur état, décadenassa les bracelets en disant :

— Je vais envoyer quelqu'un pour refaire ses bandages. En attendant, il va garder ses entraves aux pieds.

Nils approuva respectueusement. La soignante fit asseoir Roddy sur le lit. Puis elle retira le boîtier qu'elle portait en pendentif et le plaça autour du cou de l'avocat, comme on remet une médaille.

— Au moindre mouvement suspect, vous appuyez sur le bouton d'alarme. Des gardiens se chargeront de le maîtriser. Et ils devront s'y prendre à trois...

Cette dernière phrase sonnait comme un avertissement. Il examina la télécommande et acquiesça. L'infirmière jeta un dernier coup d'œil à Roddy puis sortit et verrouilla la porte derrière elle. Le défenseur se retourna vers son client et chercha son regard sans le trouver.

— Bonjour, Roddy. Je suis Nils Blake, votre avocat.

Le jeune homme ne répondit rien et continua de scruter l'espace droit devant lui. Son corps avait conservé, intacte, la position dans laquelle l'infirmière l'avait placé. Ses mains reposaient paisiblement sur ses genoux. Il n'était pas tendu, juste absent.

— Le tribunal m'a chargé de vous défendre. Je suis commis d'office, ce qui veut dire que mon travail ne vous coûtera pas un rond. Étant donné mes honoraires habituels, c'est une super affaire pour vous.

Roddy ne réagit toujours pas.

— L'audience préliminaire doit avoir lieu dans six jours et, pour pouvoir être performant, j'ai besoin de vous poser quelques questions. Vous vous sentez prêt à y répondre ?

Roddy n'eut aucune réaction. Il n'émit aucun signe qui puisse indiquer qu'il avait perçu ce qu'on attendait de lui. Mais Nils fit comme si de rien n'était. Il sortit son smartphone de sa poche et l'installa sur la table en disant :

— Je vais enregistrer notre conversation si vous n'y voyez pas d'inconvénient.

Il enclencha l'application adéquate, ouvrit sa mallette et en sortit un dossier. Puis il fit quelques pas dans la pièce en tournant le dos à son client. Il eut la sensation étrange d'être suivi des yeux.

Il se retourna brusquement et en eut confirmation.

Roddy le fixait.

— Vous n'êtes pas censé me regarder, lui dit-il sur un ton léger. Les vrais catatoniques ne suivent pas les gens du regard. Ils sont dans une sorte de bulle.

Nils n'ignorait pas qu'en piégeant le détenu de la sorte, il prenait un risque énorme. Cela pouvait déclencher une de ces crises d'agressivité dont avait parlé l'infirmière. Mais quelle autre solution avait-il ? S'il désirait percer ce mystère, il devait entrer en communication avec son client. Aussi vint-il se rasseoir face à lui et tenta-t-il d'établir le contact de manière plus directe :

— Roddy... Vous êtes accusé du meurtre d'Alan Ginsburg, est-ce que vous comprenez ce que cela signifie ?

Le jeune homme se contenta de regarder Nils sans répondre. Mais le nom du défunt avait eu un impact perceptible sur son visage de cire. Ses lèvres s'étaient mises à frémir, sans raison apparente.

L'avocat s'en rendit compte et s'engouffra dans cette brèche en utilisant les informations qu'il avait pu glaner lors de son entrevue avec Nora, à savoir l'affection profonde qui l'unissait à sa victime.

— Vous aimiez Alan, n'est-ce pas, Roddy ?

Des larmes perlèrent sous les paupières du jeune homme. Son menton se mit à trembler à l'instar de celui des enfants quand ils ne parviennent plus à contenir une émotion qui les submerge.

— Si c'est le cas, comment avez-vous pu lui faire ça ? s'écria Nils en plaquant un des clichés de police les plus choquants sur les genoux de Roddy.

On y voyait le corps de sa victime, le torse et le ventre ouverts. L'avocat avait inversé les rôles. En crisant à la place de son client, il lui avait ôté toute possibilité de refuge dans la colère. Le spectacle cru de ses actes avait pour but de le faire sortir de sa torpeur. Mais il pouvait aussi l'y enfermer définitivement. C'était un coup de poker dont l'effet allait s'avérer déroutant.

Des larmes silencieuses coulèrent le long des joues de Roddy Cooper. Lorsqu'elles atteignirent ses lèvres, il se mit à chuchoter un air nostalgique sur des notes de *Gnossienne*. L'instant d'après, il perdit connaissance. Nils bondit de sa chaise et le rattrapa in extremis avant qu'il ne s'écrase à terre.

*L'alarme... Il faut que je déclenche l'alarme...*

Il dégagea une de ses mains et appuya sur le poussoir du boîtier.

Le son strident qui s'ensuivit arracha Roddy à sa léthargie. Et, tandis qu'on accourait derrière la porte en la déverrouillant, il prit conscience de l'endroit où il se trouvait. Mais surtout, il sembla découvrir sur le sol la photo de son amant mutilé.

— Alan... Alan... bredouilla-t-il en sanglotant.

Trois infirmiers firent irruption dans la chambre et se jetèrent sur lui. L'un lui immobilisa la tête, les deux autres s'occupèrent chacun d'un bras.

— Laissez-le, il ne m'a rien fait. Il a eu un malaise, c'est tout.

— Vous êtes blessé, maître ? demanda l'infirmière coréenne qui les avait rejoints.

— Non, répondit-il, essoufflé. J'ai appelé pour lui. Il a perdu connaissance et...

L'infirmière fit signe à ses collègues d'emmener leur patient. Nils récupéra le cliché de police, ramassa ses affaires et sortit.

# 11

Avant de devenir un synonyme de « police anglaise », Scotland Yard était un lopin de terre[1] que le roi Edgar d'Angleterre avait offert à Kenneth II d'Écosse pour qu'il s'y construise une résidence.

En 1829, la Metropolitan Police y installa son quartier général et, à la fin des années soixante, déménagea dans la célèbre tour de verre de Victoria Street qu'elle occupait encore aujourd'hui. Elle prit alors le nom de New Scotland Yard.

La décoration de ses bureaux n'avait rien à voir avec l'imagerie victorienne que les lecteurs de Sherlock Holmes en gardaient. Elle était constituée de mobilier fonctionnel, d'ordinateurs, de téléphones, bref, rien de plus original que ce que l'on trouvait dans n'importe quelle entreprise.

McKenna avait réuni dans l'*open space* la vingtaine de policiers que comptait son équipe rapprochée pour faire le point sur l'enquête. Les uns sirotaient un thé ou grignotaient un muffin, accoudés à leur bureau. Les autres consultaient les journaux du matin sur un

1. *Yard* en anglais.

coin de table. Le *Daily Mail*, le *Sun*, l'*Independant*, le *Times*, tous titraient sur le meurtre de Kumar.

Le colosse irlandais tournait le dos à un tableau couvert de clichés des deux scènes de crime. À sa gauche, l'inspecteur Berg. À sa droite, Kimberley, la légiste. Face à lui, Bauman, la jeune recrue. Mais il y avait aussi de nouveaux visages : le lieutenant Terry Knox, quarante-cinq ans, un physique d'ancien catcheur, et celle dont l'avis s'avérait toujours indispensable sur une enquête compliquée : la ménagère du groupe, celle que les sondeurs d'opinion auraient rêvé d'avoir dans leur équipe, la trépidante sergente Emma Foy.

Dahlia s'était installée à l'écart pour que sa présence gêne le moins possible les habitudes de la brigade. McKenna s'éclaircit la gorge et entra dans le vif du sujet.

— Deux victimes : Andrew Kumar, le M. Wall-Street de Hampstead, et Alan Ginsburg, pharmacien à Kensington. Tous les deux étaient riches et tous les deux ont été tués à leur domicile par un proche avec lequel ils avaient un lien affectif fort. Nora Gyulay avait été la nourrice de Kumar. Quant à Roddy Cooper...

Il se tourna vers Knox pour qu'il termine sa phrase :

— C'était bien l'amant d'Alan Ginsburg. Ça m'a été confirmé par le barman du *Consommatum West*, un bar gay de Soho qu'ils fréquentaient tous les deux.

McKenna chercha le regard de Dahlia pour féliciter son intuition d'un hochement de tête.

— Roddy Cooper a tenté de se suicider cette nuit et Nora Gyulay est sous surveillance constante. Les deux bourreaux adoraient leurs victimes. Pourtant, ils n'ont pas hésité à leur ouvrir le ventre et à les dépouiller de leurs organes. Kim, l'autopsie de Kumar, ça a donné quoi ?

— Le mode opératoire est identique à celui utilisé sur Ginsburg. Il y a quelques variantes dans la mise en scène comme l'utilisation d'onguents : du miel sur les yeux et la bouche et une sorte de cire sur le front qui, après analyse, s'avère être un mélange de pâte de santal et de cendre.

McKenna chercha à nouveau le regard de Dahlia sans le trouver. L'autopsie n'avait fait que confirmer les hypothèses de la criminologue.

— Docteur Rhymes, est-ce que ces ingrédients vous inspirent un commentaire ?

— Les bouddhistes Lao utilisent cette onction sur les défunts pour protéger la communauté dans le cas d'une mauvaise mort.

— Qu'est-ce que vous entendez par « mauvaise mort » ?

— Pour les hindous, il y a deux types de mort. La mort naturelle, acceptée par tous, et la mauvaise mort, celle qui est issue d'un acte violent. Elle est considérée comme dangereuse pour la communauté et l'on doit s'en protéger.

Les membres de la brigade étaient sidérés par cette réponse surréaliste. McKenna, lui, la méditait. Pourquoi vouloir protéger sa communauté après s'être conduit comme un barbare ?

— Et le miel sur les yeux et la bouche ?

— Il sert à les maintenir fermés. Le but est d'éviter que le défunt ne transmette sa mort à un de ses proches par un regard ou par un soupir.

Une rumeur amusée parcourut la salle. Le détective la fit cesser en s'adressant à nouveau à l'assistance.

— Nos deux victimes ont un autre point commun. Leurs dépouilles ont été préparées selon un rite funéraire précis qui correspond à la religion de chacune : judaïque pour Ginsburg, bouddhiste pour Kumar.

— Si on n'avait pas retrouvé les coupables, intervint Berg, on jurerait qu'il s'agit du même tueur.

— Et c'est là toute la difficulté de cette enquête, renchérit McKenna en arpentant la pièce. Nous ne sommes pas face à un tueur en série, mais à une série de tueurs qui utilisent le même mode opératoire : le sacrifice humain. Alors, vous devez vous demander la raison de cette réunion puisque les coupables sont arrêtés ? Ils le sont, c'est vrai. Et le prochain le sera sans doute aussi. Car il y aura un prochain. Les épitaphes retrouvées chez Kumar et, hier soir, chez Ginsburg parlent de *ces* sacrifices. Alors, je vous écoute, les gars. On ne censure rien, on met tout sur la table.

— L'écu d'argent qu'on a retrouvé dans la bouche de Kumar, c'est un vrai ? demanda Emma Foy.

— Bonne question, fit McKenna. Tu me traces sa provenance ?

La policière acquiesça en regrettant presque sa remarque. Le détective se tourna vers le tableau en pointant certaines photos :

— Dernier point commun : les empreintes sanglantes des deux éventreurs ont été relevées un peu partout sur leurs scènes de crime. Ils n'ont pas cherché à dissimuler leur identité. Ils ne portaient pas de gants. Pourquoi ?

— Peut-être que ces mutilations ont une portée symbolique, pour eux, déduisit Bauman. Ils veulent signer leur crime, ils ont envie qu'on en parle. Ça expliquerait pourquoi ils se sont laissé arrêter aussi facilement.

— Pourquoi vouloir signer son crime, si l'instant d'après on prétend ne pas se rappeler l'avoir commis ? rétorqua McKenna.

Bauman se tourna vers ses collègues. Aucun n'avait d'argument valable à opposer à cette remarque de bon sens.

Berg se leva et alla se resservir du thé en disant :

— En tout cas, on n'arrivera pas à me faire croire qu'ils ne se connaissent pas entre eux. Ils ont dû se rencontrer, ne serait-ce que pour apprendre des rudiments de chirurgie.

— C'est pas un argument, ça, Berg ! s'insurgea Emma. Combien de terroristes utilisent le même mode opératoire sans jamais s'être rencontrés ? Ils ont juste été formés par la même personne, c'est tout !

— Moi, j'en reviens à la secte satanique, intervint Knox. On leur a lavé le cerveau, c'est évident ! Et puis il y a tout le délire religieux, les miroirs occultés, le paiement de l'obole ! On a affaire à une sorte de société secrète qui recrute ses membres dans les milieux modestes. Nora Gyulay était restauratrice, Roddy Cooper, garagiste. Des gens simples, faciles à manipuler.

Dahlia détourna la tête. Elle n'adhérait pas à la thèse retenue par son collègue. Elle n'était pas convaincue. Ce que nota McKenna. Knox poursuivit :

— On les entraîne à prélever les organes, sur un cadavre, et après on les utilise comme kamikazes.

— Dans quel but ? demanda McKenna.

— Le trafic d'organes ! suggéra Berg. Un rein, ça vaut au moins cinquante mille, au marché noir. Ça leur fait deux cent cinquante plaques par victime.

— Tu connais beaucoup de trafiquants d'organes

qui offrent un rite funéraire à ceux qu'ils dépouillent, toi ? ironisa Knox.

Les rires fusèrent dans la salle. McKenna enchaîna :

— Docteur Rhymes, vous voulez ajouter quelque chose ?

— Je suis désolée, mais les scènes de crime ne collent pas avec le profil satanique.

Tous les policiers présents se retournèrent d'un bloc vers Dahlia qui se sentit encore plus exclue.

— Il n'y a pas d'objets maléfiques retrouvés sur place, pas de pentagramme, pas d'inscriptions blasphématoires sur les murs. Au contraire ! La mise en scène se veut respectueuse des convictions religieuses de chacun des sacrifiés.

Berg se sentit torpillé par la nouvelle venue qu'il avait pourtant plutôt bien accueillie.

— En tout cas, conclut McKenna, même si les deux victimes étaient riches et les exécuteurs pauvres, le mobile ne peut pas être l'argent. Les murs du salon de Kumar étaient couverts de tableaux de maîtres. Rien n'a été volé.

— Alors, ce serait quoi, la jalousie ? demanda Emma.

Le détective écrivit le mot « jalousie » sur le tableau tout en ajoutant :

— Jalousie contre eux ou entre eux ?

Il griffonna deux flèches flanquées de points d'interrogation, l'une partant vers Kumar, l'autre vers Ginsburg, et suggéra :

— Emma, je veux que tu vérifies s'il existe un lien entre Ginsburg et Kumar en dehors de leur niveau social. Est-ce que... ils se seraient rencontrés dans le passé ? Dans la vie ? Sur un campus d'université ?

Est-ce qu'ils étaient membres d'une fraternité ? D'un club ? Est-ce qu'ils faisaient partie d'une société secrète quelconque qui aurait pu vouloir se débarrasser d'eux ?

Emma nota tout cela sur son carnet.

— Je crois quand même, insista Berg, que notre meilleure piste reste celle des organes. Admettons que le but ne soit pas de les vendre au marché noir, ils les prélèvent pour quoi, alors ? Et ils en font quoi ?

— Ils les livrent à quelqu'un, fit McKenna.

— À qui ?

— À leur gourou, insista Knox. À celui qui leur a appris à prélever.

Des réactions diverses alimentèrent un brouhaha que le détective dissipa très vite :

— Bauman, t'en es où des images de surveillance ?

— Je vous ai rapporté un best of, monsieur, déclara le jeune stagiaire, ravi d'être enfin dans son élément.

Il retourna l'écran de son ordinateur et actionna la touche « play ».

— Bon, je vous préviens, c'est pas terrible. Les images sont floues à force d'être agrandies, mais elles nous permettent quand même de confirmer que les éventreurs sont bien arrivés au domicile de leur victime en portant une sorte de bagage cubique.

— Une glacière... précisa McKenna en regardant Kimberley gravement.

— Ça y ressemble, en tout cas. La panoplie du parfait petit chirurgien devait s'y trouver.

McKenna et Dahlia s'approchèrent du PC qui diffusait les vidéos. À gauche, celles de Roddy Cooper. À droite, celles de Nora Gyulay. Il y avait une étrange similitude dans la démarche de ces deux êtres que tout opposait. Une façon tranquille d'avancer, comme si rien ne pouvait les détourner de leur objectif.

— Tu as des plans où on les voit sortir de chez leur victime ? s'enquit McKenna.

— Pas directement, mais quelques rues plus loin.

Il cliqua sur le curseur de la réglette et le glissa vers la droite. Les images défilèrent rapidement jusqu'à un repère précis. Il enclencha à nouveau la lecture.

— Là, dit Bauman, en pointant du doigt Roddy sur l'écran. Il a toujours son bagage avec lui. Pareil pour Nora Gyulay sur l'autre enregistrement. La caméra située à la sortie du parc de Hampstead Heath a enregistré son passage.

Il tapa un code sur son clavier. Le film défila en vitesse rapide avant de se stabiliser sur la silhouette de la vieille dame hongroise. Elle marchait, d'un pas serein, à la sortie du parc. Rien, dans son attitude, ne pouvait laisser supposer qu'elle venait de commettre un crime atroce.

— Combien de temps sépare les images des voyages aller et retour ? demanda McKenna.

— Euh… je n'ai pas calculé, monsieur. Pourquoi ?

— Pourquoi ? Avec une simple soustraction, on pourrait connaître l'heure du crime et le temps qu'il leur faut pour compléter leur petit « rituel ».

Les guillemets qu'il avait ajoutés avec ses doigts lui valurent un demi-sourire de Dahlia qu'il nota avant de manifester son impatience :

— Alors ? Il y a bien un *time code* sur tes bandes, non ?

— Oui, bien sûr, monsieur.

— Eh ben, qu'est-ce que t'attends pour faire le calcul ? T'as les images de la gare ?

— Ça a été… comment dire… compliqué, monsieur. Elles dépendent de Coventry Street.

— Ah, grimaça McKenna, d'un air entendu.

— Vous avez rendez-vous avec Elvis Fry, le responsable sécurité du réseau dans une heure. Vous allez l'adorer. C'est une vraie star, chez les *geeks* !

— Bon… Knox, tu me creuses ta piste sataniste. Tu vois si un réseau informel opère dans ce pays. Berg, tu fais la même chose pour le trafic d'organes. Emma, tu me refais une perquise au domicile des victimes. Je veux tout savoir d'elles. Inspection et contre-inspection des témoignages des voisins, parents. Pour les autres, retour aux fondamentaux. On a deux tueurs et deux victimes. Comparez leurs profils. Histoire financière, vie privée, leurs ennemis, leurs amis. Visionnez leurs films de famille. Soyez créatifs, bordel. Allez, au boulot ! grogna-t-il en tapant dans les mains.

## 12

Il n'avait aucune raison de la tuer. Il l'adorait. Grâce à elle, il allait bientôt partir de Barrier Block, la cité de Brixton où il avait grandi. En vingt ans d'existence, Marvin Haas n'était sorti de ce quartier que pour se rendre à Feltham Young Offenders Institute, une maison de redressement pour délinquants juvéniles. Du centre de Londres, il ne connaissait que ce qu'il avait pu en voir à la télé.

Becky Yu lui avait servi de guide.

Ils s'étaient rencontrés par hasard. Une agression dans l'Overground[1]. Marvin s'était levé pour la défendre et… il avait accepté de la raccompagner chez elle, à des années-lumière de sa cité, dans un endroit où il n'avait jamais mis les pieds : Notting Hill.

Ce n'était pas la drogue qui l'avait poussé à devenir *gang member*. Ce n'était pas l'argent non plus, même s'il en avait très vite gagné plus que son ouvrier de père. C'était le besoin impérieux d'avoir une identité, un but, l'urgence de se sentir indispensable à

1. Équivalent anglais du R.E.R.

quelqu'un. C'est important d'être désiré, surtout quand on vous quitte...

Marvin n'avait que treize ans quand sa mère s'était fait la malle. Et le pire, c'était qu'il comprenait ses raisons. Désormais, c'était à lui qu'allait incomber la lourde tâche de désintoxiquer son père ou de le fournir en crack. Marvin n'en voulait pas à sa mère d'être partie, il lui en voulait juste de ne pas l'avoir emmené avec elle.

Comment survivre sans soutien familial dans le quartier le plus dangereux de Londres ? Pas seul, en tout cas.

Marvin tenta d'approcher les gangs de Brixton, mais pas un ne voulait de lui. Alors, il fonda le sien avec deux gosses du quartier, paumés eux aussi. Ensemble, ils partagèrent un but commun (survivre), une identité (les Homeless) et surtout ils se sentirent très vite indispensables les uns aux autres.

Avec les années, les Homeless gagnèrent en importance et durent affronter les autres gangs de Brixton, les Murderzone et les Peckham Boys. Marvin y récolta un nombre incalculable de blessures par balle et de coups de couteau, mais, au bout du compte, il parvint à conserver le contrôle du pâté de maisons qui l'avait vu naître.

Barrier Block. Cet ensemble d'immeubles en forme de fer à cheval évoquait une forteresse pénitentiaire. Son architecture néo-brutaliste était tout sauf accueillante, avec ses hauts murs dépourvus de balcons, ses fenêtres minimalistes aux allures de meurtrières et son entrée en forme de mirador.

Quand une camionnette de FedEx SameDay s'en

approcha, ce matin-là, l'impression d'anachronisme était criante. Le conducteur baissa sa vitre prudemment et s'adressa à l'interphone. Il n'était pas très rassuré de livrer dans ce quartier. La notoriété internationale de la compagnie pour laquelle il travaillait n'aidait pas à passer inaperçu. Dans la cité, on se faisait caillasser pour moins que ça.

La barrière finit par s'ouvrir et le véhicule s'engagea sur l'esplanade du lotissement. Le livreur se rangea devant le bâtiment C, s'assura que personne ne tournait autour de sa camionnette et descendit, des documents à la main.

Il se rendit à l'arrière tout en balayant les alentours d'un regard inquiet. À une centaine de mètres, des dealers étaient en pleine activité. Mieux valait ne pas s'éterniser. Il attrapa un colis encombrant, verrouilla son fourgon et pressa le pas vers l'immeuble.

À l'intérieur, le hall et les boîtes aux lettres étaient tagués, mais surtout l'ascenseur portait la mention « EN PANNE ».

— Et merde ! Six étages ! soupira le livreur, exaspéré. Putain de cité !

Pressé de déguerpir, il avala les marches quatre à quatre. Parvenu péniblement au sixième, il vérifia le nom qui figurait sur les portes et sonna à celle de gauche. Le volume de la musique rap dans l'appartement était tellement élevé qu'il dut s'y reprendre à plusieurs fois avant qu'un jeune Noir d'une vingtaine d'années vienne ouvrir. Coiffé d'une casquette de base-ball et chaussé de Nike montantes, il était taillé comme un body-builder. Les cicatrices de son visage témoignaient d'un parcours difficile.

Le livreur se tapota l'oreille pour demander à son client de baisser le son, mais, pour toute réponse, il hérita d'une grimace, révélant deux incisives en or.

— Marvin Haas ? cria l'employé de FedEx essoufflé.

Le jeune homme acquiesça et reçut le paquet en échange. Sur les côtés était inscrit « FRAGILE ». Il vérifia le nom sur l'étiquette… Le colis lui était bien adressé. Et sur la case « Expéditeur », il y avait juste mentionné « BECKY ». Il utilisa la boîte comme sousmain et signa les documents du coursier.

De retour dans son appartement, Marvin arrêta la musique et ouvrit le carton. À l'intérieur se trouvait une glacière. Un téléphone portable était scotché sur son couvercle. Marvin souleva le conteneur frigorifique et l'examina sous tous les angles. Pourquoi Becky lui adressait-elle un pareil ustensile ?

Il arracha le ruban adhésif qui maintenait le cellulaire en place et faillit le lâcher. Il venait de sonner. La mélodie qui s'échappait du téléphone était celle de la *Gnossienne n° 1* d'Erik Satie.

Marvin releva la tête lentement, le visage grave… Cette musique évoquait quelque chose en lui, mais il ne savait pas quoi exactement. Il fit un effort pour se rappeler… en vain. C'était trop flou, trop lointain.

Quand la sonnerie se coupa, il sembla presque déçu. À aucun moment il n'avait eu le réflexe de prendre cet appel. Décrocher, cela voulait dire interrompre la mélodie et il ne l'aurait fait pour rien au monde. Cette musique semblait avoir sur lui un effet apaisant. Il démonta soigneusement le carton d'emballage et le plia jusqu'à ce qu'il tienne facilement avec le portable dans sa main. Puis il saisit la glacière par la poignée et quitta l'appartement.

Une fois au bas de son immeuble, il jeta le téléphone et les restes d'empaquetage dans une poubelle et s'éloigna avec le conteneur frigorifique.

Marvin sortit du métro à Notting Hill Gate. La maison de Becky se trouvait à un mile environ. À pied, il ne lui faudrait pas plus d'une quinzaine de minutes pour s'y rendre. Il n'y avait pas une seconde à perdre. Mme Yu avait l'habitude de quitter son bureau tous les jours vers 13 heures pour déjeuner avec sa fille. Et l'horloge de la place venait de sonner 11 heures.

Il traversa Pembridge et se mêla bientôt au flot des piétons de Portobello Road, en tenant fermement sa glacière à la main. Son pas lent mais décidé contrastait avec le vagabondage des touristes qui butinaient de boutiques d'antiquités en magasins de livres anciens.

Marvin avait arpenté cette rue sinueuse avec Becky de nombreuses fois, s'émerveillant de ses maisons aux devantures multicolores, à des années-lumière de la triste couleur rouille de Brixton. Mais, aujourd'hui, il n'y prêtait guère attention. Les notes de musique qui s'échappaient des bars à la mode et les senteurs d'ail qui transpiraient des cuisines en sous-sol le laissaient indifférent.

Seul comptait ce qu'il était sur le point d'accomplir.

Il en allait du salut de l'âme de Becky.

L'horodateur de Colville Road marquait 11 h 17 quand Marvin arriva devant le 31 de la rue. La maison de Becky, bleu dragée, était une villa à trois étages, collée à ses voisines, mais jouissant d'un jardin privé.

Contre toute attente, les volets étaient fermés. L'exemplaire du *Times* dépassait de la boîte aux lettres et la bouteille de lait attendait patiemment sur le seuil qu'on s'intéresse à elle. Becky et sa mère étaient-elles parties ensemble quelque part ou dormaient-elles encore ? Il n'y avait qu'une façon d'en avoir le cœur net.

Il s'avança vers le portail, cueillit le journal et le glissa sous son bras. Puis il gravit lentement les marches qui menaient sous le porche à colonnades. Arrivé sur le seuil, il ramassa le litre de lait et actionna la sonnette.

En attendant qu'on réponde, il répéta dans sa tête les différents laïus qui lui permettraient de faire face à chaque éventualité. Il redoutait d'avoir à expliquer sa présence à Mme Yu, laquelle lui avait interdit de fréquenter sa fille.

Bientôt, à travers le hublot en verre cathédrale de l'entrée, il distingua une silhouette floue qui remontait le couloir.

Était-ce la mère ou la fille ?

La porte s'ouvrit sur une jolie Eurasienne. C'était Becky. Elle eut un mouvement de recul qui trahissait sa perplexité.

— Marvin ? Mais qu'est-ce que tu fais là ?

— Une surprise, répondit-il en lui tendant la bouteille de lait et le quotidien. T'aimes pas les surprises ?

— Si, bien sûr, excuse-moi, je viens de me réveiller, là. J'adore les surprises. Surtout les tiennes.

Tandis qu'il prenait soin de fermer la porte derrière lui, elle s'approcha, le litre de lait dans une main, le journal dans l'autre. Quand il se retourna, elle l'embrassa goulûment.

— Il y a un truc qui ne va pas ? s'inquiéta-t-elle. Tu as l'air bizarre.

— Désolé, je… j'ai pas dormi cette nuit et…

Il regarda autour de lui.

— Ta mère est là ?

— Non, tu la connais, elle est à son boulot. C'est pour moi, ça ?

Becky venait de remarquer la glacière que Marvin avait posée sur le parquet de l'entrée. Il hocha la tête en disant :

— Tourne-toi et ferme les yeux.

Elle s'exécuta. Il ouvrit la glacière et en retira un flacon de chloroforme. Il en imbiba un morceau de coton et s'avança vers la jeune fille.

— C'est quoi, cette odeur ? grimaça-t-elle, les yeux fermés.

Elle était sur le point de se retourner quand Marvin l'attrapa fermement par-derrière, lui écrasant le nez et la bouche avec la compresse humide. La bouteille de lait lui échappa et se brisa sur le sol.

Becky luttait de toutes ses forces, s'interdisant de respirer. Ses mains tentaient d'arracher les poignets de son agresseur. Ses jambes battaient désespérément dans le vide à la recherche d'un appui. Mais la jolie Eurasienne ne faisait pas le poids face à la carrure athlétique de Marvin. Il renforça son étreinte musclée. La douleur que Becky ressentait mit un terme à son apnée. Elle hurla sous son bâillon et fut bientôt contrainte d'inspirer. Les vapeurs toxiques se déposèrent peu à peu sur les parois alvéolaires de ses poumons et passèrent dans le flux sanguin.

Très vite, son corps cessa de s'agiter.

Quand elle reprit connaissance, Becky était allongée,

nue, sur la table de la salle à manger. Ses chevilles étaient liées entre elles et solidaires de son support. Ses poignets étaient attachés derrière son dos, le postérieur en appui sur les mains, ce qui facilitait l'accès au thorax.

Les grognements de la jeune fille, étouffés par son bâillon, ne parvinrent qu'à attirer l'attention de son bourreau. Ce dernier s'approcha d'elle, un plateau à la main. Elle écarquilla des yeux épouvantés en apercevant les instruments de chirurgie qui s'y trouvaient.

L'expression de Marvin ne trahissait aucune angoisse. Pire, elle reflétait une certaine sérénité, comme si l'acte qu'il allait pratiquer avait un sens thérapeutique.

Il sélectionna un scalpel et le plaça au-dessus du sternum de Becky, hésitant encore à réaliser la première incision. Il contempla ses formes délicates : la courbe de ces épaules, le galbe de cette poitrine discrète et ce ventre vulnérable qui avait accueilli son sexe tant de fois. Il devait sacrifier ce corps pour sauver l'âme de celle qu'il aimait.

Le dernier regard qu'il porta sur une Becky terrifiée fut d'une bienveillance folle.

Après quoi, il incisa.

## 13

Nils était allongé sur le côté gauche, torse nu. La longue cicatrice qu'il portait sur le sternum semblait prolonger les trois électrodes veillant sur son rythme cardiaque. Une minerve maintenait sa tête en position. Un cathéter, introduit dans son cou au-dessus de la clavicule droite, progressait le long de sa veine jugulaire.

À droite de sa couchette se tenait une jeune femme rousse de trente-huit ans, en blouse blanche. D'une main experte, elle manœuvrait la canule, de l'autre, la sonde de la console d'échographie.

— Vous ne sentez rien ? demanda-t-elle d'une voix douce.

— À part votre parfum, pas grand-chose.

— Très bien. Je pénètre dans la veine cave supérieure.

— Attention, professeur, ça commence à ressembler à du harcèlement sexuel.

— Arrêtez de parler, monsieur Blake, vous brouillez la réception.

Du coin de l'œil, Nils guettait les images en noir et blanc de l'écran de contrôle.

— Vous y voyez quelque chose, vous ?

— C'est pas vrai ! On dirait ma sœur. Il paraît qu'elle parle même sous anesthésie.

Nils sourit. Il aimait bien le Pr Corbally. Elle ne lui avait jamais menti et l'avait soutenu tout au long de ce marathon pour la survie qu'est une transplantation.

— Je suis dans l'oreillette droite...

— Vous en avez de la chance.

— ... et maintenant dans le ventricule droit.

— Je vous porte dans mon cœur, professeur.

— Attention, je prélève.

À l'aide d'une pince microscopique fixée au bout du cathéter, le médecin réalisa la ponction de tissus cardiaques.

— Vous avez senti quelque chose ?

— Non. Vous savez, moi, sans préliminaires...

Elle pouffa de rire, ce qui généra un faux mouvement.

— Mince ! C'est malin, vous m'avez fait lâcher le fragment. Va falloir que je reprélève, maintenant.

— Je suis de tout cœur avec vous...

Elle secoua la tête, amusée, puis manœuvra à nouveau la pince. Elle ponctionna un fragment millimétrique de muscle, avant de retirer délicatement le cathéter sous le regard inquiet de son patient. Pour finir, elle appliqua une compresse sur l'incision qui lui avait servi de point d'entrée.

— Appuyez fortement sur la gaze et surtout restez couché.

Nils obtempéra. Corbally lui retira sa minerve en demandant :

— Ça va ?

Il acquiesça et tenta aussitôt de dégourdir sa nuque. Elle déposa soigneusement le prélèvement entre deux lamelles de microscope et enferma le tout dans un emballage stérile.

— Je passerai vous voir dans votre chambre avec les résultats de la biopsie.

— J'ai besoin de vous parler, professeur. Vous aurez du temps ?

— J'en trouverai. À condition que vous restiez couché.

— Deal.

Elle disparut derrière la porte, faisant place aux deux infirmiers qui venaient chercher Nils.

Ils poussèrent son chariot le long des interminables couloirs du Royal Brompton Hospital. En se voyant ainsi à nouveau réduit à l'état de paquet qu'on transporte, l'avocat ne put s'empêcher de repenser aux longs mois passés dans cet hôpital et à ce sentiment d'impuissance qu'il avait développé en abandonnant peu à peu la souveraineté de son organisme au pouvoir médical.

Pour qui mettait le doigt dans l'engrenage de la greffe, il n'y avait pas de retour en arrière possible. Celui qui demandait à la Vie un sursis devait payer le prix convenu. Et ce prix, c'était l'acceptation de l'étranger à l'intérieur de soi. Pour le receveur, c'était faire le pari insensé que ce « prochain », avec lequel il avait tant de mal à cohabiter dans la vie quotidienne, devienne en fait un frère de sang. Ce coloc allait faire son nid au creux de ses entrailles et il devrait le protéger contre tous ceux qui lui voudraient du mal. À commencer par lui-même. Car les attaques incessantes de ses propres anticorps n'auraient de cesse qu'ils ne l'éliminent.

Le rejet était la seule réponse biologique connue des organismes contre les chevaux de Troie qu'on prétendait leur offrir. *Timeo Danaos et dona ferentes*, avait dit le grand prêtre Laocoon avant que les Troyens n'ouvrent leurs portes pour faire entrer le cheval. *Je crains les Grecs, même porteurs de présents.*

C'était pour combattre ce rejet de l'autre que Nils avalait une vingtaine de pilules par jour, réparties en quatre prises : 8 heures, 10 heures, 18 heures et 22 heures.

Leur but était d'abaisser considérablement les défenses immunitaires de l'avocat. À tel point qu'une personne malade représentait un véritable danger pour lui. Fini les centres commerciaux, les transports en commun, les cinémas. Tous ces lieux conviviaux et confinés où la contagion était possible lui étaient interdits.

Sa nourriture était également sujette à caution car son traitement favorisait les risques de diabète et de cholestérol. Il ne devait manger ni trop gras, ni trop sucré, ni surtout trop salé en raison des risques de rétention d'eau. Boire deux litres d'eau par jour était la seule façon de protéger ses reins contre la toxicité des médicaments.

Et il y avait bien d'autres contraintes : javelliser les légumes et les fruits avant de les manger, mais aussi sa maison deux fois par semaine ; se protéger du soleil car la thérapie affaiblissait la résistance de sa peau. Les corticoïdes faisaient fondre ses muscles et fragilisaient ses os. Le sport n'était plus une option mais une absolue nécessité.

Les portes de l'ascenseur s'ouvrirent et les infirmiers glissèrent le brancard de Nils dans la cabine, à côté d'un autre patient. L'avocat lui adressa un salut de la tête. Il le lui retourna, malgré son extrême fragilité. C'était un enfant noir d'environ neuf ans. Il était tellement faible qu'il eut à peine la force de bredouiller :

— T'as peur… des piqûres ?

— Ouais, fit Nils, remué par l'aspect maladif du petit garçon.

À travers la blouse entrouverte de l'avocat, l'enfant aperçut sa longue cicatrice.

— Ça fait mal, la transplantation ?

— Moins que les piqûres, grimaça Nils. Comment tu t'appelles ?

— Badji, m'sieur.

— Moi, c'est Nils. Ça fait combien de temps que t'attends ta greffe, Badji ?

— Un mois et six jours, m'sieur, murmura-t-il avec difficulté. Mais c'est cool, hein ? Tant que je rate l'école…

L'avocat ne put retenir un sourire, lequel se teinta de pitié dès que l'enfant détourna le regard.

Lorsque les infirmiers installèrent l'avocat dans sa chambre, son esprit était encore dans l'ascenseur avec le petit Badji. Comme tous les transplantés, Nils était passé par des sentiments contradictoires après son opération : d'abord une furieuse envie de revivre, une impression de deuxième naissance, de seconde chance, mais aussi un étrange spleen, probablement comparable au sentiment de culpabilité que ressent le survivant d'un crash aérien. Pourquoi s'en était-il sorti, lui et pas les autres ? Qu'avait-il de plus pour mériter d'en réchapper ? Pourquoi le Grand Architecte de l'univers l'avait-il choisi lui et laissé Badji sur le quai ?

Trois heures plus tard, le Pr Corbally toquait à sa porte. Nils se redressa sur son lit, inquiet :

— Alors ?

— Alors, tout va bien. Pas de rejet à l'horizon. Et les marqueurs sont bons. Je vais diminuer vos doses de Cortancyl.

— Ne me dites pas que j'aurai moins d'acné juvénile ?

— Et moins de prise de poids, aussi. Mais vous continuez le sport, hein ?

— Une heure de vélo tous les matins, ça vous va ?

— C'est parfait. Et à la plus petite alerte de fièvre ou de diarrhée, vous me prévenez, d'accord ?

— Mes selles n'ont jamais eu de secret pour vous, professeur, vous le savez bien…

Elle sourit et lui prit la tension. Le bruit de pompage du brassard gonflable souligna le silence qui s'était installé entre eux. Le médecin choisit de le rompre :

— Alors, de quoi vouliez-vous me parler ?

Il la regarda intensément comme s'il hésitait à se confier. Puis il prit une profonde inspiration et se lança :

— Vous savez que je me suis mis à la sculpture, depuis que j'ai quitté l'hôpital ?

— C'est ce que j'ai cru comprendre, fit-elle, étonnée. Ne le prenez pas mal, mais je ne vous imaginais pas comme quelqu'un qui s'intéresse à l'art.

— Moi non plus. Et c'est bien ça le problème.

L'expression de Corbally se figea.

— Je sais que ce que je vais vous demander va vous sembler étrange, poursuivit Nils, mais… parmi les patients que vous avez opérés, est-ce que certains ont remarqué des changements de comportement chez eux après la greffe ?

Le médecin arracha le velcro du tensiomètre, leva les yeux vers l'avocat et soupira bruyamment :

— Je croyais qu'on avait fait le tour de cette question, tous les deux. Ces impressions n'ont rien d'unique. Elles sont dues au formidable boost que reçoit l'organisme. Quelques jours plus tôt, il se voyait mourir. La sensation de revivre est enivrante.

Nils acquiesça. Il voyait où elle voulait en venir, mais ce genre d'explications ne lui suffisait plus.

— Ça va plus loin que l'ivresse du survivant, professeur. Ce sentiment, je l'ai eu au début, c'est vrai. Mais ce dont je vous parle là, c'est de changements mesurables dans ma personnalité. Je n'aime plus les mêmes aliments, je… j'écoute de la musique classique, moi qui ne jurais que par le rap… j'ai de nouvelles compétences qu'on n'acquiert pas en cinq mois. Vous devriez voir mes sculptures, elles n'ont rien de celles d'un débutant. Ça fait partie du boost de l'organisme, ça aussi ?

Les propos de Nils avaient troublé Corbally.

— Vous essayez de me dire quoi, monsieur Blake ? Que la personnalité de votre donneur a affecté la vôtre, c'est ça ?

— Je vous demande juste si ce genre de choses est possible.

— Biologiquement, non. L'apprentissage et le stockage d'informations dans la mémoire se font d'abord par le système nerveux, le cerveau. Ce n'est qu'en cas d'infection qu'il concerne le système immunitaire.

— Comment ça ?

— C'est le principe du vaccin. Exposé à un virus, l'organisme en conserve la mémoire pour s'en protéger.

— D'une certaine façon, l'introduction d'un greffon est une forme d'infection pour l'organisme, non ?

— D'une certaine façon, oui. C'est pourquoi il cherche à s'en protéger par le rejet.

— Mais qu'est-ce qu'il cherche à rejeter exactement ? Un code génétique qui n'est pas le sien ou une forme de pensée, de personnalité qui n'est pas la sienne ?

Le médecin rangea ses documents dans un classeur en disant :

— Les greffons ne sont pas porteurs de la personnalité de leurs donneurs, monsieur Blake.

— Pourtant, ils sont composés de cellules qui contiennent dans leur noyau de quoi reconstituer un individu à l'identique, non ?

— La matière vivante de cet individu, oui. Pas sa pensée.

— Vous avez la preuve de ça ?

— Non. Et ceux qui théorisent sur la *mémoire cellulaire* n'ont pas l'ombre d'une preuve non plus. Juste une liste de coïncidences auxquelles ils essaient de faire dire ce qu'ils veulent entendre.

— Comment vous avez dit ? La mémoire…

— … cellulaire, trancha-t-elle avec le mépris de ceux qui condamnent une pensée hérétique. Mais vous perdez votre temps. C'est de la science-fiction.

Puis elle se radoucit, se pencha vers Nils et posa la main sur sa poitrine en disant :

— Acceptez le don qui vous a été fait, monsieur Blake. Cet organe fait partie de vous aujourd'hui et vous avez intérêt à l'adopter si vous voulez qu'il fonctionne correctement.

## 14

*Il faut que je descende à la prochaine*, pensa-t-il.

Les voyageurs avaient envahi l'allée centrale du bus à impériale, bien que personne n'ait encore appuyé sur le bouton d'appel pour demander l'arrêt.

Il ne voulait pas se lever. De peur qu'on ne le remarque.

Cela faisait une demi-heure qu'il roulait. On lui avait conseillé de prendre le bus car le métro ne desservait pas directement le lieu où il se rendait. Et malgré la distance qui le séparait du cauchemar qu'il venait de vivre, il en tremblait encore. Ses bras étaient comme courbaturés, ses mains, à la limite de la crampe tant elles étaient crispées sur la poignée de la glacière.

Marvin baissa les yeux et aperçut le sang coagulé sur ses mains.

*Regarde devant toi... Et concentre-toi sur ce qu'on attend de toi...*

Il avait du mal à faire le tri entre toutes les pensées contradictoires qui assaillaient son esprit. Il ne savait plus auquel de ses cinq sens faire confiance. Y avait-il seulement du sang sur ses mains ? Et, si oui, d'où venait-il ? Avait-il commis quelque chose d'atroce, d'irréparable ? Ou bien avait-il sauvé quelqu'un, comme ces chirurgiens qui ont du sang sur les mains mais pas sur la conscience ?

La chirurgie, oui, cela lui disait quelque chose… Était-il chirurgien ? Des bribes de souvenirs lui revenaient en mémoire. Un scalpel tranchant dans la chair vivante et un visage familier qui… souffrait ?

La culpabilité refaisait surface.

Il fallait la noyer à nouveau. L'empêcher de prendre le pouvoir sur son esprit. Comme il l'avait fait jusque-là. Respecter les consignes. Dans le cas contraire, il pleurerait. Il s'en voudrait à mort, sans parvenir à découvrir pourquoi. Il devait reprendre le contrôle, si tant est qu'il en ait encore les moyens.

Les éclats de rire d'un groupe de supporters, au milieu du bus, l'irritèrent. En d'autres circonstances, Marvin se serait levé et les aurait sommés de se taire. Peut-être même en aurait-il frappé un ou deux ? On se battait pour trois fois rien, à Brixton. Une façon comme une autre de tuer l'ennui ou d'affirmer son identité. Le respect était à portée de poing pour qui voulait l'obtenir.

Mais aujourd'hui sa mission était tout autre.

Il posa les mains sur les parois glacées du conteneur frigorifique et releva la tête, les yeux fermés. Il sentit la vie à l'intérieur. La vie… éternelle.

C'était cela, sa mission du jour. Transporter la vie de toute urgence là où on l'attendait. Là où elle pouvait sauver. L'espace d'un instant, il eut l'impression d'être indispensable à nouveau. Comme lorsqu'il était enfant et qu'il s'était enfin trouvé une raison d'exister en fondant le gang des Homeless. Mais cette impression de sérénité ne dura pas longtemps. Car ses vêtements, eux aussi, étaient tachés de sang. Un chirurgien ne tache pas ses vêtements.

Il leva des yeux angoissés vers les passagers qui l'entouraient, convaincu d'être devenu, soudain, le centre d'attention de l'habitacle. Mais chacun vaquait à ses occupations : la lecture, la musique, le sommeil, les paysages qui défilaient.

Dehors, la pluie redoublait et la circulation s'en ressentait. Tout à l'heure, quand il était allé voir Becky, il faisait si beau, pourtant ! Qu'était-il allé faire chez elle ?

Il sanglota. Il s'était passé quelque chose d'horrible chez Becky, il en était convaincu.

Mais quoi ?

Ses pleurs redoublèrent. Une vieille dame se tourna vers lui et demanda :

— Ça va, mon garçon ? Je peux faire quelque chose pour toi ?

Marvin secoua la tête et essuya ses larmes, lesquelles se mélangèrent un moment avec le sang séché.

*Il faut que je descende à la prochaine.*

« Stamford Bridge Stadium », annonça une voix préenregistrée dans les haut-parleurs. Il se redressa et aperçut le voyant « Arrêt demandé » au-dessus des usagers. Il était allumé.

Il se leva lentement et tenta de se frayer un chemin à travers les autres voyageurs. Mais les supporters de Chelsea n'avaient aucune intention de le laisser passer. À peine descendus, ils auraient à sprinter jusqu'aux guichets du stade pour essayer d'obtenir les meilleures places.

Le bus s'arrêta sur Fulham Road et les portes s'ouvrirent dans un souffle d'air comprimé, vomissant leur trop-plein de passagers.

Tandis qu'il s'agrippait à la rampe pour descendre, en protégeant la glacière du mieux qu'il pouvait, Marvin eut la sensation confuse d'être épié. Il se retourna et crut apercevoir, derrière lui, un jeune voyageur, casque MP3 sur les oreilles, qui le regardait fixement. S'inquiétait-il de la présence de sang sur son visage ou étaient-ce les taches sur ses vêtements qui l'intriguaient ? La perception paranoïaque s'amplifia.

Dans la bousculade qui suivit, Marvin tenta de le distancer. Mais un coup d'œil par-dessus son épaule lui confirma que le jeune voyageur accélérait le pas.

Alors, Marvin s'arrêta, au milieu de la multitude mouvante, ses yeux vides fixés derrière lui. Il resta planté là, comme un rocher au milieu d'un torrent.

Le jeune voyageur s'était-il rendu compte qu'il avait été repéré ? Toujours est-il qu'il feignit de chercher son chemin dans la foule et simula un intérêt soudain pour un kiosque vendant fanions et écharpes aux couleurs de Chelsea. Il obliqua dans cette direction. Mais Marvin savait bien que ce n'était qu'un leurre.

*Il y aura des obstacles, sur ma route*, se rappela-t-il. *On voudra m'empêcher d'amener la vie éternelle à bon port. Mais je la remettrai, coûte que coûte.*

La vitrine du kiosque constituait un très bon rétroviseur. Et Marvin s'en doutait. Chacun de ses faits et gestes devait être observé à présent.

Tout en s'attachant à rester calme pour ne pas se trahir, il considéra ses options de fuite. Remonter dans le bus équivalait à ne pas accomplir sa mission.

C'était exclu.

Entrer dans le stade, cela voulait dire prendre le

risque d'y être suivi. Mais cela offrait également la possibilité de se fondre dans la foule.

Et puis c'était là qu'il devait livrer.

*Tribune Est. Escalier E30. Rangée 38. Siège 150.*

C'était inscrit sur son billet.

Il jeta un coup d'œil furtif par-dessus son épaule. Le voyageur se trouvait toujours devant le kiosque.

Marvin se mit à marcher d'un pas ralenti mais décidé vers l'entrée du stade. Le voyageur décrocha du stand. Il aperçut deux *bobbies* qui patrouillaient sur le parvis et les interpella en gesticulant.

Marvin gagnait du terrain. Ses talons résonnaient sur le trottoir, la glacière qu'il transportait se balançant lentement à ses côtés. Il éprouva un besoin irrésistible de se retourner.

Derrière lui, le jeune voyageur était de plus en plus frustré de ne pas être pris au sérieux par les policiers qu'il avait apostrophés. Alors, il se mit à parler fort en pointant le doigt dans la direction qu'avait prise Marvin. Mais quand les *bobbies* se retournèrent, ils ne virent rien d'autre qu'une nuée de supporters.

L'éventreur s'était évanoui dans la foule. Et le jeune voyageur hérita d'un contrôle d'identité.

Marvin introduisit son ticket dans le tourniquet-compteur et le mécanisme joua. Il souleva la glacière puis s'engouffra subrepticement avec elle dans l'escalier E30 qui menait aux gradins. À mesure qu'il grimpait les marches, son cœur cognait de plus en plus fort dans sa poitrine. Autour de lui, la foule, compacte, constituait la meilleure garantie d'anonymat.

*Il y aura des obstacles, sur ma route*, se répétait-il. *Mais je remettrai la vie éternelle, coûte que coûte.*

À qui devait-il la remettre ? Il savait qu'il devait se rendre rangée 38, siège 150, mais rien de plus. Ou bien avait-il oublié ?

En arrivant dans les gradins, il constata que le stade était déjà à moitié plein. Il repéra sa rangée et s'y engagea.

Les joueurs de Manchester United s'échauffaient sur le terrain. Leur maillot était rouge.

Rouge sang…

Marvin repensa à Becky. Il l'avait sauvée malgré elle, mais à quel prix ?

Il se remit à pleurer à chaudes larmes et tituba. Ses jambes ne le portaient plus. Il s'agrippa à la rampe de l'estrade et se laissa tomber sur le siège 150.

C'est à ce moment-là que les notes de musique lui parvinrent. Quelqu'un dans la foule les sifflait sans qu'il puisse dire d'où elles provenaient. La *Gnossienne* semblait soulager son chagrin. Cautériser son regard. Les spasmes de ses sanglots diminuèrent en intensité et ses yeux barbouillés de larmes aperçurent enfin l'ombre du siffleur qui s'approchait.

La lumière du jour l'éclairait par-derrière, éclaboussant ses contours. La silhouette portait un survêtement sombre. Une casquette à large visière couvrait son visage. Le soleil se reflétait dans les verres miroir de ses lunettes, conférant à l'ensemble un parfum d'irréel. Jusqu'à ce qu'une main gantée s'abatte sur la poignée de la glacière et en prenne possession.

Marvin se frotta les yeux pour mieux voir. Mais la silhouette ne lui laissa pas le temps de reprendre ses esprits. Elle se découpait au-dessus de lui. Les reflets de ses verres l'aveuglaient. Alors, sans crier gare, l'ombre à la casquette se pencha et murmura d'une voix rauque au creux de son oreille :

— Tout va bien, Marvin. Becky repose en paix, maintenant.

L'instant d'après, la silhouette avait disparu. Et la glacière avec elle.

## 15

Introduite pour tenter d'enrayer les attentats de l'IRA, la vidéosurveillance s'était peu à peu installée dans la vie quotidienne des Britanniques. L'arrestation des poseurs de bombes des attentats islamistes de juillet 2005 et ses cinquante-deux morts avaient encouragé sa prolifération, faisant de Londres la ville la plus surveillée au monde. Cinq cent mille caméras balayaient ses rues en permanence. On en comptait cinq millions au Royaume-Uni.

Installée en sous-sol d'un centre commercial en plein cœur de la Cité de Westminster, l'unité de vidéosurveillance de Coventry Street était l'une des plus importantes de la capitale. Mais aussi l'une des plus *touchy* puisqu'elle couvrait le district de Piccadilly Circus, le quartier des théâtres et des divertissements. Son personnel était trié sur le volet car il était fréquent de dépister, sous ses yeux numériques, des stars internationales dont la vie privée pouvait aisément se retrouver en première page des tabloïds.

Dix opérateurs, spécialistes du comportement humain, s'y relayaient toutes les huit heures, épiant les moindres faits et gestes de leurs concitoyens. Cramponnés à leur joystick, ils traquaient inlassablement telle ou telle attitude jugée illégale ou potentiellement dangereuse. En cas de flagrant délit, une équipe de policiers était dépêchée sur place. En cas de meurtre, de vol ou d'attentat, on passait au crible les archives.

Dans une affaire comme celle des Éventreurs, leur examen pouvait s'avérer capital. Aussi Dahlia ne comprenait-elle pas ce qui pouvait justifier une telle lenteur dans la récupération des images.

— Les rapports entre Scotland Yard et Coventry Street sont un peu tendus depuis quatre ans, lui confia McKenna.

— Ah bon ? Et pourquoi ça ?

— Un de nos responsables a cru bon de qualifier la politique de surveillance de ce pays de total fiasco.

— Il avait raison ?

— Jugez par vous-même. D'un côté, cinq cents millions de livres investies sur dix ans par le contribuable britannique pour son système de surveillance, de l'autre, trois pour cent de crimes élucidés grâce à lui.

Pénétrer dans ce centre de contrôle, c'était comme se retrouver plongé dans l'univers de George Orwell. Des dizaines de moniteurs tapissaient les murs. Des citoyens y vaquaient à leurs occupations, héros involontaires d'une émission de télé-réalité à échelle urbaine. Au-dessus d'eux, les yeux de Big Brother étaient partout, apparents ou indiscernables, cachés dans des sphères à dix mètres du sol, dissimulés sur les réverbères, sur les parcmètres, sur les feux rouges… Impossible de se soustraire à leur regard invasif.

Dahlia et McKenna observaient à présent les images enregistrées la veille en gare de Paddington. Celui qui manipulait le clavier de l'ordinateur des archives était bien la star de Coventry Street.

Elvis Fry avait fait trembler les opérateurs de la City en s'introduisant dans le système informatique de la Bourse de Londres. Lors de son arrestation, il avait déclaré avoir juste voulu « tester ses compétences sans en tirer profit ». Hacker repenti, il avait été engagé pour sécuriser le réseau informatique reliant les unités de surveillance entre elles. Et force était de constater qu'il l'avait rendu étanche. Même s'il agissait sous l'autorité d'un ingénieur du sérail, Elvis avait conservé, intacts, son néoanarchisme *geek* et son humour potache.

— Une caméra pour quatorze Britanniques, lança-t-il à Dahlia non sans avoir jeté un regard aimanté vers son joli postérieur. Ça en fait, des *sextapes*, ça, hein ?

Devant la réaction offusquée de l'agent du FBI, il crut bon de rectifier :

— Non, je plaisante. Les images des fenêtres sont cryptées. On est là pour protéger les gens, pas pour les mater.

— Vous conservez ces enregistrements combien de temps ? demanda Dahlia.

— Trente et un jours. Après quoi, les disques durs se purgent automatiquement, pour préserver leur mémoire.

McKenna s'approcha des écrans pour mieux voir. Des centaines d'anonymes déambulaient sous ses yeux. Parmi eux devait se trouver Nora Gyulay. Mais où ?

— Si votre mamie avait un casier, ce serait plus simple, poursuivit Elvis. Le système est équipé d'un logiciel de reconnaissance faciale. Chaque visage est analysé par l'ordinateur et comparé à la banque de données des citoyens fichés.

Il avait débité son laïus en dévorant Dahlia des yeux. Comme la plupart des *geeks*, il avait tendance à virtualiser les rapports homme-femme. Il manquait donc terriblement de pratique et de bonnes manières.

— Il y a des angles morts dans la gare ? s'enquit McKenna.

— Les seuls angles morts sont dus à des cams défectueuses. Je les ai signalées, mais vous savez ce que c'est… avec ces putains de fonctionnaires…

Le détective lui jeta un regard sombre, ce qui poussa Elvis à préciser sa pensée :

— Je dis pas ça pour vous, m'sieur, ricana-t-il. Mais… faut dire qu'y en a quand même qui ont le cul vissé.

McKenna ne faisait plus attention au jeune informaticien. Sur l'un des moniteurs, il venait de repérer Nora au sommet des escalators donnant sur l'espace ouvert de la gare.

— La voilà, dit-il en pointant le doigt sur l'écran.

Elle portait sa glacière à la main. Elle leva les yeux vers les panneaux signalétiques, puis se dirigea calmement sur sa droite. Sa démarche nonchalante contrastait fortement avec celle, stressée, des autres voyageurs.

Nora disparut d'un des moniteurs pour apparaître sur un autre. Elle s'immobilisa entre deux rangées de consignes. Elle leva les yeux vers les compartiments ouverts… L'image se figea…

— Qu'est-ce qui se passe ? demanda Dahlia.

— Ça vient pas d'ici. Sûrement un faux contact sur la cam. Je vous dis, ils achètent une Rolls et ils ont même pas de quoi se payer le garagiste... Si c'est un faux contact, l'image va revenir.

— Il n'y a pas d'autres objectifs qui pointent vers les consignes ? s'empressa de demander McKenna.

Elvis consulta le plan du circuit CCTV[1].

— Pas directement, non.

Il se mit à taper sur son clavier pour mobiliser les enregistrements des caméras voisines. Certaines d'entre elles partageaient une zone partielle d'observation, mais aucune ne permettait de distinguer la vieille dame hongroise. Bientôt, les images d'archives de l'angle défectueux réapparurent. Nora terminait de glisser la glacière dans l'un des casiers.

— Vous pouvez agrandir ? s'enquit McKenna.

— Tant que vous me demandez pas de lire le numéro du box...

Elvis manipula son clavier et isola Nora et son bagage. Mais cela manquait cruellement de définition.

La vieille dame hongroise verrouilla le box et tendit le bras au-dessus du compartiment. Nouvelle panne. L'image se figea à nouveau.

— Qu'est-ce qu'elle fait ? fit Elvis.

— Vous n'avez jamais caché votre clé à l'intention de quelqu'un ? rétorqua Dahlia.

Sa livraison effectuée, Nora s'éloigna.

— Vous pouvez faire défiler en avance rapide ? réclama McKenna.

L'informaticien obtempéra. Pendant que les vues se pixellisaient, il lança une œillade dragueuse à Dahlia en demandant :

---

1. Sigle anglais (*closed-circuit television*) pour désigner le système de vidéosurveillance.

— Vous êtes vraiment du FBI ?

Pour toute réponse, elle désigna le mur d'écrans. Sur les moniteurs, des dizaines d'usagers allaient et venaient à toute allure autour des consignes. Au bas de l'enregistrement, le *time code* égrenait ses minutes.

Soudain, la silhouette d'un homme, vêtu d'un long manteau et d'un chapeau, s'arrêta devant le casier où Nora avait placé la glacière. Il portait des lunettes miroir et s'appuyait sur une canne.

— Arrêtez, arrêtez ! ordonna McKenna.

L'informaticien figea l'image. Dahlia s'en approcha. Sur l'écran, l'homme tentait d'attraper quelque chose au-dessus du compartiment. Sûrement la clé que Nora y avait laissée.

— Avancez lentement… exigea le détective.

Toujours de dos, l'homme fit glisser ses mains gantées le long des coffres, comme si elles cherchaient à les compter. Elles finirent par trouver le bon casier et l'ouvrirent. Puis elles avancèrent à tâtons à l'intérieur.

— Il est aveugle ! déduisit McKenna.

Nouvelle panne de transmission. La frustration sur les visages des enquêteurs était palpable.

Elvis actionna le défilement de la bande jusqu'à ce que la foule s'anime à nouveau. L'homme s'éloigna à tâtons des consignes. Il emportait la glacière.

— Monsieur Fry ? C'est le moment de rentabiliser nos cinq cents millions de livres, déclara McKenna en s'asseyant à ses côtés. Vous allez me traquer notre aveugle avec votre joujou.

— À vos ordres, chef, fit l'ancien hacker en mimant un garde-à-vous.

Il pianota sur son clavier et les enregistrements des

caméras jouxtant les consignes se matérialisèrent bientôt sur les écrans.

Très vite, le détective repéra le suspect sur un des moniteurs.

— Là ! Il descend dans le métro.

— Ça tombe bien. Il y a six mille yeux là-dessous. Il me suffit d'entrer un petit code horaire et je peux mobiliser leur archivage.

Elvis tapota à nouveau sur ses touches et les vues des couloirs du métro remplacèrent celles de la gare.

— Hello, Mister ! ironisa-t-il en apercevant la silhouette au long manteau.

Le large chapeau que portait le suspect et les verres miroir de ses lunettes rendaient difficile son identification. De plus, il baissait la tête constamment comme s'il avait conscience d'être observé. Sa canne tapotait les murs carrelés, mais il n'y avait pas la moindre hésitation dans sa progression. Il connaissait son parcours sur le bout des doigts.

De son côté, Elvis passait du champ d'une caméra à l'autre avec l'aisance d'un Tarzan qui sait d'instinct en se balançant où sera la liane suivante.

L'aveugle s'approcha des portillons automatiques puis les franchit.

— Vous pouvez revenir en arrière et agrandir l'image ? s'enquit McKenna.

— Vous avez vu son visage ? demanda Dahlia.

— Mieux que ça. Son titre de transport. S'il utilise une Oyster Card[1], on va pouvoir le localiser grâce à sa puce électronique. On pourra même connaître l'historique de ses déplacements.

---

1. L'équivalent anglais de la carte Navigo.

L'enregistrement numérique revint en arrière, puis redéfila, au ralenti cctte fois. Sur le moniteur, l'aveugle s'approcha à nouveau des portillons et sa main gantée se tendit vers la borne d'entrée.

À l'aide de sa souris, Elvis sélectionna une zone qu'il agrandit. Le résultat obtenu ne laissait planer aucun doute. Le suspect n'avait pas validé son voyage avec une carte à puce. Il avait glissé un simple ticket cartonné dans la fente prévue à cet effet. Autrement dit, on ne pouvait connaître ni sa position d'hier ni l'historique de ses trajets.

Dahlia put lire la déception sur le visage du détective.

Quelques minutes plus tard, l'homme au long manteau débouchait sur un quai peu fréquenté. L'heure de pointe était passée et l'informaticien n'eut aucun mal à isoler le suspect en zoomant dans le cadre.

L'aveugle releva légèrement la tête, mais il tournait le dos à l'objectif. Il choisit de se diriger vers le bout du quai.

— Je rêve ou il connaît l'implantation des caméras ? s'exclama Elvis en se balançant dans son fauteuil. C'est qui ce mec ? Daredevil ?

Un train pénétra dans la station.

Les portes du métro s'ouvrirent et les voyageurs s'engouffrèrent à l'intérieur. Déstabilisé, l'aveugle s'appuya sur l'épaule d'un passager qui attendait calmement son tour.

Ce bon Samaritain le prit en charge et l'aida à monter à bord. L'instant d'après, les portes se refermèrent.

— Il y a des caméras dans les wagons, présuma Dahlia.

— Sur certaines lignes, oui. Mais pas sur celle-ci.

— Comment savoir où il est descendu ?

— On va le suivre de station en station, proposa McKenna. Il est sur Bakerloo Line. Le prochain arrêt, c'est Edgware.

Le train démarra et disparut dans le tunnel.

Elvis pianota sur son clavier et les images d'archives de la station suivante apparurent. Le métro entra en gare et déversa son flot d'usagers. Mais aucun ne répondait au signalement du suspect.

Les enquêteurs procédèrent de la même manière pour les arrêts suivants : Baker Street, Regent's Park, Oxford Circus, Piccadilly Circus, Charing Cross…

L'aveugle au long manteau n'était toujours pas descendu. Ils durent attendre la station de Embankment pour le repérer à nouveau sur l'enregistrement.

Mais, contre toute attente, il ne transportait plus la glacière.

## 16

Le calme du parking de Scotland Yard fit place à un bruit de bousculade et de piétinement. Des dizaines de policiers se précipitèrent dans leurs voitures. Ils démarrèrent en trombe, dans un crissement de pneus assourdissant, lançant leur moteur à l'assaut de la rampe de sortie.

McKenna avait donné l'alerte. Grâce aux images d'archives de Coventry, l'aveugle avait été localisé dans le foyer pour sans-abri de The Strand, en bordure de la Tamise. Les caméras du secteur avaient également permis de suivre ses déplacements de la matinée.

À l'heure actuelle, il se trouvait en gare de Waterloo. Ordre avait été donné de l'interpeller toutes affaires cessantes. Et les forces de police de plusieurs districts avaient été mises à contribution.

Une main sur l'émetteur de la radio, l'autre sur le volant, McKenna coordonnait leur progression tout en conduisant. Il ne respectait ni feux rouges ni limites de vitesse. À ses côtés, Dahlia s'agrippait tant bien que mal à la poignée surplombant la fenêtre ouverte du Land Cruiser. Penchée à l'extérieur, elle tentait de survivre à son mal des transports.

Une dizaine de voitures de police arborant le célèbre *Battenburg design*[1] envahirent bientôt les abords de la gare. Cinq policiers sortirent de chaque véhicule et rejoignirent McKenna et Dahlia sur les marches de l'entrée.

— On bloque toutes les sorties, les accès métro et les quais, leur lança le détective. Aucun train ne part avant que nous ayons repéré le suspect.

La criminologue distribua à chaque groupe des captures vidéo de l'aveugle tirées des images de surveillance. Les agents se déployèrent ensuite dans l'enceinte de la station.

McKenna et Dahlia se postèrent derrière le stand d'un vendeur ambulant. De là, ils avaient une vue imprenable sur le hall central, les quais, mais aussi sur la mezzanine et les passerelles de la verrière.

Des tireurs d'élite des forces spéciales y avaient pris position. La lunette de leurs fusils balayait à présent une multitude d'anonymes à la recherche d'un non-voyant portant un long manteau, un chapeau à large bord et des lunettes à verres miroir. Cet homme à l'aspect inoffensif constituait la seule piste tangible de Scotland Yard depuis maintenant quarante-huit heures.

— Alpha 1 en position sur l'aile ouest, déclara l'un des fusiliers, en réglant sa visée.

— Alpha 2, paré sur l'aile nord, fit un autre.

— Alpha 3, sur l'aile est, j'attends vos ordres, annonça un troisième.

McKenna porta la main à son oreillette et confirma :

— Bien reçu, alpha 1, 2 et 3.

---

1. Quadrillage jaune et bleu fluo de la police britannique.

Le détective comptait également sur l'assistance des caméras de surveillance de Coventry qui avaient permis de localiser le suspect. Si elles avaient momentanément perdu sa trace dans l'enceinte de la gare, elles ne tarderaient pas à le dépister à nouveau.

Les minutes s'écoulèrent, interminables. Les hommes de Scotland Yard filtrèrent les sorties, patrouillèrent dans les couloirs, montèrent à bord des trains à quai. Ils fouillèrent les magasins, les brasseries, sans oublier les toilettes. Tout cela sans succès.

Soudain, McKenna aperçut Berg qui gesticulait en haut de la mezzanine. Son talkie ne fonctionnait plus et l'inspecteur faisait de son mieux pour alerter son patron sans éveiller les soupçons de celui qu'il avait repéré. L'aveugle, sur l'escalier roulant, était bien l'homme qu'ils recherchaient ! Ses vêtements, sa démarche, son allure... tout correspondait au signalement.

Le détective enfonça la touche de sa radio :

— À toutes les unités. Le suspect descend l'escalator central. Je répète. Le suspect descend l'escalator central.

Les tireurs d'élite et les caméras de surveillance eurent bientôt l'aveugle en ligne de mire.

McKenna et Dahlia dégainèrent leurs armes et s'approchèrent des escaliers mécaniques.

Le suspect quitta le tapis roulant à tâtons et s'engagea prudemment dans l'*open space*. Il semblait connaître suffisamment bien les lieux pour s'y diriger. Il marchait à présent vers une double rangée de distributeurs de tickets sous la mezzanine.

Dans sa lunette, l'un des tireurs d'élite put voir l'aveugle disparaître de son champ de vision. Il leva son arme et tenta de changer de position, mais n'en trouva pas de meilleure.

Le deuxième fusilier eut le même problème.

— Alpha 2 à autorité. Absence de visu sur la cible. Je répète, absence de visu sur la cible.

— Alpha 3 à autorité. Cible toujours en visu.

— Restez en position et attendez mes ordres, Alpha 3.

Le détective coupa son talkie et fit signe à Dahlia de prendre le suspect à revers. Il arma le chien de son revolver et progressa à pas de loup.

Certains voyageurs paniquèrent en apercevant son arme, mais McKenna leur fit signe de se taire et de dégager.

La criminologue se plaça à l'autre bout de la billetterie et dissuada les usagers d'approcher de cette zone. Elle risqua un œil à l'extérieur et sourcilla. Le suspect avait sorti une écuelle et s'était mis à mendier.

Un jeune homme-sandwich vantant les mérites de Burger King se retrouva momentanément pris dans la ligne de mire des policiers. Il leva les mains en l'air en criant :

— Ne tirez pas ! Ne tirez pas !

Le mendiant prêta l'oreille et se retourna vers Dahlia. McKenna repoussa sèchement l'homme-sandwich et se précipita sur le non-voyant. Il le plaqua sans ménagement face contre terre.

— Mais vous êtes dingue ou quoi ? hurla le suspect.

D'un geste vif, le policier ouvrit le long manteau à la recherche d'une arme, mais n'en trouva aucune. Il lui retira ses lunettes à verres miroir et mit à jour des yeux aux cornées laiteuses. C'était un vrai aveugle.

— Qu'est-ce que vous avez fait de la glacière ? le pressa-t-il.

— Quelle glacière ? rétorqua le mendiant.

— Celle que vous avez récupérée hier en consigne à 23 heures.

— J'ai rien récupéré du tout ! Je devais juste attendre un type à la station Paddington.

— Attendre qui ? intervint Dahlia.

— Celui qui m'a filé quatre cents livres !

— Pour faire quoi ? Pour récupérer la glacière ? insista McKenna.

— Putain, lâchez-moi avec votre glacière ! Je devais juste attendre un type, j'vous dis ! Sur la ligne Bakerloo entre 23 heures et minuit ! Direction Piccadilly, à la hauteur du dernier wagon. Il devait me rejoindre et me taper sur l'épaule pour que je monte avec lui.

Les enquêteurs réalisèrent qu'ils avaient été bernés. L'homme auquel ils s'adressaient n'était pas celui qu'ils avaient traqué sur les images de surveillance. C'était le bon Samaritain qui avait « aidé » le suspect à monter dans le métro.

— Et ensuite ? poursuivit Dahlia.

— Une fois dans le wagon, il m'a filé son manteau, son chapeau et ses binocles. Je devais les porter jusqu'à ce soir 20 heures.

— Vous l'avez rencontré où et quand ce type ?

— Hier à la gare vers 21 heures, pourquoi ? C'est illégal ?

McKenna soupira et aida l'homme à se relever en disant :

— Non, monsieur, ce n'est pas illégal. Mais on va devoir vous emprunter les vêtements et les lunettes qu'il vous a donnés pour analyse.

— Je pourrai les récupérer quand ?

— Dans quarante-huit heures, à Scotland Yard. Avec nos excuses pour cette méprise, monsieur.

— Vous pouvez pas les « liquider » un peu, vos excuses ? demanda le mendiant en faisant chanter les pièces de son écuelle.

McKenna en fut quitte pour un billet de cinq.

— Une dernière question, ajouta Dahlia. Est-ce que vous avez remarqué quelque chose de spécial concernant ce type ? Un accent, une odeur ?

— Sa voix. Rauque. Une voix de fumeur.

C'était bien leur veine. Le seul témoin oculaire dont ils disposaient était aveugle.

## 17

Notting Hill. Une Audi A4 se gara devant le 31 Colville Road. Une femme asiatique de quarante-cinq ans, très élégante dans son tailleur-pantalon, en descendit, chargée de sacs de commissions pleins à craquer. Elle les tenait éloignés de son corps pour éviter qu'ils ne cognent contre ses jambes.

Elle franchit le portail et s'arrêta brusquement au pied du petit escalier qui menait jusqu'à chez elle. Derrière ses lunettes de soleil design, elle sourcilla en découvrant la multitude de miroirs et de statuettes qui avaient été sortis sur son palier. Le visage des sculptures était recouvert de papier rouge.

Mme Yu pressa le pas. Elle grimpa rapidement les marches et poussa un cri en apercevant la tablette rouge sur la porte entrouverte et le linge blanc, accroché à la poignée. Elle savait ce que cela signifiait.

Folle d'inquiétude, elle s'engouffra dans la maison.

— Becky ? appela-t-elle le souffle court en traversant le hall.

Elle enjamba le litre de lait brisé sur le sol du vestibule et jeta ses paquets sur la table de la salle à manger. Elle poussa un cri en apercevant les traces de sang sur le mobilier.

— Becky ? Becky ! s'écria-t-elle, angoissée.

La mauvaise odeur qui régnait dans la maison l'inquiéta davantage. Elle traversa le living en courant.

— Becky ?

Elle suivit les traînées de sang jusqu'à une porte, tenta de l'ouvrir, mais celle-ci était coincée.

— Becky ? Réponds-moi, *darling* ! hurla-t-elle, affolée.

Elle s'acharna sur la poignée, essaya d'en forcer l'ouverture et le battant finit par céder.

De l'autre côté, une vision cauchemardesque l'attendait. Une vision qui allait la hanter jusqu'à la fin de ses jours.

Couché sur son lit, les bras croisés sur son pubis, gisait le cadavre éventré de sa fille. Un grand couteau de cuisine était posé sur sa poitrine ouverte. Son corps nu était enduit de talc et son visage soigneusement maquillé. Elle avait des chaussures aux pieds.

## 18

La troisième sacrifiée avait fait monter la fièvre d'un cran. Le service média de Scotland Yard croulait sous les appels. Il devenait de plus en plus difficile de maintenir les journalistes à distance. La BBC, SKY, ITN, tous avaient appelé. Et les rédactions, relayées par le Parti travailliste, commençaient à faire courir le bruit que le gouvernement voulait leur cacher la vérité. Du reste, ce n'était pas entièrement faux.

Les multiples pressions qu'avait exercées le Home Office sur les divisions de la Metropolitan Police concernées par l'affaire des Éventreurs avaient grandement compliqué la communication entre les services. Le Yard n'avait pas compétence directe sur les trente-trois secteurs que comptait la police du Grand Londres. Encore moins sur leurs cent quatre-vingts commissariats. McKenna avait donc dû passer la moitié de l'après-midi à gérer l'ego des responsables du secteur de Kensington dont dépendait Notting Hill pour qu'ils collaborent plus volontiers avec le siège social.

Grâce à cette intervention, le dernier meurtrier arrêté, Marvin Haas, avait été transféré directement dans les locaux de Scotland Yard. Et ce fut en compagnie de son avocat qu'il pénétra dans la cellule d'entretien.

Traumatisé, le caïd de Brixton avait perdu de sa superbe.

— Bonjour… Nils Blake. Je représente M. Haas.

McKenna serra la main que le défenseur lui offrait et abrégea les présentations :

— D.C.I. McKenna de Scotland Yard. Dr Rhymes, consultante du FBI.

Dahlia salua Nils d'un hochement de tête. Leurs regards restèrent accrochés un peu plus que nécessaire, comme si chacun était attiré par quelque chose d'indéfinissable chez l'autre.

— Vous n'avez pas perdu de temps, maître, fit remarquer le détective. Vous êtes commis d'office ?

— Non. Disons que… les faits que l'on reproche à mon client ont de nombreux points communs avec deux autres dossiers dont je m'occupe.

— Vraiment ! Et on peut savoir lesquels ?

— Je suis l'avocat de Nora Gyulay et de Roddy Cooper, répondit Nils en s'asseyant à côté de Marvin.

— Je vois, fit le détective en le dévisageant. Et quoi, vous leur faites un prix de gros ?

Dahlia désapprouva en silence. Ce que nota Nils.

Contrairement à la plupart de ses confrères, McKenna n'avait pas d'hostilité naturelle envers les avocats. Il les considérait comme des adversaires potentiellement redoutables qu'il fallait désarmer au plus vite de façon à ce qu'ils interfèrent le moins possible dans les interrogatoires. Pour cela, tous les moyens étaient bons : provocation, mauvaise foi… « Il faut mettre les défenseurs sur la défensive », se plaisait-il à répéter à ses collaborateurs. Aussi sa première attaque était-elle toujours frontale.

— Monsieur Haas, vous connaissez cette jeune fille ? demanda-t-il à Marvin en déposant une photo devant lui.

La troisième sacrifiée y apparaissait dans toute son horreur mystique. Marvin détourna la tête et se mit à pleurer comme un enfant. À tel point que ses sanglots l'empêchèrent de répondre. Nils le fit à sa place :

— Je présume qu'il s'agit de la victime de ce matin, Becky Yu.

McKenna ajouta les photos d'identité des deux éventreurs précédents : Nora et Roddy.

— Est-ce que vous avez déjà vu ces personnes, monsieur Haas ?

Marvin fit non de la tête.

— Un témoin affirme vous avoir aperçu tout à l'heure devant le stade de Stamford Bridge avec une glacière. Or vous ne l'aviez plus, quand on vous a arrêté. Vous l'avez remise à quelqu'un ?

— Je ne me souviens pas... d'une glacière, bredouilla Marvin.

— Elle contenait quoi ? Les organes de Becky Yu ?

Le jeune homme ne saisissait pas ce à quoi le policier faisait allusion.

— Mon client n'a aucun souvenir de ce qui s'est passé ce matin, intervint l'avocat. Et c'est bien là le problème.

— Aucun souvenir, hein ? fit McKenna en sortant une nouvelle pièce de son dossier. Eh bien, on va lui rafraîchir la mémoire.

Il lut à voix haute :

— « *Puissent ces sacrifices apaiser l'âme de Celui dont le Nom n'est plus.* »

Il plaça le cliché sous les yeux du prévenu et lui demanda :

— Cette épitaphe a été retrouvée sous le lit de Becky Yu. Vous reconnaissez votre écriture ?

Marvin ramassa le document de ses mains tremblantes puis opina, désespéré.

Dahlia se tourna vers McKenna comme pour lui demander la permission d'intervenir. Il acquiesça.

— Nous comprenons vos remords, monsieur Haas, mais mettez-vous à la place de la mère de Becky. Elle veut savoir ce qui s'est passé. Et vous aussi, je présume.

Il opina à nouveau.

— Est-ce que vous auriez reçu un colis ce matin par courrier express ?

Marvin se figea soudain et releva la tête, comme illuminé.

— Un colis de Becky… oui.

— Qu'est-ce qu'il y avait dedans ?

— Une surprise…

Ses yeux allaient et venaient comme s'ils cherchaient à fixer les fragments de mémoire qui refaisaient surface.

— Elle m'a dit qu'elle aimait bien les surprises. Surtout les miennes.

— Quand vous a-t-elle dit cela ?

— Ce matin.

— Vous êtes donc allé chez elle, ce matin ?

Il hocha la tête et se remit à pleurer.

— Qu'est-ce qu'il s'est passé chez elle, monsieur Haas ?

Marvin fit un effort colossal pour tenter de se rappeler, mais son inconscient refusait d'aller fouiller plus profond. Des sanglots emportèrent ses dernières résistances.

Nils plaça un bras consolateur sur ses épaules.

— Mon client était très attaché à Becky.

— Votre client est loin d'être un enfant de chœur, maître, intervint McKenna en consultant son dossier. Coups et blessures sur professeurs, possession de stupéfiants avec fort soupçon de trafic, proxénétisme... je continue le best of ?

— Mon client assume son casier. Mais il aimait Becky. Ils sortaient ensemble depuis trois ans. Jamais il n'aurait pu commettre des actes d'une telle barbarie de son plein gré.

— Qu'est-ce que vous entendez par là, maître ? demanda Dahlia.

— Comme je vous l'ai dit tout à l'heure, je représente également les deux autres accusés. Mes clients ne se connaissent pas entre eux, mais ils ont en commun d'avoir un lien affectif extrêmement fort avec leur victime. Ce qui rend l'hypothèse d'un acte délibéré totalement impensable. Mes clients ne nient pas les faits. Leurs empreintes sur les scènes de crime les accusent. Mais ils n'ont pas agi de leur propre chef. Quelqu'un les a poussés à le faire.

— Nous ne demandons qu'à vous croire, maître, poursuivit McKenna, mais qui ? Qui les a poussés à le faire ? Celui à qui vos clients ont remis les organes ?

— Marvin, vous avez entendu le D.C.I. Est-ce que vous vous rappelez avoir remis le colis à quelqu'un au stade ?

— Je ne me souviens pas. Je...

— Est-ce qu'une personne vous a suggéré d'agir ainsi que vous l'avez fait, ce matin-là ou les jours qui ont précédé ?

— J'essaie de me rappeler, maître, je vous jure, mais... j'y arrive pas.

— Et, malheureusement, mes deux autres clients non plus. Des tests de mémoire épisodique ont été réalisés sur Roddy Cooper et Nora Gyulay par l'hôpital psychiatrique de Broadmoor...

Nils sortit deux documents d'un classeur et les déposa devant le détective en poursuivant :

— Des experts ont mesuré l'étendue de leur amnésie. Comme vous pouvez le constater sur ces documents, ils ont conclu à une altération de la mémoire antérograde avec absence de perte identitaire. Bien entendu, Marvin devra subir les mêmes tests.

McKenna consulta attentivement les documents, puis les remit à Dahlia en levant les yeux vers Nils.

— C'est pratique, l'amnésie... n'est-ce pas, maître ? Vous ne pensez tout de même pas me faire avaler ça !

— Et vous, détective chef inspecteur ? Vous me demandez d'avaler quoi ? Que mes clients, qui n'ont aucune notion de chirurgie, auraient pu prélever des organes avec tant de... compétence ? Qu'ils auraient pu pratiquer des rites mortuaires auxquels ils ne connaissent rien ?

Nils venait de mettre le doigt sur les angles morts de l'enquête. McKenna le savait. Mais cela n'empêcha pas Dahlia de formuler la parade :

— Vous n'innocenterez pas vos clients avec ce genre d'arguments, maître Blake.

— Je ne cherche pas à les innocenter, docteur Rhymes. Nous plaidons coupable. J'évoque juste la possibilité d'un responsable commun derrière ces trois meurtres. Quelqu'un qui aurait les compétences que mes clients n'ont pas.

Le détective se leva et rassembla ses affaires en disant :

— Nous perdons notre temps. Demain, nous aurons un autre sacrifice humain sur les bras et vous, quoi, maître ? Un autre client ? Il est capital que nous collaborions sur cette affaire. Mon but n'est pas de jeter vos clients en prison. Il est d'arrêter cette boucherie.

— Alors, cherchez le boucher, s'exclama Nils, excédé. Mes clients ne sont que ses petites mains.

McKenna médita ces paroles et sortit. Dahlia lança un dernier regard à Nils, avant de s'éclipser à son tour.

Elle rattrapa son partenaire dans le couloir et demanda :

— Qu'est-ce que vous pensez de l'avocat ?

— Ce n'est pas un mauvais bougre. Mais il en sait plus qu'il veut bien le dire. Il va falloir le travailler au corps, celui-là.

— Mac ! lança la sergente Emma Foy à travers l'*open space*. J'ai identifié la provenance de l'écu d'argent.

— Et ? fit McKenna en la rejoignant avec Dahlia.

— Il a été acheté sur ancientcoins.com, un site spécialisé dans la vente de pièces de monnaie rares et qui se targue de fournir aux collectionneurs des répliques exactes.

— T'as un numéro de carte de crédit ou de compte en banque, pour la transaction ?

— Ce serait trop beau. L'acheteur a payé par travellers cheques et s'est fait livrer poste restante à l'agence d'Islington.

— Sous quelle identité, le retrait ?

— Celle qu'il a montrée au receveur le 3 décembre dernier. Les bureaux de poste ne sont pas tenus de conserver un reçu pour les retraits. Ils doivent juste vérifier que ceux qui collectent sont bien ceux à qui on a livré.

— Putain d'administration ! soupira McKenna. Trop de paperasses quand elle sert à rien et pas assez quand elle est utile...

Avant d'être orienté vers une maison d'arrêt ou un hôpital, Marvin Haas devait être examiné par un psychiatre du Yard.

Depuis le couloir, Nils observait le comportement de son client à travers la baie vitrée. Son état de prostration ne laissait aucun doute sur l'issue de l'expertise. Il serait interné à Broadmoor, comme les deux autres éventreurs.

— Vous ne pensez pas vraiment ce que vous avez dit, tout à l'heure, n'est-ce pas, maître ?

Nils se retourna et aperçut Dahlia Rhymes derrière lui.

— J'en pensais chaque mot. Le mensonge est largement surcoté, vous savez ?

S'approchant du distributeur de boissons, il sortit une pièce de sa poche. Il la glissa dans la fente et sélectionna une bouteille d'eau minérale.

— Vous ne mentez jamais ? poursuivit-elle en le rejoignant.

— J'ai explosé mon forfait.

Il tenta d'ouvrir le tiroir mais n'y parvint pas.

— Vous permettez ?

La criminologue remplaça Nils devant l'appareil. L'avocat en profita pour l'observer. Il émanait de cette jeune femme à l'allure athlétique une fragilité refoulée qui ne s'exprimait que dans ses yeux. Tout, dans son apparence, tentait de compenser cela. Ses vêtements n'étaient que fonctionnels et ses gestes soulignaient une assurance feinte. Pourquoi ? C'était sans doute ce mystère-là qui avait accroché Nils au premier regard.

Dahlia actionna le tiroir avec douceur et méthode. La trappe céda. Elle récupéra la bouteille et la tendit à l'avocat.

— Merci.

— Vous croyez vraiment que quelqu'un les pousse à agir ainsi ? insista-t-elle.

— Désolé, mais je ne suis pas assez naïf pour penser que mon opinion puisse changer quoi que ce soit à vos préjugés.

— Je n'ai aucun préjugé.

— Les Américains en sont bardés.

— Ça, c'est un préjugé.

Il regarda Dahlia en souriant, leva la bouteille à sa santé et but.

*Joli sourire*, songea-t-elle.

— Alors, votre verdict ? demanda Nils.

— Pardon ?

— Votre verdict.

— À propos de quoi ?

— Du verre qu'on va prendre ensemble. C'est oui ou c'est non ?

Dahlia laissa échapper un ricanement. Elle n'en revenait pas du culot de l'avocat. Il y vit un encouragement et poursuivit :

— Au *Star Café*. À disons… 20 heures ?

La criminologue se revit en train de fuir l'ennui de sa chambre d'hôtel, la veille. Elle délibéra un moment avant de conclure :

— Je ne suis pas une bonne affaire, maître.

Puis elle tourna les talons.

— 21 heures ? négocia Nils.

Elle ralentit, se retourna et le toisa avant d'adjuger :

— Quelle adresse ?

## 19

La nuit était tombée sur Londres. Son célèbre brouillard avait passé les contours de la ville au papier buvard, effaçant toutes les lignes au profit des silhouettes. Il n'en fallait pas plus pour que la capitale anglaise redevienne fantomatique et victorienne.

McKenna conduisait. Sur le siège passager, Dahlia ne cessait de feuilleter le dossier de police, en avant, en arrière. Le détective se demandait ce qu'elle pouvait bien espérer y trouver.

Une alarme signala l'arrivée d'un texto. Il jeta un œil sur son portable et déclara :

— D'après le labo, le couteau placé sur la poitrine de Becky n'a pas servi à l'éviscérer.

— Je sais, répondit Dahlia.

— Comment ça, vous savez ? Ne me dites pas que ça fait partie du rite funéraire chinois !

— Ça en fait partie. Il joue un rôle de dissuasion.

— Contre qui ?

— Contre l'âme du défunt. Les proches le placent sur le cadavre pour que l'âme renonce à les tourmenter.

Le détective médita ces paroles. Il y avait, dans toutes ces croyances, quelque chose qui le touchait profondément sans qu'il puisse savoir pourquoi. Était-ce cette acceptation de la fatalité qui le troublait ? Acceptation dont il était incapable ?

Il se tourna vers Dahlia, laquelle était toujours plongée dans le dossier, et demanda :

— Et... il y aurait d'autres constatations, comme ça, sur la scène de crime, que vous auriez gardées pour vous ?

— Suffisamment pour conclure qu'un petit caïd des cités est incapable de maîtriser les rites à ce point. Incapable de savoir qu'il faut mettre du riz dans la bouche du défunt pour que son âme ait à manger, brûler des billets dans une coupelle pour qu'elle soit à l'abri du besoin...

— Vous êtes consciente que ce type de raisonnement peut tout aussi bien s'appliquer aux deux autres éventreurs.

— J'en suis consciente.

— Et vous en concluez quoi ?

— La même chose que vous, probablement...

Il y eut un long silence dont McKenna émergea en disant :

— Bon... Admettons que quelqu'un les ait forcés à faire ça.

La criminologue l'encouragea d'un hochement de tête.

— J'ai dit « admettons ». Ce serait quoi, son profil ?

— Vous faites allusion à ma « psychologie de bazar » ?

— Au point où j'en suis, je serais même prêt à essayer l'acupuncture.

Dahlia chercha le regard de McKenna. Il y avait bien plus que du sarcasme dans ses yeux fatigués. Il y avait la désillusion qu'entraîne la fréquentation de l'âme humaine dans ce qu'elle a de plus infâme, de plus vil, de plus abject. Il y avait l'expérience qu'on en tirait, apprentissage censé être utile mais qui s'avérait impuissant à endiguer le Mal. Il y avait tous ces espoirs éteints par la pratique quotidienne du malheur.

Elle prit une profonde inspiration et se risqua à partager ses réflexions :

— De toute évidence, nous avons affaire à une intelligence supérieure qui parvient à influencer des gens simples.

— Un gourou ?

— Plus que ça. Les éventreurs ne sont pas ses disciples mais ses grands prêtres. C'est un solitaire. Il veut rester anonyme. Regardez les lieux qu'il choisit pour récupérer les organes : une aire d'autoroute, un stade… des endroits où il peut facilement se fondre dans la foule.

— Mais des endroits potentiellement surveillés. Encore une fois, pourquoi prendre le risque d'une gare quand on sait qu'elles sont truffées de caméras ?

— Il voulait qu'on visionne ces images !

— Pardon ?

— Il savait où étaient les caméras. Tout ça n'était qu'une mise en scène.

— Une mise en scène ? Bon, arrêtez tout, là. Voyez ? C'est exactement pour ça que je ne supporte pas les profileurs. Vous allez me dire quoi, maintenant ? Qu'il fait tout ça pour qu'on l'arrête, c'est ça ? Qu'il est tellement addict au meurtre qu'il a besoin de nous pour mettre un terme à son carnage ?

— Pas du tout.

— Je vois, c'est l'autre école alors, ironisa-t-il. En

fait, notre tueur veut qu'on l'arrête par pur narcissisme. Parce que sa capture est le seul moyen de revendiquer ses crimes au grand jour, de devenir un tueur en série vedette. C'est ça, votre théorie ?

— Vous avez fini ?

— Euh... je crois, oui.

— Il n'a aucune envie d'être arrêté. Il ne cherche pas la célébrité. Je vous l'ai dit, il veut rester anonyme. Il a une mission : « apaiser l'âme de Celui dont le Nom n'est plus ». Et il est loin d'avoir terminé.

— À quoi lui sert cette « mise en scène », alors ?

— À protéger son secret. Il cherche à nous perdre. Exactement comme dans les pyramides. Les chambres vides n'existent que pour protéger le tombeau.

McKenna eut un regard intérieur, comme s'il cherchait à revisiter l'affaire, à travers le prisme du raisonnement de Dahlia.

— C'est un être cultivé. Un mystique. On pourrait penser que sa façon de prendre possession de la volonté des autres, pour en faire ses éventreurs, est une forme de sexualité, mais... son comportement défie les règles du profilage.

— Qu'est-ce qui vous fait dire ça ?

— D'abord, cette façon qu'il a de tuer par procuration. Ce que recherche tout tueur en série, ce n'est pas la mort de l'autre, c'est son agonie, le spectacle de ses souffrances. Or, ici, il n'est même pas présent !

McKenna était de plus en plus intrigué par les arguments de Dahlia.

— En général, les serial killers se déchaînent contre les corps qui sont à leur merci. Lui les prépare avec soin selon un rite funéraire approprié... Enfin, il y a la cadence des meurtres. Le critère de Holmes veut qu'il se passe un minimum de trente jours entre chaque crise meurtrière. Un cycle lunaire. Or, ici, le cycle est solaire : il tue toutes les vingt-quatre heures.

— Et il laisse chaque fois la même épitaphe, comme si tous ces sacrifices, en fait, n'en étaient qu'un.

Dahlia se tourna vers McKenna et le regarda fixement.

— Quoi ? fit le détective.

— Vous avez une copie des deux autres épitaphes ?

— Dans l'enveloppe bleue, pourquoi ?

Elle mit la main dessus et en vida le contenu. En comparant les trois notes, quelque chose percuta dans l'esprit de la criminologue.

— Vous travaillez avec un graphologue en particulier ?

Sur un écran d'ordinateur, les épitaphes étaient comparées deux à deux, de manière cyclique. Un homme aux cheveux roux taillés en brosse et au profil chevalin les examinait et les commentait :

— C'est curieux. Les écritures ont des points communs. Regardez la boucle du *r*, par exemple. Elle est identique sur les trois. Pareil pour l'arrondi du *o* et la forme très caractéristique du *e* !

Le graphologue fit varier la taille des images pour illustrer ses déductions.

— Je n'ai observé ce phénomène de mimétisme qu'une seule fois. Mais c'était dans le cadre d'une expérience. Une dictée sous hypnose, précisa-t-il en s'esclaffant.

McKenna et Dahlia se regardèrent avec la même perplexité.

— Le sujet était influencé par son thérapeute au point que son écriture s'en ressentait.

— Vous voulez dire que l'écriture du sujet hypnotisé prenait la forme de celle du thérapeute ? s'enquit-elle.

— Pas complètement ! Sur certaines lettres. Un peu comme ici.

Le scepticisme du détective vacillait. Il ne savait comment intégrer cette nouvelle donnée dans son système de pensée.

— C'est pour une affaire de contrefaçon ? demanda le graphologue.

— Pas vraiment, non, répondit McKenna.

## 20

Depuis tout petit, Auguste Moutoussamy voulait être fossoyeur. Il était fasciné par la mort et, sur le chemin de l'école, il s'arrêtait souvent devant le cimetière quand « l'Épouvantail », comme il l'appelait, creusait la terre. Chaque fois, l'homme y laissait un trou béant, en attente du coffre magique qui viendrait l'occuper. Et, chaque fois, il inscrivait sur une pierre tombale les nom et prénom du futur défunt.

Le lendemain, comme par magie, une cérémonie était organisée à l'église et tout le village accompagnait jusqu'au cimetière le cercueil que l'Épouvantail avait conçu. Tant et si bien que, du haut de ses sept ans, le jeune Auguste était convaincu que le fossoyeur savait, vingt-quatre heures avant tout le monde, *qui* allait mourir.

C'était sans doute pour cette raison que les villageois ne lui adressaient jamais la parole, qu'ils gardaient leurs distances ou changeaient de trottoir en l'apercevant dans la rue. À l'instar du bourreau, le croque-mort était nécessaire mais pas fréquentable. Il inspirait à la fois respect et crainte. Le rencontrer sur son chemin équivalait, pour les habitants, à croiser un chat noir. Qui sait ce qu'un regard de travers aurait pu leur coûter ? Cet homme avait-il l'oreille de la Mort comme d'autres ont le sens du temps qu'il va faire ?

Auguste en était convaincu. Et il voulait devenir cet homme-là. Il ne voulait pas être pris par surprise quand la Mort viendrait chercher sa mère, comme cela avait été le cas le jour où il avait perdu son père. Il voulait pouvoir négocier avec elle et, pour cela, il devait être au plus près du pouvoir.

Un soir, en sortant de l'école, il avait pris son courage à deux mains et avait poussé la porte du cimetière. Il avait approché l'Épouvantail et avait enfin vu la couleur de sa peau. Car, depuis la route, l'homme de tous ses fantasmes n'était qu'une silhouette mystérieuse qui se découpait à contre-jour sur le ciel bas et tourmenté. La peau de l'Épouvantail était noire comme le chocolat. Cela tombait bien. Auguste adorait le chocolat.

Quand le fossoyeur le vit s'approcher, il s'arrêta de bêcher et le détailla, les mains reposées sur le bout du manche. Auguste eut l'impression que l'homme-chocolat évaluait ses mensurations pour la confection éventuelle d'un cercueil, mais il n'en était rien. Il était juste surpris du culot de cet enfant qui s'aventurait sur ses terres, là où les adultes n'osaient pénétrer qu'en groupe et le moins souvent possible.

— Qu'est-ce que tu veux ? demanda l'Épouvantail.

— Apprendre, répondit l'enfant.

— Apprendre quoi ?

— À m'occuper des morts.

— Ils ne te font pas peur, les morts ?

— T'as pas peur, toi !

Les dents blanches de l'Épouvantail illuminèrent un visage qui, lorsqu'il souriait, respirait la bonté.

— Ton père sait que tu es là ?

— Il est juste derrière toi. T'as qu'à lui demander.

Le fossoyeur se retourna et suivit la direction qu'indiquait l'enfant : une tombe toute simple et non fleurie, avec, en médaillon, la photo fanée d'un homme encore jeune.

— C'est ma mère qui s'occupe de moi. Et, j'te préviens, la Mort a intérêt à la laisser tranquille, hein ? Parce que c'est ma seule famille. Lidy Moutoussamy. Tu notes bien ?

L'Épouvantail hocha la tête gravement. Auguste y vit une confirmation de ses croyances et fut rassuré. Son amitié avec cet homme protégerait sa mère jusqu'au jour où, fossoyeur à son tour, ce serait à son oreille que la Mort murmurerait.

L'apprentissage d'Auguste commença par l'entretien de la tombe de son père car, d'après son instructeur, les défunts étaient des maniaques de la propreté.

Dans les mois qui suivirent, l'Épouvantail révéla à l'enfant les secrets que lui avaient transmis ses ancêtres créoles sur le monde des ombres, secrets qu'on n'apprenait pas à l'école des vivants. À commencer par le prénom de la Mort : Basile. Fêté tous les 1er janvier, ce saint était le symbole du renouveau. Car, pour les Créoles, la mort n'était qu'une renaissance. Rien d'autre.

D'après le fossoyeur, les morts ne voulaient pas être oubliés. Même au fond de leur tombe, même réduits en poussière, ils avaient besoin d'être aimés, d'être pleurés. Et pas juste le jour de la Toussaint. C'était l'Épouvantail qui leur témoignait de l'affection. C'était lui aussi qui leur fournissait des nouvelles du monde des vivants : les derniers ragots, les exploits sportifs, la mode, la politique…

De tout cela, Auguste Moutoussamy s'acquittait avec passion dans le cimetière d'Abney Park dont il avait la charge aujourd'hui. Mais un événement tragique était venu contrarier son simple bonheur d'adulte. Sa mère, Lidy, que sa tâche de fossoyeur était censée protéger, était morte la semaine dernière, sans crier gare. Personne n'était venu lui chuchoter son nom à l'oreille, vingt-quatre heures plus tôt. Pas même Basile.

— On vous a menti, murmura un paroissien qui avait écouté Auguste confesser toute son histoire au bon Dieu. Les morts ne trouvent pas le repos dans les cimetières. Ils ne peuvent y aspirer que dans l'Au-delà. Et c'est notre devoir de les y aider.

La voix était rauque et rassurante. Auguste soulagea un moment ses genoux en se rasseyant sur le banc. Puis il se tourna vers cet inconnu qui avait choisi comme lui de venir se recueillir dans cette église déserte. Recroquevillé sur le banc, il portait un survêtement sombre. Ses mains, jointes en position de prière, étaient gantées de cuir. Sa tête, baissée en signe de piété, était coiffée d'une casquette à large visière qui ne laissait pas entrevoir ses yeux.

— Encore faut-il savoir comment les y aider, soupira le fossoyeur, la voix brisée par l'émotion.

— C'est tout ce qu'il y a de plus simple, répliqua le paroissien. Il suffit de s'assurer de l'intégrité de leur corps.

— Qu'est-ce que vous voulez dire par là ?

— Ce que je veux dire, c'est que… pour accéder à la vie éternelle, l'âme doit reconnaître le corps. À l'extérieur *et* à l'intérieur. Il faut donc le débarrasser de tout ce qui ne faisait pas partie de lui à sa naissance.

Quelque chose, dans cette dernière remarque, frappa l'esprit d'Auguste. Quelque chose qui, dans l'histoire de sa mère, donnait du sens aux paroles de cet homme de bonne volonté. Il essuya ses larmes et se retourna vers lui en s'accoudant au dossier du banc.

— Et comment on s'y prend ?

Le paroissien leva la tête vers son interlocuteur, révélant des yeux clairs. Vastes et pénétrants. Un regard énigmatique qui fascina Auguste.

Il se sentit soudain étrangement perméable.

Il fit de son mieux pour fermer son esprit, mais les yeux de l'intrus semblaient si bienfaisants et sa voix rauque si rassurante qu'ils forçaient l'hospitalité...

— Laissez aller, Auguste... Lâchez du lest... C'est reposant, non ?

Le cœur du fossoyeur se mit à battre plus lentement, comme pour se mettre à l'unisson d'un envahisseur invisible.

Les mains gantées sortirent un portable et le mirent en marche. Un air familier s'en échappa, une musique douce et envoûtante qui se réverbéra sous la voûte de l'église déserte. Bientôt, la *Gnossienne n° 1* d'Erik Satie occupa tout l'espace.

Pousser la porte du *Star Café* revenait à faire un bond dans le temps. À être projeté dans le Londres des années trente. Le décor y était pour beaucoup, avec son sol carrelé, ses panneaux publicitaires vintage pour la moutarde Colman, le thé Lyon ou les cigarettes Gold Flake.

Il faut dire que le propriétaire des lieux, Mario, avait conservé intact le cadre enchanteur du café de son enfance. Celui que son père, Pop, avait choisi pour ses clients. Avec les nappes à carreaux rouges et blancs de ses tables, ses chaises « bistrot » de Thonet, ses horloges kitsch et ses ventilateurs au plafond.

Ce fut une Dahlia essoufflée qui pénétra dans le bar. Elle aperçut Nils assis à une table et s'approcha, embarrassée.

— Je suis désolée, je…

— Ne vous inquiétez pas. Je ne vous facture pas à l'heure.

Elle sourit en s'asseyant face à lui. L'avocat fit signe à un serveur qui s'approcha de leur table. Il se tourna vers son hôte et demanda :

— Qu'est-ce que vous voulez boire ?

Elle aperçut le verre de Nils et dit :

— C'est de la vodka ?

— Non. De l'eau.

— Belvédère, pour moi, s'il vous plaît...

Le serveur hocha la tête puis s'éloigna. Il y eut un silence gêné que Nils s'empressa de rompre.

— Alors ? Vous prenez souvent un verre avec l'adversaire ?

— Si ça peut m'aider à vaincre mon décalage horaire...

— Vous venez d'où ?

— New York.

— Et il est quelle heure, là-bas ?

Elle consulta sa montre.

— 16 h 35.

— Vous ne comptez pas la régler ?

— Je ne suis pas ici pour longtemps.

— On en est tous là.

Dahlia le dévisagea. Quelque chose, dans le ton de sa voix, l'avait touchée. Un double sens à ses paroles. Qu'est-ce qu'elle était venue faire ici ? Nils était l'opposé du type d'homme qu'elle avait l'habitude de lever dans les bars. Il était élégant, avait de l'esprit à revendre, du charme. Du charisme, même. Il ne lui restait plus qu'à trouver une bonne excuse pour s'éclipser.

Le serveur revint avec la commande.

— Vous êtes une vraie accro au travail, je me trompe ?

— Agir, ça évite de stresser.

— Et vous stressez beaucoup, quand vous n'agissez pas ?

— Je déteste perdre mon temps.

164

Nils hocha la tête, amusé.

— Quoi ?

— Rien, je… j'étais juste en train de me demander si vous étiez en train de… d'agir, en ce moment, ou de perdre votre temps ?

Dahlia baissa les yeux vers sa vodka. Il avançait ses pions. Il était urgent de mettre en place un système de défense.

— Mettons les choses au point, maître. Si vous êtes venu chercher du sentimental, ce soir, vous vous êtes trompé d'adresse. Les sentiments, j'ai pas en magasin.

Nils la regarda longuement. Puis il se pencha vers elle et murmura :

— Il n'y aura pas de sentiments entre nous. Parole d'avocat.

Elle sourit malgré elle.

## 22

Le Land Cruiser se rangea sur le *driveway* devant le garage du pavillon de Sutton. McKenna en descendit et s'étonna de trouver toutes les fenêtres éteintes.

Il poussa la porte d'entrée et pénétra dans la semi-obscurité du vestibule. La maison était anormalement déserte. Il s'en inquiéta.

D'autant qu'il y avait ce silence oppressant.

Ce silence chargé de signification.

Ce silence insupportable...

— Tout le monde dort, murmura Peter.

McKenna sursauta. Il se retourna et aperçut la silhouette de son fils aîné, au pied de l'escalier.

Il soupira, soulagé.

— Comment va Miles ?

— Ça va.

— Et Ewan et Tim ?

— Ils dorment tous les trois.

— J'ai besoin que tu gardes un œil sur Miles, Pete, le temps que j'en finisse avec cette enquête.

— Non, fit l'adolescent. Je ferai plus ça, p'pa. Je suis pas son père. Je suis ton fils. Et c'est déjà assez dur comme ça.

Sur ces mots, il tourna les talons et s'engagea dans l'escalier.

— Pete ! Il faut qu'on parle, tous les deux.

— Pas ce soir, p'pa, j'suis vanné, répondit-il sans se retourner. Ton dîner est dans le four. T'as plus qu'à réchauffer.

La silhouette de Peter disparut à l'étage. Le détective soupira. Ses enfants étaient à bout. Ça ne pouvait plus durer comme ça.

Il alluma dans la cuisine et se rendit au frigo sans prêter attention au désordre épouvantable qui régnait là. L'évier débordait de casseroles et d'assiettes sales. Le plan de travail était encombré de toutes sortes d'ustensiles. Cette pièce était à l'image de la vie privée de McKenna. Elle avait besoin d'un bon coup de balai.

Il ouvrit le four et ressentit de la tendresse en pensant à tout le mal que Peter s'était donné pour préparer du *fish and chips*, ce poisson pané aux frites dont ses frères raffolaient. Le détective savait qu'il n'y toucherait pas.

Il ne mangeait presque plus depuis un an. Son pantalon ne tenait que grâce à sa ceinture à laquelle il avait déjà ajouté trois crans. Ses yeux et ses joues s'étaient creusés au-delà du raisonnable. Sa carrure était toujours impressionnante, mais ses muscles avaient fondu. Il avait séché la salle de gym, le stand de tir et il aurait volontiers déserté sa brigade s'il n'avait eu quatre enfants à charge.

Il dormait quand le sommeil ne lui demandait plus son avis, avalait un double café noir tous les matins en guise de petit déjeuner et s'immergeait dans son travail comme d'autres prennent une cuite.

Il attrapa la dernière canette de Dale's Pale Ale dans le réfrigérateur, alluma une cigarette et alla s'affaler devant la télé qu'il préféra garder éteinte. Il voulait tout sauf entendre les journalistes se délecter des derniers rebondissements d'une affaire sur laquelle il n'avançait pas.

Trois cadavres en trois jours. Un cycle solaire, avait dit Dahlia. Il fallait absolument qu'il en apprenne plus sur les rites sacrificiels dont il ignorait tout. Il ne pouvait pas se contenter des lumières de sa partenaire, même si son intuition s'était avérée juste jusque-là. Pour comprendre ceux à qui il avait affaire, pour avoir une chance de les devancer, McKenna *devait* s'instruire. Et vite. Car les éventreurs allaient tuer à nouveau, il en était certain. Qui sait, en maîtrisant mieux son sujet, peut-être pourrait-il sauver le prochain sacrifié ?

## 23

Nils poussa la porte de son hôtel particulier et alluma la lumière. Dahlia était juste derrière lui.

— Merci de me raccompagner jusque chez moi, Agent Spécial Rhymes. Le quartier n'est pas très sûr.

Elle ne put s'empêcher de rire. Cela faisait long-temps qu'elle n'avait pas ri autant.

— Je vous débarrasse ? proposa-t-il.

Il lui prit des mains un sachet contenant des bar-quettes de plats italiens à emporter et traversa son atelier. Celui-ci occupait une bonne moitié de la sur-face habitable.

— Désolé pour la visite forcée, mais si on veut accéder à la cuisine, on ne peut pas faire autrement que de passer par le living.

— Le living ? s'étonna-t-elle.

— C'est ce que cette pièce était, il y a cinq mois.

— C'est vous qui faites tout ça ? demanda-t-elle en s'intéressant de plus près aux sculptures exposées.

— J'en ai bien peur.

La plupart des œuvres de glaise en cours étaient recouvertes d'un drap mouillé pour éviter qu'elles sèchent avant d'être terminées. On aurait dit des

masques mortuaires sous un linceul. Les statues ache-
vées accaparaient le regard par leur étrange mélange
d'anatomie humaine et animale. Mais elles fascinaient
surtout par la présence de cet œil unique, le gauche,
qui occupait la moitié des visages hybrides.

— C'est vraiment… euh…

Elle s'interrompit, hésitant à terminer sa phrase.

— Allez-y, dites-le. N'ayez pas peur. Je n'ai aucun
ego, en matière d'art. C'est pour ça que ça me plaît,
d'ailleurs.

— Vraiment… flippant. C'est le premier mot qui
me vient à l'esprit.

— C'est exactement l'effet que ça me fait, à moi
aussi.

— Le deuxième, ce serait… cyclope, les géants à
œil unique de la mythologie grecque. Ce sont eux qui
vous ont inspiré ou vous êtes juste sensible à l'art
premier ?

— Vous savez, je n'y connais rien, moi. Ça m'a
pris d'un coup, j'ai acheté du matériel et… je me
suis lancé.

— Et vous n'aviez jamais sculpté avant ?

— Jamais. Ça ne me serait jamais venu à l'idée,
d'ailleurs. Mais je dois dire que… je commence à
me débrouiller.

— Plutôt, oui, conclut Dahlia en s'approchant des
fenêtres.

Depuis le deuxième étage de l'hôtel particulier, la
vue de Soho était magique.

— Vous savez ce qu'on dit, à New York ? « Dis-
moi quelle vue tu as depuis ta fenêtre et je te dirai
qui tu veux être. »

170

— Je raisonnais comme ça aussi, avant, lança-t-il depuis la cuisine.

— Avant quoi ? demanda-t-elle en le rejoignant.

— Mmm… Ce genre de réponse, ça se mérite.

Il sortit des assiettes du placard, tandis que Dahlia ouvrait les barquettes de plats italiens.

Nils consulta sa montre et déclara :

— Le couvre-feu est terminé. Vous pouvez parler boulot, si vous voulez.

— On a tenu quoi, une heure ?

— Une heure vingt. Vous voyez, c'est pas si compliqué !

Nils ouvrit une bouteille de chianti et lui servit à boire. Puis ils commencèrent à dîner en tête à tête, accoudés au large comptoir de la cuisine.

— Je commence ? demanda Dahlia.

— C'est vous, l'accro au travail.

— Strictement confidentiel, on est d'accord ?

Elle tendit la main à Nils, qui la serra en promettant :

— Non admissible, comme ils disent.

— Quand vous prétendez que les éventreurs sont sous l'emprise de quelqu'un, vous voulez dire qu'ils sont sous l'influence d'une sorte de gourou satanique qui les obligerait à tuer pour lui, c'est ça ?

— Un gourou ? répéta-t-il en souriant. Non. Mes clients ne font partie d'aucune secte, satanique ou autre. Du reste, ils ne se connaissent pas entre eux.

— Mais ils obéissent à la même personne. Ils écrivent la même épitaphe, ils accomplissent le même sacrifice humain. Comment vous croyez qu'on leur fait faire ça ?

— Oh, je suis sûr que vous pensez à la même chose

171

que moi, mais… c'est trop énorme pour être dit à voix haute.

— L'hypnose ?

— « Suggestion post-hypnotique. » Je vous recommande les écrits *du* spécialiste britannique de la question : le Pr Schell. C'est fou le nombre de gens qui arrêtent de fumer avec cette technique.

— Il y a une différence entre arrêter de fumer et étriper quelqu'un.

— D'après lui, la technique est la même. On place un sujet sous hypnose, on plante un ordre dans son inconscient et on y ajoute une clé. Il appelle ça une « clé d'induction ». Ça peut être un mot, un son ou une image. Puis on réveille le type.

— Et après ? demanda Dahlia, la bouche pleine.

— En théorie, il suffit de rappeler au patient la clé, à n'importe quel moment, pour qu'il exécute l'ordre sans rechigner. Qui plus est sans se souvenir de quoi que ce soit.

— Et en pratique ?

— Il y a ceux qui prétendent que, même en état hypnotique profond, le sujet ne fera rien qui soit contraire à sa morale.

— Et les autres ?

— Ils soutiennent que la morale ne régit que le conscient.

Dahlia étudia Nils, en silence.

— Vos clients vous ont dit avoir été hypnotisés ?

— Ils ne s'en souviennent pas. Mais Nora Gyulay a parlé d'une « musique dans sa tête ». Et Roddy Cooper a quitté momentanément son état catatonique pour fredonner une *Gnossienne* quand je lui ai montré la photo de sa victime.

— La clé d'induction ? ironisa-t-elle.

Il acquiesça un « peut-être ».

— C'est avec ce type d'argument que vous comptez convaincre un jury, maître ? C'est qui, votre spécialiste ? Le « Dr Mabuse » ? Ça ne tient pas la route une seconde, votre truc.

Nils arrêta de manger. Il dévisagea Dahlia, comme si elle avait brusquement regagné le camp opposé.

— Vous plaisantez, là.

— Non, pourquoi ?

— Parce que ce style de réflexion, c'est un coup à se retrouver à la porte.

Dahlia leva des yeux espiègles vers lui et répliqua :

— À la porte de la chambre ?

Nils sourit. Ils se défièrent du regard, tout en mangeant.

## 24

Chaque fois qu'il montait les vingt et une marches qui menaient à l'étage, McKenna ne pouvait s'empêcher de penser à Gillian. C'était ce même escalier qu'il avait grimpé en la portant dans ses bras lorsqu'ils avaient pénétré pour la première fois dans la maison de leurs rêves. Elle lui avait demandé de faire comme Rhett Butler dans *Autant en emporte le vent*. Et il s'était exécuté. Il pouvait encore sentir son cœur battre la chamade contre le sien.

Arrivé au premier étage, le détective répétait tous les soirs les mêmes gestes, rejouait inlassablement le même rituel, histoire de ne pas sombrer. Marcher sur la pointe des pieds en essayant de faire craquer le moins possible les lattes du parquet sous la moquette. Visiter ses enfants endormis dans leur chambre, comme pour se convaincre qu'ils étaient en bonne santé, qu'ils respiraient bien. Les border dans leur lit, les embrasser sur le front, ce qu'ils ne l'autorisaient plus à faire à l'état d'éveil. Et les quitter à reculons en profitant de chaque seconde du bonheur de leur présence.

Car l'absence de sa femme lui pesait trop.

On ne lui avait jamais précisé la cause de la maladie

de Gillian, mais celle-ci s'était installée insidieusement dans leur foyer comme un virus, sans y avoir été conviée. Cela avait commencé par de petits oublis sans importance : les clés laissées sur la serrure de la porte d'entrée, le smartphone abandonné sur le zinc d'un bistrot. Puis la fréquence des incidents avait augmenté. Leur dangerosité aussi : les enfants que l'on ne va pas chercher à l'école, le gaz que l'on oublie de fermer.

Peu à peu, McKenna en était venu à se méfier des « étourderies » de sa femme comme il les appelait, à vérifier les choses derrière son dos. Il retirait le fer à repasser du congélateur, les lunettes du grille-pain, sans le lui faire remarquer.

Jusqu'au jour où, partie chercher des cigarettes au coin de la rue, Gillian se trouva incapable de rentrer.

Il tenta d'en parler avec elle, mais elle nia tout en bloc. Quand il évoqua le besoin de consulter, elle entra dans une colère féroce et alla s'enfermer dans ce qu'elle croyait être sa chambre et qui était en fait la salle de bains.

À travers la porte verrouillée, McKenna l'entendit lui reprocher d'avoir volé les coussins et les couvertures volontairement pour qu'elle ait froid. Il supplia Gillian d'ouvrir, mais, face à son refus, il fut contraint d'enfoncer la porte.

Il trouva sa femme allongée tout habillée dans la baignoire vide, le corps secoué de sanglots. Il lui proféra des paroles rassurantes, lui caressa la nuque et la prit dans ses bras, comme Rhett Butler savait si bien le faire. Elle s'agrippa à ses larges épaules et se laissa conduire jusqu'à leur chambre, sous les regards angoissés de Peter, Tim, Ewan et Miles.

McKenna était à présent au premier étage, devant la chambre interdite, celle dans laquelle les enfants n'avaient plus le droit d'entrer. Celle dont il était le seul à posséder la clé. Il sortit un trousseau de sa poche et la déverrouilla.

Il resta quelques secondes sur le seuil à contempler le grand lit qui occupait le centre de la pièce, avec l'espoir insensé d'y trouver quelqu'un. Il s'avança lentement et balaya la chambre du regard comme s'il y entrait pour la première fois, s'installant face à la coiffeuse. Il s'assura de la présence des pinces à cheveux sous le miroir et de tous ces objets qu'elle avait touchés : flacons de parfum, produits de maquillage, bijoux féminins. Tous ces témoins d'elle auxquels il vouait un véritable culte.

Il leva les yeux vers un miroir triptyque en bois de rose sur lequel des photos étaient accrochées. McKenna y enlaçait une belle femme à Venise, lui tenait la main sous l'Acropole, l'embrassait sur une plage exotique… Le bonheur était figé dans les sels d'argent de ces clichés et il s'y projetait avec la ferveur d'un voyageur du temps désireux de ne pas rentrer.

Il ferma les yeux et crut un moment percevoir le rire de celle qu'il aimait. Mais il n'y avait rien d'autre dans l'air qui l'entourait que le silence glacé.

Quand il rouvrit les paupières, la lueur qui avait ravivé ses yeux un instant avait disparu.

Il se laissa tomber en arrière sur le lit, fixant le plafond, au-dessus de la fenêtre. Les phares des voitures qui passaient dans la rue jouaient avec les ouvertures des persiennes, générant des ombres étranges et dansantes.

Gillian avait peur de ces ombres. Elle y voyait une

présence néfaste qui la terrorisait. Aujourd'hui encore, il ne pouvait plus les repérer sans y associer les murmures angoissés de sa femme qui le réveillaient au beau milieu de la nuit :

— Elles sont revenues !

McKenna se retourna et crut apercevoir Gillian, assise sur le bord du matelas. Les yeux rivés au plafond, elle apostrophait un ennemi invisible. La salive débordait de ses lèvres tremblantes. Elle semblait ne pas remarquer la présence de son mari, qui pourtant l'avait rejointe et se tenait debout devant elle.

— Qu'est-ce qui se passe, chérie ?

— Elles sont revenues ! Elles reviennent tous les soirs !

McKenna lui essuya la bouche avec un pan de sa chemise.

— Qui est revenu, chérie ?

— Les ombres du plafond ! s'écria-t-elle, les yeux hagards. Elles viennent me chercher ! Ne les laisse pas me prendre, je t'en supplie, ne les laisse pas !

Il s'assit à côté de Gillian, la serra contre lui et la berça tendrement. Il suivit son regard vers le haut des fenêtres.

— Ce sont juste les voitures qui passent dans la rue, Gil, rien d'autre. Je te l'ai déjà dit. Ce sont elles qui provoquent ces ombres.

Elle se tourna vers lui, la sueur ruisselant sur son visage, les yeux inconsolables.

— Tu ne sais pas de quoi elles sont capables ! Elles veulent que je les suive ! Elles veulent nous séparer !

Alors, McKenna prit sa femme contre lui et la berça tendrement.

— Je ne laisserai personne nous séparer, tu m'entends ? Personne. Je suis là, tu ne risques rien.

— Elles sont trop nombreuses, mon amour. Tu ne pourras rien contre elles. Elles attendront que tu dormes pour venir me chercher.

— Alors, je ne dormirai plus, Gil. Je veillerai sur toi. Il ne t'arrivera rien, tu me fais confiance, n'est-ce pas ?

— Tu dormiras, mon amour. Tu ne pourras pas faire autrement. Elles attendront que tes paupières se ferment et elles descendront du plafond.

— C'est ta maladie qui te fait voir ces choses, Gil. Elles n'existent pas, tu m'entends ?

Elle le regarda affectueusement et lui caressa le front en chuchotant :

— Oh oui, elles existent ! Et si tu n'apprends pas à les voir, alors je suis perdue. Et les enfants aussi, car elles reviendront pour eux. Elles reviendront...

McKenna ouvrit les yeux. Il s'était assoupi.

Sa main droite alla chercher à tâtons derrière lui la présence de quelqu'un, sur le côté droit du lit. Mais elle le trouva désespérément vide.

## 25

Dahlia était blottie contre le dos de Nils. Ils avaient tous les deux gardé leur chemise, signe de l'urgence de leur désir.

Mais pas seulement.

— Tu fais toujours l'amour habillée ? murmura-t-il à son oreille.

— L'amour, non, mais… quand je couche, oui, précisa-t-elle.

— Parce que, là, on a couché ?

— Moi, oui.

— Moi aussi, ne t'inquiète pas !

Il mentait. Lui qui se prétendait allergique au mensonge avait préféré botter en touche que prendre le risque d'abattre ses cartes trop tôt. Cela faisait cinq mois qu'il n'avait pas fait l'amour. Non pas que cette pratique lui soit interdite par sa condition physique, mais quelque chose en lui le poussait à la solitude et au repli sur soi. Une forme insolite de veuvage, à des années-lumière de son comportement habituel avec les femmes. Les quelques heures passées avec Dahlia avaient changé cela. À son contact, il avait éprouvé un besoin urgent d'ouvrir les volets de son être et d'aérer son intérieur.

Dans leur façon de s'abandonner l'un à l'autre, Nils avait cru percevoir bien plus que des orgasmes partagés. Il avait ressenti chez lui un étrange appel et, chez elle, un parfum d'interdit. Elle avait instauré d'emblée une forme de sauvagerie dans sa façon de « coucher », comme si toute caresse était potentiellement dangereuse. Les baisers de Nils avaient-ils fini par l'apprivoiser ? Qu'éprouvait-elle à présent ?

— Il me reste combien de questions ? demanda-t-elle.

— Trois.

Elle glissa sensuellement les mains vers son torse.

— C'est quoi, cette cicatrice, sur ta poitrine ?

Il referma un peu trop vite sa chemise entrouverte. Il y avait un mélange de pudeur et de résignation sur son visage. Dahlia en profita pour proposer :

— Si on arrêtait le quiz ? Toutes les questions ne méritent pas une réponse, tu sais ?

— Regardez-la, l'autre... elle se dégonfle.

— Ouais et alors ?

— Et alors, on avait dit « pas de joker ». Et, « pas de joker », ça veut dire « pas de joker ».

Dahlia regrettait de s'être laissé entraîner à jouer à ce jeu stupide. Bien que lui tournant le dos, Nils perçut chez elle une tension soudaine. Alors, il lui prit la main et l'embrassa en disant :

— Cette cicatrice, c'est celle d'un survivant. Ou d'un ressuscité, ça dépend comment on voit les choses. J'étais une autre personne, avant. J'étais... obsédé par l'argent, je me shootais au travail. J'allais jusqu'à faire la liste des gens auxquels j'avais *intérêt* à offrir des cadeaux à Noël. Tu vois le genre ? Jusqu'au jour où j'ai reçu un cadeau, moi aussi. Un cadeau de quelqu'un que je ne connaissais même pas. Et ça m'a changé. Complètement.

— C'était quoi, ce cadeau ?

Nils se retourna vers Dahlia et la fixa intensément.

— La vie. J'ai été greffé du cœur, il y a cinq mois.

Le regard de la jeune femme se porta sur la cicatrice de son amant.

— Quand tu dis que ça t'a changé, euh… tu veux dire quoi exactement ?

— Attention, tu joues ta dernière question, là…

— Je sais. Tu veux dire quoi ?

Nils chercha un moment les mots qui qualifieraient le mieux son ressenti.

— Avant, je n'étais jamais dans l'instant. Jamais. Toujours dans l'anticipation de ce qui allait arriver ou dans le regret de ce qui s'était passé. Mais jamais au présent. Jamais à *déguster* la vie comme s'il s'agissait d'une dernière bouchée. Aujourd'hui, le plus important pour moi, c'est ce que je vis maintenant. Là, en ce moment même, entre nous. Le présent. C'est bien un synonyme de cadeau, « présent », non ?

Dahlia sourit. Elle était troublée par la sincérité de Nils.

— Je peux toucher ?

— C'est même recommandé.

Elle hésita, puis avança sa main lentement. Il intercepta son poignet en chuchotant :

— Je déboutonne ma chemise à condition que tu fasses pareil.

— D'accord, répondit-elle, mutine. Mais on ne l'enlève pas.

— On ne l'enlève pas.

Alors, dans un ensemble parfait, ils se redressèrent et, faisant durer le plaisir, ils se déboutonnèrent, dégageant ainsi leurs poitrines respectives. Et, tandis que Dahlia caressait la cicatrice de Nils, ce dernier posait les doigts sur ses petits seins, provoquant aussitôt leur durcissement.

Les lèvres de la jeune femme se mirent à trembler.

Il attira brusquement le corps pantelant de sa maîtresse contre le sien. Ils s'étreignirent et leurs cœurs battirent soudain à l'unisson, l'un contre l'autre.

Les mains de l'avocat partirent à la découverte du dos de Dahlia, mais celle-ci les bloqua d'un geste.

— Pas le dos, ordonna-t-elle.

Les doigts de Nils battirent en retraite.

Leurs yeux se contemplèrent longuement avant que Dahlia ose demander :

— Tu ne veux pas savoir pourquoi ?

— Je ne tiens pas à gaspiller ma dernière question.

Elle hocha la tête, amusée, et dit :

— Je crains le pire…

— En dehors d'être cette super criminologue, spécialiste en meurtres sataniques, c'est quoi ton histoire ? Tu viens d'où ?

— Pourquoi tu veux savoir ?

— Je m'intéresse à toi, c'est tout.

— Je t'enverrai mon C.V.

— On avait dit cinq questions chacun. Tu as tes réponses. Moi, il m'en manque une.

Elle hésitait à se confier.

— Pas de joker, hein ?

— Pas de joker, répondit-il, espiègle.

Elle prit une profonde inspiration et…

— OK… J'ai longtemps cru que mon père était pasteur. En fait, il dirigeait une secte. Paradis garanti pour les fidèles les plus zélés, punitions physiques pour les autres… Il trompait ma mère avec les jeunes recrues, mais il n'avait que le mot « vérité » à la bouche.

— C'est peut-être pas la peine de me raconter tout ça…

— Tu voulais savoir, non ?

Il y avait, dans le ton de Dahlia, une violence contenue qui n'était pas adressée à Nils. Il s'en rendit compte et attendit patiemment qu'elle poursuive.

— Il était si sévère qu'on n'avait pas le droit de se maquiller, chez nous. Il a fallu que je fugue, pour voir comment ça m'allait. Mon premier contact avec le shérif local. Un membre de la secte, lui aussi.

À en juger par le désarroi sur son visage, Dahlia en souffrait encore.

— Résultat des courses ? Un petit souvenir de mon père, pour que je ne recommence pas. La cicatrice, en haut à gauche.

Elle fit glisser son col sur ses omoplates, et dégagea ses cheveux pour la révéler.

— Les autres, plus bas, c'est quand j'ai recommencé.

Elle tomba la chemise, exposant son dos lacéré.

— C'est pas vrai, s'indigna-t-il, mais comment est-ce qu'un père peut faire ça à…

Dahlia se tourna vers Nils sèchement. Lisant la compassion sur son visage, elle réalisa qu'elle avait trop parlé. Personne ne pouvait comprendre ce genre de choses. Voilà pourquoi elle devait les garder dans « le lieu secret » et être étanche aux autres. Qu'avait donc cet homme de si spécial pour qu'elle n'ait pas vu venir le danger ? Qu'avait-il éveillé en elle pour qu'elle partage avec lui des choses aussi intimes ? Il fallait que tout cela s'arrête avant qu'il ne soit trop tard. Alors, elle se leva d'un bond et se rhabilla en disant :

— Tu sais quoi ? Je crois que finalement ce n'était pas une si bonne idée que ça de pousser jusqu'à chez toi.

— Quoi, qu'est-ce que j'ai dit ?

— Oh, pas grand-chose, fit-elle amèrement. Tu es très fort à ce jeu-là, hein ?

— Quel jeu ?

— Le coup du petit quiz. Il y a beaucoup de filles qui tombent dans le panneau ?

— Quel panneau ? Pour qui tu me prends, Dahl ?

— Pour qui ? Mais pour ce que tu es, Nils.

Elle ramassa des magazines sur une table basse et les lui jeta à la figure.

— « Le bachelor le plus convoité de la City », cita-t-elle de mémoire.

L'avocat jeta un œil sur les revues. Il figurait en couverture au bras de différentes conquêtes.

— Ils ont un an, ces magazines, Dahl. Et oui, à l'époque j'étais un play-boy, je ne m'en cache pas. Mais le « coup du petit quiz », comme tu dis, il n'y en a jamais eu. Pour la bonne et simple raison qu'il n'y avait même pas de conversations.

— Tu as fini ?

— Euh… Je crois, ouais.

Elle enfila son manteau et sollicita :

— Tu peux m'appeler un taxi ?

— Bien sûr que je vais t'en appeler un, mais… ça m'ennuie que tu partes comme ça sur un malentendu, je… je n'ai pas voulu te blesser tout à l'heure en parlant de ton père, je voulais juste…

— Je t'avais prévenu que je n'étais pas une affaire, répliqua-t-elle, irritée. Je ne veux pas qu'on me pose de questions, OK ? Et je ne veux pas non plus qu'on cherche à me connaître. Je suis ce que tu vois à l'extérieur. Et rien d'autre. C'est clair ?

Il hocha la tête, attrapa son téléphone et reconduisit Dahlia jusqu'à la mezzanine. En descendant l'escalier, elle s'en voulut d'avoir été aussi maladroite.

— Ça n'a rien à voir avec toi, Nils. Tu es quelqu'un de formidable. Vraiment. Mais je ne suis pas la bonne personne pour toi.

Il n'en croyait pas ses oreilles :

— Tu ferais un excellent coach pour ceux qui veulent rompre rapidement sans faire de dégâts, tu sais ça ?

Ils étaient arrivés au bas de l'escalier.

— Pour rompre, Nils, il faudrait avoir commencé quelque chose. Et ceci n'est pas une liaison et ça n'en sera jamais une. Pas de sentiment…

— … C'est le deal, je sais.

Il s'interrompit pour répondre à la compagnie de taxis :

— Oui, bonsoir, mademoiselle, ce serait pour une prise en charge à l'angle de Charing Cross et de Cambridge Circus, s'il vous plaît… Dans combien de temps ?… C'est parfait, merci.

Il raccrocha.

— Cinq minutes.

— Je vais l'attendre dehors, s'empressa-t-elle de dire.

Ils traversèrent l'atelier. Arrivée à la porte, elle

se retourna et, ne trouvant pas ses mots, se contenta d'ajouter :

— Merci pour cette soirée et… à un de ces jours, maître.

Le mot « maître » n'avait jamais sonné aussi mal aux oreilles de Nils. Il ouvrit la porte et parvint tout de même à retrouver le ton espiègle qui était le sien en début de soirée :

— « À un de ces jours » ou… « à bientôt », docteur Rhymes ?

Elle soupira, embarrassée, avant de répondre :

— À un de ces jours.

Elle tourna les talons puis s'éloigna. Il referma la porte et s'y adossa un moment en croisant les bras. Puis il leva les yeux vers les sculptures de son atelier et murmura :

— À bientôt…

## 26

*Ambassade des États-Unis,*
*Mayfair, Londres,*
*JOUR 3, vendredi, 9 h 30*

Bâtie dans les années cinquante, au centre de Grosvenor Square, l'ambassade américaine jurait avec le
style géorgien de la place. Son architecture expres-
sionniste sans fioritures évoquait immanquablement la
guerre froide. Surmontée d'un gigantesque aigle doré
dont les ailes atteignaient onze mètres d'envergure, la
chancellerie étalait ses vingt-cinq mille mètres carrés
sur neuf étages, dont trois en sous-sol. Le bâtiment en
forme de U n'était que béton et barbelés. Et, depuis
les attentats du 11 Septembre, la sécurité y avait été
renforcée par de multiples barrages armés aménagés
en dehors de l'enceinte.

Il fallut une bonne heure à Dahlia pour franchir les
différents comptoirs et guérites filtrant les visiteurs.
Ce qui lui laissa juste assez de temps pour se préparer mentalement au rendez-vous qui allait suivre.
L'ambassadeur américain, Jim Merrick, avait souhaité
la rencontrer de toute urgence. Désirait-il lui mettre

un peu plus la pression ou espérait-il qu'en seulement soixante-douze heures de présence sur le sol britannique, elle avait déjà des résultats à lui présenter ?

Lorsque la secrétaire fit entrer Dahlia dans le bureau de l'ambassadeur, ce dernier ne leva même pas les yeux vers elle. Assis à une table de travail en chêne massif, il étudiait un dossier avec attention. Derrière lui se dressait, sur la presque totalité du mur, l'imposant écusson des États-Unis, entouré de drapeaux américains.

L'agent du FBI balaya la pièce du regard : boiseries, mobilier d'acajou, cuir patiné... Tout ce que le pouvoir pouvait compter de luxe stérile.

Les secondes s'écoulèrent, embarrassant. Puis Merrick détailla enfin son interlocutrice d'un regard hivernal.

— Dois-je dire Agent Spécial Rhymes ou Dr Rhymes ?

— Je revendique les deux, monsieur l'Ambassadeur, répondit Dahlia avec un rictus poli. Mais... Dr Rhymes fera l'affaire.

— J'ai demandé ce qu'il y a de mieux. Je suppose que c'est vous...

— C'est un honneur d'avoir été choisie, monsieur. Mes condoléances pour la mort de M. Kumar.

— Merci, docteur Rhymes. Andrew était un homme... hors du commun.

La voix de Merrick s'érailla légèrement à l'évocation de son ami. Y avait-il une faille touchante chez ce politique cynique ?

— Asseyez-vous, fit l'ambassadeur. Quatre-vingts pour cent d'affaires résolues, c'est tout à fait remarquable.

— Merci, monsieur, répondit-elle en s'asseyant.

— Comment expliquez-vous ce taux de réussite anormalement élevé ?

— J'ai eu d'excellents professeurs à l'Académie, monsieur, et leurs méthodes...

— Épargnez-moi la langue de bois, docteur Rhymes. Nous ne sommes pas en public.

Il y eut un silence gêné. Puis Dahlia s'aventura hors des sentiers du politiquement correct.

— Chaque serrure a une clé, monsieur. L'inexplicable n'existe pas. Même si, derrière chaque religion, des hommes essaient de nous le faire croire.

Ces paroles suscitèrent l'intérêt sur le visage impassible de Merrick.

— Je veux pouvoir dire à la famille Kumar que cette affaire ne fait pas partie de vos vingt pour cent d'échecs.

Un nouveau silence suivit la remarque acerbe du diplomate. Ses yeux cherchèrent le doute dans ceux de Dahlia, sans le trouver.

— Je ferai en sorte que vous le puissiez, monsieur.

— Je voulais juste vous entendre dire cela, de vive voix.

Il se leva et raccompagna la criminologue à la porte.

— Car, quand vous échouerez, la faute devra tomber sur quelqu'un.

— *Si* j'échoue, rectifia-t-elle.

— Pardon ?

— Vous avez dit « quand » au lieu de « si », monsieur.

L'ambassadeur la considéra un moment comme s'il espérait lire, dans cette dernière remarque, plus de compétence que d'outrecuidance. La pression était à son comble. Merrick décida de la soulager par une once de paternalisme bienveillant :

— Si vous avez des problèmes avec la police locale, n'hésitez pas à me le faire savoir.

— Je pense pouvoir collaborer sans problème avec Scotland Yard, monsieur.

— C'est tout à votre honneur, mais que les choses soient claires : je me fous de leurs problèmes d'ego, je veux des résultats. Tant que vous irez dans ce sens, je vous couvrirai.

Il lui tendit la main en lui offrant un sourire éventé. Elle le salua et sortit.

En quittant le périmètre de l'ambassade américaine, Dahlia s'adossa un moment au socle de la statue en bronze de Ronald Reagan. Ce face-à-face l'avait épuisée. L'énergie qu'il lui avait fallu dépenser pour conserver son sang-froid lui faisait maintenant défaut.

Un coup de klaxon lui fit lever la tête. De l'autre côté de Grosvenor Street à l'angle de St Audley, un Land Cruiser était garé en double file.

Dahlia reconnut la voiture de McKenna. Elle ne put s'empêcher d'éprouver de l'embarras à l'idée d'avoir été surprise au sortir de l'ambassade américaine. Qu'allait-il penser ? Elle n'était pas venue « balancer ». Elle avait été convoquée.

Il klaxonna à nouveau et ouvrit la portière gauche en signe d'invitation.

Elle traversa la rue pour le rejoindre à bord.

Le détective la regarda du coin de l'œil et démarra.

Ils roulèrent quelques secondes sans échanger un mot. Puis, n'y tenant plus, Dahlia crut bon de se justifier :

— Écoutez, c'est lui qui m'a convoquée, je…

— Eh ! C'est votre employeur ! C'est à lui qu'il faut donner votre mot d'excuse, pas à moi !

— Ce n'est pas mon employeur.

— Ça doit être encore plus pénible, alors…

Elle soupira, irritée. Il avait le don de la mettre sur la défensive et elle avait de plus en plus de mal à le supporter.

McKenna lui proposa une cigarette. Elle déclina. Ce qui le fit renoncer à la sienne. Il reposa le paquet dans le vide-poches avant de déclarer :

— Les trois éventreurs ont tous reçu un colis d'environ huit kilos, le matin du meurtre.

— La glacière ?

— Il y a des chances. Expédiée tout bêtement par FedEx.

— On connaît l'expéditeur ?

— Il a payé cash chaque fois et, dans la case « Expéditeur », il a inscrit le prénom de la victime.

Dahlia ne put cacher sa déception.

— Il utilise le service SameDay sept jours sur sept, ce qui lui permet de réduire au maximum les délais entre expédition et livraison. Mais, cette fois-ci, on a quand même un coup d'avance sur lui. FedEx doit livrer un colis de huit kilos ce matin à un certain Auguste Moutoussamy, Abney Park, High Street à Stoke Newington.

Dahlia se tourna vers McKenna, une lueur d'espoir dans les yeux.

## 27

Situé dans le coin nord-est de Londres, Stoke Newington n'avait rien de très spécifique. Ses rues ressemblaient à celles des autres quartiers de la capitale avec ses maisons brunes à deux étages, collées les unes aux autres, ses magasins occupant les rez-de-chaussée et ses graffitis s'étalant sur la moindre parcelle de mur laissée vacante.

Ancien quartier ouvrier et étudiant, il attirait à présent la bourgeoisie, en raison de la hausse des prix de l'immobilier dans les districts voisins.

La population qu'on y croisait était des plus bigarrées. Mais, pour l'heure, la pluie fusionnait les différences en imposant à tous l'accessoire le plus pratique : le parapluie. Ces cercles étanches et sombres allaient et venaient dans les rues inondées, à l'instar de scarabées paniqués cherchant désespérément un abri.

Le Land Cruiser de McKenna quitta High Street et son tumulte, pour se garer, sous une pluie battante, devant l'imposante entrée d'Abney Park. Quatre colonnes d'environ huit mètres de haut encadraient des grilles en fer forgé. À l'intérieur de l'enceinte se dressait un bâtiment administratif noirci par le temps.

L'ensemble était construit dans un style architectural « retour d'Égypte ».

Quand les enquêteurs descendirent de voiture, la pluie les détrempa aussitôt. À tel point qu'ils renoncèrent très vite à s'en protéger.

— Bienvenue en Angleterre, fit le détective en scrutant les alentours.

Dahlia s'attarda un moment sous les piliers du portail, la main en visière au-dessus des yeux. Les chapiteaux qui les couronnaient étaient ornés de hiéroglyphes en bas relief.

— Ne me dites pas que vous comprenez ce qui est écrit, s'étonna le détective.

— L'écriture figurative fait partie de ma formation. *Demeure de la partie mortelle de l'homme*, traduisit-elle. Ça doit être un cimetière.

— Tout le monde sait qu'Abney Park est un cimetière, ricana McKenna en se dirigeant vers l'accueil. Pas besoin d'être Champollion pour déduire ça.

— Tout le monde… tout le monde… les Britanniques, peut-être ! Pour nous autres, Abney Park, c'est un groupe de *steampunk*.

— De quoi ?

— De *steampunk*. Un combiné de rock et de musique industrielle. Ça ne vous dit rien ?

— Pas vraiment, non.

— Tout le monde connaît, pourtant… le toisa-t-elle en souriant.

Il haussa les épaules.

Sur la porte vert olive de la réception était écrit : « Accueil des visiteurs du lundi au vendredi de 14 heures à 18 heures, ou sur rendez-vous. »

McKenna sonna à l'interphone et surprit le regard

inquiet de sa partenaire. Il savait ce qui la préoccupait car il se posait la même question. Quelle avait été l'attitude du livreur de FedEx devant ce panneau ? Avait-il renoncé et glissé un avis de passage dans la boîte aux lettres, convaincu qu'il n'y aurait personne aux heures de fermeture ? Ou bien avait-il sonné et tenté de livrer son paquet ?

De cette réponse dépendait le sort de la prochaine victime, mais aussi, il fallait bien se l'avouer, celui de l'enquête. Car c'était là l'aspect le plus sordide du paradoxe auquel les enquêteurs étaient confrontés. Ils en étaient réduits à souhaiter secrètement qu'un nouvel éventreur passe à l'offensive pour avoir une chance supplémentaire de remonter la filière jusqu'à celui qui tirait les ficelles : le marionnettiste auquel on livrait les organes.

L'interphone resta muet.

L'absence d'auvent sous lequel s'abriter semblait préméditée. Comme si les architectes avaient voulu décourager les quémandeurs de toutes sortes.

McKenna sonna à nouveau et plaça son oreille contre le battant de la porte. Malgré le martèlement de la pluie, il percevait le son d'une télévision qui diffusait un jeu à plein volume. Il enjamba les buissons adjacents et colla son nez à la fenêtre la plus proche.

À l'intérieur, lui tournant le dos, une femme de forte corpulence bâfrait en insultant les candidats de *Take it or leave it*[1].

Il toqua fort au carreau.

La femme se retourna et beugla, la bouche pleine :

1. Jeu télévisé britannique du type « Quitte ou double ».

— Savez pas lire ? C'est fermé ! Le matin, c'est sur rendez-vous !

Pour toute réponse, le détective colla sa carte de police contre la vitre. La femme sourcilla et se leva à contrecœur. Elle rejoignit la fenêtre à reculons, pour ne rien perdre de son émission favorite. Puis elle souleva le battant à guillotine et grogna :

— C'est pour quoi ? !

McKenna fit de son mieux pour rester poli tout en parlant fort pour couvrir le son de la télé.

— Bonjour, madame. Je cherche Auguste Moutoussamy. Est-ce qu'il est ici ?

— Pas ici, euh... au cimetière, fit-elle gravement.

Les policiers se regardèrent, médusés. Mme Moutoussamy profita quelques secondes du spectacle de leur embarras avant de lever le malentendu :

— C'est le fossoyeur... précisa-t-elle avec un rire trahissant une plaisanterie qui avait beaucoup servi. Prenez l'allée centrale, vous finirez par tomber dessus.

— Merci, madame. Une dernière question. Vous n'auriez pas reçu un colis de FedEx, ce matin ?

— Oui, un gros paquet, envoyé par un tordu.

— Qu'est-ce qui vous fait dire ça ?

— Le nom de l'expéditeur, sur le paquet. C'était celui de ma belle-mère. Elle est morte la semaine dernière.

McKenna et Dahlia échangèrent un regard perplexe.

— On peut le voir, ce paquet ?

— Mon mari est parti avec. Pourquoi ?

Un même sentiment d'urgence s'empara des enquêteurs. Ils se ruèrent vers le portail, sans daigner répondre. Mme Moutoussamy se contenta de hausser les épaules. Elle ferma la fenêtre et retourna à son jeu télévisé.

Un éclair zébra le ciel. Les enquêteurs pressaient le pas sous une pluie torrentielle, le long d'un sentier détrempé qui serpentait entre les mausolées. Plus d'une fois, ils manquèrent de glisser sur les pavés boueux.

Leur tension était palpable.

Le cimetière gothique d'Abney Park ne ressemblait à aucun autre. Sévère et sombre, il évoquait le Londres de Dickens. En créant ce jardin mortuaire, son architecte avait voulu mettre en scène le sacré. Mais la nature avait repris possession des lieux, à tel point que la frontière entre nécropole et espace boisé avait disparu. Le décor lui-même paraissait hanté et les trombes d'eau ne faisaient qu'amplifier l'atmosphère sibylline qu'il dégageait.

Au détour d'une allée, les enquêteurs crurent apercevoir un monticule de terre, à travers le rideau de pluie. Puis un treuil…

Une exhumation était en cours.

Une glacière gisait sur les bords d'une tombe, près d'un cercueil ouvert. Un homme était penché dessus.

McKenna et Dahlia dégainèrent leurs armes.

— Police ! Relevez-vous lentement, monsieur, les mains en l'air ! somma le détective.

Le fossoyeur, de dos, ne réagit pas. Il terminait de prélever les organes d'un cadavre exhumé.

Les policiers approchèrent, visages ruisselants, pistolet au poing.

— Levez-vous, j'vous dis !

Mais Moutoussamy n'en fit rien.

En accédant au bord de la fosse, les policiers découvrirent le cadavre d'une femme d'une soixantaine d'années. Elle avait été éventrée dans son cercueil. Elle présentait des signes avancés de décomposition *post mortem*.

— C'est pas vrai ! laissa échapper Dahlia en portant une main à la bouche.

McKenna se détourna momentanément, avant de venir coller le canon glacé de son arme contre la nuque de l'éventreur. Imperturbable, ce dernier poursuivait son travail, reposant délicatement les instruments de chirurgie sur le couvercle sanguinolent de la glacière.

Le détective le prit par l'épaule et le retourna violemment. Ce qu'il découvrit lui glaça le sang.

Les yeux du fossoyeur étaient grands ouverts et rouges, mais son visage ne présentait aucune expression. Son être tout entier baignait dans une transe profonde. Tel un somnambule, il ignorait son entourage.

Lorsque McKenna le relâcha, il reprit tranquillement sa tâche là où il l'avait arrêtée. Il récupéra l'écarteur de côtes, replaça le capiton sur le cadavre et referma le cercueil. Ses gestes étaient mesurés et efficaces.

Dahlia le contourna et s'accroupit face à lui. Elle eut la présence d'esprit de filmer la scène avec son portable. Auguste actionna le treuil, guidant le cercueil jusqu'à ce qu'il repose à nouveau dans la fosse.

McKenna s'approcha de la glacière. Il remarqua la présence d'un téléphone, à moitié scotché à son couvercle. Il le dégagea avec un mouchoir et l'examina. Il fit défiler son menu, ouvrit son répertoire. Il n'y avait ni appels émis ni appels reçus.

Dahlia attira l'attention du détective sur la pierre tombale du caveau profané. Le nom de *Lidy Moutous-*

*samy* y était gravé. Il était surmonté d'une épitaphe toute simple : « À ma mère bien-aimée. »

Le train s'arrêta en gare de Stoke Newington. Moutoussamy monta dans un wagon, sa glacière à la main. McKenna et Dahlia grimpèrent à leur tour, conservant avec lui une distance de sécurité.

Le fossoyeur s'assit tranquillement sur un siège, son bagage sur les genoux. Son visage, ses mains et ses vêtements étaient maculés de terre et de sang. Ce qui ne manqua pas d'attirer l'attention des autres passagers.

Les policiers s'installèrent deux rangs derrière Moutoussamy, prêts à intervenir si quelqu'un tentait quelque chose. Mais personne ne bougea. L'espèce des bons Samaritains était éteinte depuis longtemps. Les usagers se contentèrent de regards en coin et de mines indignées.

La rame démarra.

Difficile d'imaginer ce qui pouvait se passer dans l'esprit de Moutoussamy. Ce M. Tout-le-Monde avait exhumé le cadavre à moitié décomposé de sa propre mère, l'avait vidé de ses organes sans le moindre signe d'empathie ni de dégoût. Ses gestes avaient été d'une efficacité chirurgicale inouïe. Exceptionnelle même pour un simple fossoyeur plus enclin à manier la bêche que le scalpel. Pourtant, l'homme avait su où inciser. Et ce, sans la moindre hésitation. C'était à n'y rien comprendre.

Alors, bien sûr, les enquêteurs avaient pu constater l'état de transe profonde dans laquelle se trouvait l'éventreur durant l'éviscération. Mais cela ne faisait que déboucher sur des questions aux réponses toutes plus invraisemblables les unes que les autres.

Un être humain était-il seulement capable de plonger un de ses semblables dans un tel état de léthargie ? Et, si tel était le cas, comment faisait-il pour lui inculquer des compétences que le sujet ne possédait pas ?

Dahlia avait rapporté à McKenna les propos de Nils au sujet de la « suggestion post-hypnotique ». Mais, pour l'heure, même si le détective ne pouvait adhérer à cette théorie, il était clair que l'homme qu'ils suivaient était plongé dans une sorte d'état second. Et sans doute cela avait-il été le cas aussi pour les éventreurs précédents.

Dans un passé proche, quelqu'un avait-il implanté une clé d'induction dans l'esprit de Moutoussamy, comme le prétendait l'avocat ? Ce quelqu'un l'avait-il « réveillé » ce matin en lui rappelant la fameuse clé ? Une image ? Un mot murmuré au téléphone ? Un son...

McKenna releva la tête, frappé par une intuition. Il venait de repenser au cellulaire scotché sur le couvercle de la glacière. Il le sortit de sa poche et fit défiler à nouveau son menu. La seule opération répertoriée dans la mémoire de l'appareil était l'enregistrement d'un signal audio. Sur l'écran LCD du portable se découpaient les mots suivants : *mp3 ring tone*. La sonnerie customisée avait été gravée la veille à 15 heures. Le détective enclencha la lecture et mit le téléphone à l'oreille. Il reconnut les notes de la *Gnossienne n° 1* d'Erik Satie.

## 28

Les stores vénitiens du bureau directorial étaient baissés. Ce qui, pour les employés de la firme, signifiait : ne déranger Maggie sous aucun prétexte.

Debout, un club de golf à la main, elle travaillait à parfaire son putt tout en débriefant l'affaire avec Nils.

— Et la jurisprudence ?

— Pas un seul cas où quelqu'un ait été acquitté en prétextant qu'il était sous hypnose au moment de commettre son crime.

— Tu m'étonnes…

— En revanche, j'ai trouvé plusieurs cas où la parasomnie a été invoquée.

Maggie en rata son objectif. La balle de golf alla se loger sous le radiateur.

— Le somnambulisme comme ligne de défense ?

Nils tendit des feuillets agrafés à sa partenaire et lui en fit un résumé :

— Le 23 mai 1987 à Toronto. Kenneth Parks, un garçon de vingt-trois ans ayant des antécédents de somnambulisme, s'endort devant la télé. Il fait vingt miles en voiture, tue sauvagement sa belle-mère à coups de cric et tente d'étrangler son beau-père. Il reprend ses esprits au poste de police, découvre le sang séché sur ses mains et déclare : « Est-ce que j'ai blessé quelqu'un ? »

— Attends… tu es en train de me dire que ce type aurait conduit en dormant, c'est ça ? Qu'il aurait passé les vitesses ? Respecté les feux ?

— Si l'on en croit l'expert désigné par le tribunal, on a déjà vu des somnambules accomplir des tâches complexes : monter à cheval, préparer un hélicoptère pour le vol.

Le scepticisme naturel de Maggie était mis à rude épreuve. Mais son pragmatisme prit le dessus :

— Et ils ont fait comment pour prouver qu'il était somnambule ?

— L'accusé répondait aux quatre critères que prévoit le tribunal dans ce genre d'affaires. Un : il n'avait aucun mobile, sa belle-mère et lui s'adoraient. Deux : il n'a pas cherché à dissimuler les faits, puisqu'on a retrouvé ses empreintes sur l'arme du crime et qu'il était couvert du sang de sa victime. Trois : il ne se souvenait de rien à son réveil. Ça ne te rappelle pas quelque chose, tout ça ?

Maggie acquiesça et récupéra sa balle sous le radiateur.

— Et le quatrième critère, c'est quoi ?

— Celui qui nous manque. Des antécédents de somnambulisme.

Elle replaça la boule sur son parcours et se mit à viser en demandant :

— Combien d'affaires de somnambulisme plaidées ?

— J'en ai recensé une vingtaine dans le monde.

— Pour combien d'acquittements ?

— Cinq ont débouché sur une relaxe.

— Et chez nous, tu as trouvé quelque chose ?

Nils contourna le bureau pour attraper une autre pièce de son dossier. Maggie en profita pour exécuter un coup. La balle alla se loger dans le trou.

— L'affaire Jules Lowe en 2003.

— Lowe, c'est pas ce type qui avait tué son père ?

Nils opina.

— Mais il avait été acquitté pour cause de démence, non ? insista Maggie.

— Pas exactement.

Il tendit un nouveau document à son associée.

— Lis la déclaration du juge Henriques au moment de l'énoncé du verdict.

Elle feuilleta rapidement le compte rendu et lut entre ses dents :

« La cour tient à préciser que le verdict "non coupable pour cause de démence" ne signifie pas que l'accusé ait perdu la raison au moment des faits, mais qu'il était victime d'automatisme mental, en raison de son somnambulisme. »

Maggie releva la tête, médusée. Nils attrapa le feuillet et poursuivit :

« Au cours de son procès, l'accusé a subi un polysomnogramme à Broadmoor pour prouver qu'il était bien somnambule. Le neurologue chargé de l'expertise, le Pr Saouma, était formel. Ses courbes de sommeil étaient bien celles d'un parasomniaque. »

— Saouma… euh… Marwan Saouma ?

— Quoi, tu le connais ?

— Si c'est celui auquel je pense, c'est le plus gros pot de colle que mes fesses aient jamais rencontré.

Nils secoua la tête, amusé.

— Admettons que nos éventreurs soient somnambules, reprit-elle en rangeant son nécessaire de golf. Comment expliques-tu le fait qu'ils aient tous commis le même type de meurtre ?

— Je n'explique rien pour l'instant, Maggie. J'essaie juste de donner du sens à ce qui n'en a pas.

— C'est un peu mince comme argument, tu ne trouves pas ?

— Au point où on en est, tous les arguments sont minces. Mais on part bien du principe que nos trois éventreurs n'avaient aucun intérêt à tuer la personne qu'ils aimaient le plus au monde, non ?

L'avocate hocha la tête.

— C'est donc qu'on les a poussés à le faire. Et s'ils ont commis le même type d'acte, c'est qu'une même personne les a influencés.

— Tu penses toujours à l'hypnose ?

— Pour implanter la suggestion, oui, mais après, ça ne tient pas la route.

— Pourquoi ?

— Parce que ça voudrait dire que la personne hypnotisée accepte de faire quelque chose qui est contre son sens moral. Or, dans toutes les expériences de suggestions post-hypnotiques, c'est là que le bât blesse. Même sous hypnose, quelqu'un ne fera jamais quelque chose qui est viscéralement contre ses principes.

— Mais un somnambule, oui ?

— Lowe n'avait aucune intention de tuer son père et il l'a fait. Parks adorait sa belle-mère et il l'a frappée vingt-quatre fois à coups de cric. Les somnambules ne sont pas conscients de ce qu'ils font. Ils peuvent se couper, se blesser, sans rien ressentir. Ils sont déconnectés d'eux-mêmes. Alors oui, il y a des chances.

— Reste à savoir si on peut provoquer un état de somnambulisme chez quelqu'un.

— Il va nous falloir un spécialiste. Quelqu'un dont l'opinion soit indiscutable.

Nils cherchait le regard de Maggie, laquelle faisait tout pour fuir le sien.

— Tu pourrais m'obtenir un rendez-vous avec ton Saouma ?

— Ce n'est pas *mon* Saouma, d'accord ? Ça fait trente ans que je n'ai pas repris contact avec lui. Et il y a des raisons très personnelles à ça.

— Genre pour demain matin, par exemple ?

— Tu as écouté ce que je viens de te dire, là ?

— Non, mais toi non plus tu n'écoutes pas quand tu veux vraiment quelque chose. C'est toi qui m'as mis ce dossier dans les mains, Maggie. Et je n'en voulais pas. Alors, maintenant, tu te démerdes comme tu veux, mais tu obtiens à ton partenaire démissionnaire ce dont il a besoin. Sinon, il retourne à sa glaise, c'est clair ?

Il se leva et se dirigea vers la sortie.

— Ravie de vous compter à nouveau parmi nous, maître Blake… déclara Maggie avec un sourire carnassier.

L'avocat s'arrêta sur le pas de la porte en disant :

— Pourquoi j'ai toujours l'impression que c'est toi qui remportes la main ?

— Parce que dans toute bataille, mon cher Nils, il y a quelque chose à remporter. La victoire n'est que la plus évidente.

## 29

La pluie tombait sans trêve. Elle avait transformé en bourbier la petite gare de banlieue où Moutoussamy avait choisi de faire escale.

Il descendit du train, sa précieuse glacière à la main. Ses yeux étaient rouges et son teint blafard. Il regardait devant lui sans fixer les choses. Il voyait suffisamment pour éviter les obstacles, pour traverser au feu rouge, mais ses pupilles ne s'arrêtaient sur rien de précis. Il mettait un pied devant l'autre, sans hésiter, avec l'assurance de celui qui connaît le chemin par cœur. Pourtant, il n'était jamais venu dans ce quartier. Sa démarche décidée était étrangement ralentie dans son rythme.

Il franchit l'enceinte de la gare et emprunta une ruelle étroite et pentue qui desservait des bâtiments industriels en friche. Ses souliers s'immergeaient un peu plus à chaque pas dans les torrents de pluie qui ruisselaient le long du macadam.

McKenna et Dahlia le suivaient à distance. Ils avançaient prudemment, de peur d'être repérés. Non pas par Moutoussamy, dont la vigilance était réduite, mais par celui auquel il devait livrer les organes. Le détective leva les yeux vers les carreaux cassés des immeubles délabrés. Si les policiers étaient débusqués, ils perdraient aussitôt leur avantage. Et, avec lui, tout espoir d'identifier celui qui tirait les ficelles. Il était peut-être en train de les épier à l'instant même, tapi dans l'ombre d'un des renfoncements donnant sur la rue.

L'éventreur disparut sous le porche d'un des bâtiments. Les policiers s'empressèrent de le suivre et pénétrèrent dans ce qui ressemblait au vestibule d'un squat. Devant eux, Moutoussamy s'engageait dans l'escalier principal qui desservait les étages.

La lumière du jour filtrait par les fenêtres brisées. Les gaines électriques étaient éclatées, les interrupteurs, défoncés. Ici, le courant ne passait plus depuis des lustres. Les plafonds respiraient la lèpre. Leur peinture se décollait, formant de larges cloques qui ne demandaient qu'à crever. Les marches étaient à moitié éventrées. La rampe s'interrompait par endroits. Tout cela aurait pu être restauré en quelques coups de marteau et de pinceau, mais qui s'en souciait ?

Du verre se brisa sous les pas de Dahlia. Le bruit ricocha contre les murs et résonna dans la cage d'escalier comme sous la voûte d'une église.

McKenna s'immobilisa. Son premier regard fut pour l'homme qu'il suivait. Un seul étage les séparait. Moutoussamy n'avait pas réagi. Il continuait de gravir l'escalier, indifférent.

Le détective se tourna vers sa partenaire. Celle-ci soulevait déjà ses baskets pour vérifier ce sur quoi elle avait marché. Des ampoules de crack et des seringues usagées jonchaient le sol.

Deuxième étage… troisième… quatrième…

Les policiers suivaient l'éventreur, deux volées de marches plus bas.

Cinquième… Il ne restait plus qu'un niveau à gravir pour atteindre le sommet de l'immeuble.

McKenna s'arrêta un moment pour vérifier le chargement de son .357 Magnum et se tourna vers Dahlia.

— Écoutez-moi bien, Rhymes, murmura-t-il. Il y a de fortes chances pour que ça chauffe, là-haut. Alors, je vous rappelle que vous n'êtes que « consultante » chez nous. Vous restez derrière moi et vous prenez « zéro risque », c'est clair ? Les héros, c'est chez les pompiers.

Dahlia acquiesça et dégaina son Smith & Wesson M40.

Lorsque McKenna reprit la filature, Moutoussamy avait disparu. Les enquêteurs échangèrent un regard… et ce fut le branle-bas.

Ils grimpèrent les marches quatre à quatre, pistolet au poing. Le dernier étage était désert. Ils passèrent en revue les locaux qui donnaient sur le couloir.

Un débarras. Des toilettes. Un bureau…

Carrés sur leurs jambes, armes bloquées à deux mains à bout de bras, ils balayaient les pièces, prêts à tirer.

Soudain, un homme en T-shirt fit irruption dans leur ligne de mire. Ce n'était qu'un squatter qui sortait de son appartement.

— Police ! Dégagez ! chuchota McKenna avec fièvre.

L'homme leva les mains en l'air, affolé. Dahlia le repoussa sur le côté tout en poursuivant son cheminement.

Une femme en robe de chambre passa la tête par une porte entrebâillée.

— Ne sortez pas, madame, ordonna McKenna. C'est la police. Restez chez vous !

Un mouvement rapide, au milieu du couloir...

Les policiers se retournèrent.

Une silhouette disparut derrière une porte qu'elle verrouilla.

Les enquêteurs s'y ruèrent.

Un violent coup d'épaule du détective eut raison de la serrure. Le battant s'ouvrit. La lumière s'engouffra par cette brèche, éclaboussant la pièce sombre. Les deux armes braquées des enquêteurs luisaient dans la semi-obscurité.

Le premier signe d'une présence fut des sanglots. Le deuxième, deux yeux terrifiés qui se matérialisaient peu à peu dans les ténèbres. Moutoussamy était affalé contre le mur. À même le sol. Tremblant de peur.

Dahlia s'accroupit près de lui, tandis que McKenna inspectait prudemment le reste du local.

— Ça va, monsieur ? murmura-t-elle.

— Qu'est-ce que... je fous ici ? bredouilla le fossoyeur, effaré.

— La glacière, vous en avez fait quoi ?

Moutoussamy n'avait pas la moindre idée de ce dont on lui parlait.

Au fond du studio, des voilages gris voletaient sous l'effet d'un courant d'air. L'unique fenêtre était ouverte. La pluie crépitait sur l'allège humide. Celui à qui l'éventreur avait livré son colis n'avait pu sortir que par là.

McKenna passa la tête à l'extérieur. Une silhouette vêtue d'un survêtement sombre et d'une casquette à large visière enjambait le balconnet avec souplesse, le conteneur isotherme à la main.

Le détective pointa aussitôt son revolver vers elle.

— Police ! Les mains en l'air…

La glacière en position de bouclier, le fugitif se défenestra dans l'habitation voisine.

Attirée par le bruit, Dahlia bondit hors de la pièce.

— Rhymes ! hurla McKenna. Déconnez pas !

Mais l'agent du FBI n'en fit qu'à sa tête. Arrivée dans le couloir, elle vit le suspect s'engouffrer dans un escalier de service qu'un panneau annonçait impraticable…

Sans hésiter, elle s'élança derrière lui, descendant les marches quatre à quatre.

McKenna déboucha dans le corridor et prêta l'oreille. Des bruits de pas résonnaient dans l'escalier voisin.

Il se rua vers la rambarde et se pencha par-dessus. Quelques étages plus bas, Dahlia prenait tous les risques pour rattraper le fugitif. Ce dernier n'avait plus que deux volées de marches d'avance sur elle. Le détective profita de sa position dominante pour le mettre en joue. Il n'avait que quelques secondes pour viser…

La détonation illumina la cage.

Le projectile fit éclater le bois de la rampe, forçant le suspect à lâcher prise. Déséquilibré, il tomba sur sa droite et disparut sous l'escalier.

McKenna pesta, furieux de sa maladresse. Il payait ses absences au stand de tir.

Plus bas, sa partenaire gagnait du terrain, mais elle voulut faire tellement vite qu'elle trébucha et heurta violemment le palier suivant. L'impact lui fit lâcher son pistolet qui glissa sur le lino en charpie…

… avant de basculer dans le vide. Elle l'entendit atterrir à l'étage d'en dessous.

— Et merde !

— Ça va, Rhymes ? cria McKenna.

— Oui, ça va, soupira-t-elle.

Elle n'osait pas dire qu'elle était désarmée. Avec un peu de chance, celui qu'elle poursuivait ne s'en était pas rendu compte.

— Vous le voyez ? demanda-t-elle, essoufflée.

— Au deuxième étage ! Juste en dessous de vous ! Restez où vous êtes, bordel ! Je vous rejoins !

Dahlia se releva en grimaçant, bien décidée à ne pas lâcher. Elle continua de descendre, mais sur la pointe des pieds. Son dos glissait le long du mur. Elle se tenait à couvert, le plus loin possible de la rampe.

Tandis qu'elle progressait ainsi, elle entendait McKenna dégringoler les marches en haletant. Elle n'avait qu'une crainte : que celui qu'elle traquait réalise qu'elle n'était plus armée. Elle risqua un œil dans la cage d'escalier et repéra son Smith & Wesson.

Il était à l'entresol entre les troisième et deuxième étages. Une quinzaine de marches l'en séparaient. Elle n'avait que quelques mètres à faire pour le récupérer. Cependant, une peur panique la paralysa. Et si le tueur l'attendait juste en bas, tapi dans l'ombre ?

Avant qu'elle puisse répondre à cette question, une main gantée ramassa le calibre devant elle et le pointa dans sa direction.

McKenna la plaqua au sol. Une détonation déchira le silence et fit exploser le plâtre du mur au-dessus d'elle, la manquant de justesse.

Le détective riposta en tirant à deux reprises.

Mais la silhouette emportait déjà la glacière vers les étages inférieurs.

— Il a mon flingue ! s'écria Dahlia.

McKenna lui confia sa deuxième arme, un Glock 26, et murmura :

— L'escalier principal ! Vous allez le prendre à revers. Et obéissez, cette fois !

Elle vérifia le chargement du pistolet et s'élança sur le palier le plus proche.

Arrivé au premier étage, le suspect se retrouva piégé. Devant lui, l'escalier, en ruine, risquait à tout moment de s'écrouler. Le dernier niveau était à ciel ouvert. Et la pluie rendait le trajet particulièrement périlleux.

Il se retourna pour envisager une possibilité de retraite. Trop tard. Les verres miroir de ses lunettes reflétaient déjà McKenna qui approchait dangereusement. Il n'avait pas le choix. Il fallait continuer à descendre.

Le détective braqua son arme dans sa direction, mais la pluie, qui lui brouillait les yeux, rendait tout tir incertain. Il s'engagea à son tour dans la portion délabrée de l'escalier. Toutefois, ses souliers de ville étaient loin d'être adaptés à pareil exercice.

Plus bas, le fugitif, équipé de rangers, poursuivait sa descente vertigineuse le long de la structure instable, provoquant des éboulis sous ses pas, lesquels compliquaient la tâche de son poursuivant.

Les semelles de McKenna glissèrent bientôt sur les pierres humides. Il perdit l'équilibre… Dans sa chute, il se foula la cheville.

— Putain de Dieu ! hurla-t-il.

Dans un mouvement désespéré, il se redressa, haletant, et braqua son arme en direction du tueur qui avait réussi à atteindre la ruelle. Cependant, la saucée l'empêcha à nouveau de viser correctement.

C'est alors qu'il aperçut Dahlia surgissant dans l'allée.

— Rhymes, devant vous ! beugla-t-il.

La criminologue redoubla d'efforts. Elle courut aussi vite que son manque d'oxygène le lui permettait. La pluie torrentielle ne lui laissait aucun répit… Elle arriva au bas de la ruelle et tourna à l'angle.

L'avenue était embouteillée. C'était l'heure de pointe. Une fourmilière de parapluies entraient et sortaient de l'enceinte de la gare. Ils se faufilaient entre les voitures, compliquant davantage la circulation.

Exténuée, Dahlia chercha désespérément le suspect dans la foule. Comment le repérer dans un tel chaos ?

Elle grimpa sur le coffre d'une voiture stationnée pour avoir une vue d'ensemble… et, contre toute attente, elle le vit.

À une trentaine de mètres, la silhouette traversait l'avenue embouteillée, la glacière à la main.

Dahlia sauta à terre et se mit à courir avec rage, au milieu du trafic, évitant les voitures du mieux qu'elle pouvait.

*Je vais me le faire, ce salaud ! Il est hors de question qu'il m'échappe.*

Il suffisait pour cela qu'elle ignore les signaux que lui envoyait son organisme. Non, elle ne s'arrêterait pas pour reprendre son souffle ! Oui, elle avait encore suffisamment de forces pour continuer !

Des pneus crissèrent.

Des conducteurs furieux lui hurlèrent des injures.

Mais elle s'obstinait, obsédée par sa cible.

Alerté par les cris et les klaxons, le fugitif se

retourna et aperçut l'agent du FBI qui fonçait droit sur lui. Sans perdre une seconde, il changea de direction, provoquant l'écart d'un piéton qui fut fauché par un camion.

Des hurlements s'ensuivirent. Et une bousculade de parapluies. Dans la cohue, le suspect perdit ses lunettes. Les verres miroir furent piétinés. Il tenta d'utiliser le mouvement de panique comme diversion. Mais la concentration de Dahlia était telle que rien ne pouvait la faire dévier de son objectif.

Elle pointa son arme ruisselante vers la silhouette en survêtement...

Sa proie était là, au bout de son canon. À quelques mètres. Au milieu du carrefour.

Au bord de l'asphyxie, Dahlia lança les semonces de rigueur :

— Police ! Ne bougez plus ou je tire !

Le suspect s'immobilisa, dos à elle. Il tenait la glacière dans une main, le Smith & Wesson dans l'autre.

— Jetez votre arme et tournez-vous ! Doucement !

Le fugitif lâcha le pistolet, lequel atterrit dans une flaque. Puis il leva les bras en signe de reddition. Il se retourna doucement... Sa casquette à large visière pivota, martelée par la pluie... Et Dahlia eut la surprise de découvrir le visage de celui qu'elle poursuivait. Des yeux clairs la fixaient. Vastes et pénétrants. Des yeux... bienfaisants.

Ce regard inquisiteur troubla la policière au plus profond d'elle-même.

Elle se sentit soudain étrangement perméable.

Elle fit de son mieux pour fermer son esprit, mais les yeux de l'intrus semblaient si rassurants qu'ils forçaient l'hospitalité...

Le cœur de Dahlia se mit à battre plus lentement, comme pour se mettre à l'unisson d'un envahisseur invisible.

Un malaise la gagna.

Était-ce en raison du manque d'oxygène dû à sa course folle ? Ou bien à cause de ces yeux clairs qui la fixaient et qui n'exprimaient pourtant que miséricorde...

Son souffle se fit court, rare.

Autour d'elle, la pluie était comme ralentie. Dahlia en percevait chaque goutte et le temps de leur explosion semblait démultiplié.

Sur le point de perdre connaissance, elle mobilisa ses dernières forces et parvint à s'arracher au regard invasif qui la sondait.

Elle tituba... perçut des crissements de pneus... et ce fut le choc qui la plia en deux. Son visage vint heurter la carrosserie d'une voiture dans un crachat de sang. Et son corps s'affaissa sur le capot.

La suite s'enchaîna très vite.

D'un violent coup de glacière, le suspect désarçonna un motard qui arrivait en sens inverse. Sa bécane continua de rouler sans lui sur quelques mètres avant de se coucher sur le tarmac. Le fugitif la ramassa et l'enfourcha. Il cala le conteneur frigorifique entre ses bras tendus et le réservoir d'essence. Puis il mit les gaz et se faufila entre les véhicules, emportant avec lui son précieux colis.

En débouchant sur l'avenue, McKenna aperçut Dahlia, étendue sur le coffre avant d'un véhicule. Le conducteur qui l'avait percutée était auprès d'elle. Le détective les rejoignit en claudiquant et hurla aux badauds présents :

— Appelez une ambulance, bordel !

Le chauffeur dégaina son cellulaire et composa le numéro des urgences.

La criminologue se redressa douloureusement sur un bras. Celui-ci était venu instinctivement protéger son ventre. En le remuant, elle réalisa qu'il n'était pas fracturé.

— Ça va, Rhymes ?

— Je ne sais pas. J'ai… l'impression que oui, marmonna-t-elle, essoufflée, en toussant et en crachant de l'hémoglobine.

— Quelqu'un a appelé le 999 ? rugit McKenna en se retournant.

— Les secours arrivent, fit le conducteur désemparé. Elle a surgi entre deux voitures, je ne l'ai pas vue venir.

— C'est ma faute, bredouilla Dahlia.

Une douleur diffuse rayonnait dans tout son corps. Mais c'était au visage qu'elle semblait le plus aiguë.

— Rien de cassé ?

— Je crois que non.

Elle porta la main à sa figure. Une de ses arcades était ouverte.

Le sang lui coulait dans les yeux.

— Je l'ai vue.

— Hein ? Quoi ?

Dahlia scruta le sol autour d'elle et ramassa son Smith & Wesson et les lunettes miroir brisées. Elle se releva en grimaçant.

— J'ai vu son visage. C'est une femme.

## 30

Dans l'*open space*, les stores avaient été relevés. Les rayons du soleil tentaient désespérément de sécher les manteaux détrempés accrochés ici et là.

Un dessinateur terminait un portrait-robot sous la direction de Dahlia, tandis qu'une infirmière posait des Steri-Strip sur son arcade sourcilière.

La criminologue s'en voulait. Elle n'avait pas réussi à appréhender celle à qui les éventreurs livraient les organes. Et demain, il y aurait une nouvelle victime par sa faute. L'esquisse à laquelle elle collaborait était son seul lien avec la suspecte. Sa seule piste. Encore fallait-il qu'elle se rappelle sa physionomie avec suffisamment de détails.

— Quelque chose comme ça ? demanda le graphiste.

— Ses pommettes étaient plus saillantes. Mais les yeux, c'est ça. Ce sont surtout les yeux qu'on remarque chez elle.

Ce regard avait monopolisé l'attention de Dahlia. À tel point qu'elle avait du mal à visualiser le reste du visage sous la casquette. Le nez ? La bouche ? Les oreilles ? Elle n'avait pas grand-chose à en dire.

Ils n'étaient pas disgracieux, non, juste suffisamment banals pour passer inaperçus. Mais ses yeux ne pouvaient pas passer inaperçus. De grands iris clairs. Tellement clairs. Un regard inquisiteur.

Le dessinateur rectifia les pommettes. Elle approuva.

Ce que l'agent du FBI avait le plus de mal à accepter et qu'elle n'avait osé confier à personne jusqu'ici, c'était ce qu'avait provoqué en elle la rencontre avec ce regard étranger. Une sensation d'intimité dérangeante, comparable à celle que l'on ressent face à un manipulateur qui vous connaît trop bien. Quelqu'un dont on ne saurait se protéger car il sait tout de votre histoire. Quelqu'un avec qui il serait absurde d'espérer mentir. Quelqu'un, enfin, face à qui la seule défense envisageable aurait été la fuite. Comment une inconnue pouvait-elle avoir provoqué en elle ce genre de sensations ?

La sergente Emma Foy avait appelé son médecin de famille à la rescousse pour s'occuper de la cheville de McKenna. Elle savait que jamais le praticien de service ne parviendrait à lui faire entendre raison. Il terminait de l'immobiliser en lui posant une attelle.

— Et je vais devoir garder ce truc combien de temps ? demanda le détective.

— Trois à quatre jours, répondit le docteur. Jusqu'à reprise de l'activité physique.

— Je vais la reprendre dans cinq minutes, l'activité physique, alors commencez pas à m'emmerder, vous.

— Si tu ne me reposes pas ce pied, Mac, je te fais mettre un plâtre, déclara Emma d'un ton de matriarche.

— Ouais, ben, essaye un peu.

Elle n'insista pas. Elle connaissait son patron depuis

suffisamment longtemps pour savoir qu'il n'en ferait qu'à sa tête. Le généraliste remballa son matériel.

— Fais voir ton crobard ? demanda le détective.

Le dessinateur lui apporta son croquis. McKenna le détailla un instant…

— Difficile d'imaginer ce visage-là quand on lui court après, s'étonna-t-il. « Tasdebeauxyeux » a une façon de bouger très masculine. Je dirais presque « garçon manqué ».

Il tendit le portrait-robot à Knox en disant :

— Tu me faxes ça à tous les hôpitaux, les cliniques, les laboratoires. L'ordre des médecins, aussi. Elle a peut-être été radiée. Euh… les établissements de pompes funèbres… Enfin, tu te débrouilles pour que tout ce qui touche de près ou de loin à la chirurgie le reçoive dans l'heure.

— Dans l'heure ? répéta le lieutenant, rebuté par l'énormité de la tâche.

— Ou plus tôt si tu peux, ironisa McKenna.

Knox alla s'installer à son bureau en ronchonnant.

— Bauman, tu transmets son signalement au fichier central.

— Dix contre un qu'elle n'a jamais été condamnée, soupira Dahlia.

— Emma, t'envoie les lunettes miroir au labo, OK ?

— Il y a peu de chances qu'on ait de l'ADN vu les trombes d'eau…

— On ne sait jamais.

Berg fit irruption dans la salle, un téléphone à la main.

— Le cellulaire scotché à la glacière du fossoyeur était programmé pour jouer la *Gnossienne* sur simple prise de l'appareil.

— Tu veux dire en décollant le portable du couvercle ?

— C'est ça, oui. Un peu comme un détonateur. En soulevant l'appareil, tu libères les touches et l'ordre de jouer la musique est donné.

— Tu as une adresse de facturation ?

— Téléphone à carte, boss. Désolé.

McKenna fit la grimace, déçu mais pas surpris.

— Je veux que tu ailles à Broadmoor faire écouter cette musique à chacun des éventreurs. Et tu me filmes leur réaction, OK ?

— OK, répondit Berg en s'approchant de Dahlia, inquiet.

— Ça va aller, Rhymes ?

— Si tu penses « arrêt maladie et retour aux States », oublie l'affaire.

— Non, je m'inquiétais juste pour toi, c'est tout.

— Ah... euh... excuse-moi.

Berg hocha la tête, compréhensif. Mine de rien, par son exploit physique, la criminologue avait gagné le respect de toute l'équipe. Ce qui allait au moins la soulager sur ce plan-là.

— Je me demande comment elle approche ses victimes, sans qu'aucun de ses proches soit au courant, fit McKenna en réfléchissant à voix haute.

— Ses *victimes*... vous parlez des éventreurs, monsieur ?

Le ton ironique de Dahlia n'avait qu'un but : faire remarquer à son supérieur qu'il rejoignait partiellement la théorie de Nils.

— Ouais, bon, euh... L'avocat avait peut-être raison sur ce point. Les éventreurs sont des victimes, eux aussi. Ce qui est sûr, en tout cas, c'est que Moutoussamy n'était pas maître de ses actes, au cimetière. Il était dans un état second.

— Il a surtout l'air drogué, sur les images, intervint Knox depuis son bureau.

— Sa prise de sang est négative, riposta McKenna.

— Alors quoi, Mac, tu crois à cette histoire d'hypnose ?

— Je ne sais plus trop ce que je crois, soupira-t-il, frustré. On aurait dit un automate.

Berg leva les yeux vers Dahlia comme s'il cherchait une confirmation aux propos de son chef. Elle se contenta d'acquiescer. McKenna rajusta son attelle.

— Si c'est… « Tasdebeauxyeux » qui les influence, renchérit Emma, où est-ce qu'elle les rencontre ? Et quand ?

Le détective réalisa que tout le monde le regardait.

— J'en sais rien, les gars, OK ? trancha-t-il, irrité. J'ai pas toutes les réponses !

Puis, se rendant compte du découragement que cela suscitait, il se reprit instantanément et ajouta :

— Mais on va trouver. On ne la lâchera pas, cette affaire. On a un portrait-robot, on va collecter les images de surveillance, avec un peu de chance, on aura un visage. Allez, on met le paquet, les gars. Emma, t'appelles Kim pour l'autopsie de Mme Moutoussamy et tu me préviens dès qu'elle est prête, OK ?

La policière opina. McKenna se dirigea vers la sortie en boitant et proposa à Dahlia :

— Je vous offre une bière ? Vous l'avez bien méritée. Enfin, euh… ou un thé vert…

— Non, une bière, ça ira.

Une fois dans le couloir, le portable de la criminologue sonna. Elle décrocha tout en tenant la porte à son partenaire :

— Dahlia Rhymes…

— Nils Blake, fit une voix à l'autre bout du fil.

McKenna se dirigea en boitant vers l'ascenseur. Gênée par sa présence, Dahlia parla le moins possible et à mots couverts :

— Oui ?

— Oui ? répéta Nils, amusé. Eh bien, c'est parfait, alors.

— Qu'est-ce qui est parfait ?

— Je vous retrouve donc ce soir, à 21 heures pétantes chez moi.

— Attendez, maître…

McKenna adressa un regard en coin à sa collègue.

— Je croyais vous avoir dit…

— … que vous n'étiez pas « la bonne personne pour moi » et que j'étais un « type formidable ».

Dahlia et McKenna pénétrèrent dans la cabine d'ascenseur. Elle n'osait interrompre Nils, de peur que le détective en apprenne davantage.

— Donc, justement, le « type formidable » invite « celle qui n'est pas la bonne personne pour lui » à venir partager un thaï en toute sécurité, histoire de rompre cette « liaison qui n'en est pas une », sur une note plus agréable que celle d'hier.

— Si vous faites ça pour vous excuser, je…

— Pourquoi je m'excuserais, docteur Rhymes ? Je n'ai rien fait de mal.

— Ce qui veut dire que moi si ?

— Quoi qu'il en soit, j'ai décidé de ne pas laisser « celle qui n'est pas la bonne personne pour moi »

utiliser cette excuse pour ne pas revoir un « type formidable » ; 21 heures pétantes, conclut Nils. Et, cette
fois, je facture à l'heure.

Dahlia censura un sourire naissant et raccrocha,
songeuse. Ce que nota McKenna.

## 31

Un juke-box jouait des airs traditionnels irlandais. Le décor, tout en bois verni, évoquait irrésistiblement James Joyce et tous ceux qui, comme lui, conjuguaient le goût des mots et l'odeur du houblon. Les murs étaient tapissés de trophées de rugby, médailles et autres fanions gaéliques. Les seuls centimètres carrés disponibles accueillaient des cibles devant lesquelles des clients se mesuraient au lancer de fléchettes.

On vendait plus de quarante marques de whisky dans ce pub de Strutton Ground. Mais c'était pour sa Guinness Extra Cold Draught que McKenna le fréquentait. Livrée en fûts directement depuis la maison mère, on la servait refroidie à la pression comme lorsqu'il était enfant. Sa mère la lui avait fait goûter très jeune et, aujourd'hui encore, cet arrière-goût de café et de cacao était intimement lié à l'image maternelle.

Dahlia ne s'en doutait pas encore mais, en lui offrant une pinte de cette bière-là, son collègue se livrait un peu, à sa façon.

— Avec Blake ? L'avocat des éventreurs ? ricana le détective.

La criminologue hocha la tête, embarrassée.

— Merde ! Rhymes, quand j'ai dit qu'on devait le travailler au corps, c'était une façon de parler...

— Quoi qu'il en soit, c'est du passé, affirma-t-elle comme pour s'en convaincre.

— Déjà ?

Une ironie complice les réunit. Puis McKenna souffla sur sa mousse et but avant d'enchaîner :

— Et, en dehors du lit... vous partagez d'autres choses avec lui ?

Dahlia dévisagea le détective, perplexe.

— Vous faites allusion à quoi exactement ?

— À sa théorie de meurtre sous hypnose...

Était-ce une énième façon de la mettre dans les cordes ?

— Vous me cherchez, là... fit-elle en souriant.

— Non. Comprenez-moi bien, je ne dis pas que j'adhère à son raisonnement, mais... après ce qu'on a vu au cimetière, il faudrait vraiment être buté pour ne pas se poser de questions.

— Et vous vous posez quoi comme questions ?

— À quoi sert le portable, scotché sur la glacière, sans appel entrant ni sortant ? Quel est le rôle de cette musique préenregistrée ?

— Ce serait quoi selon vous ? La « clé d'induction », c'est ça ?

McKenna eut un geste d'impuissance et chercha ses mots quelques secondes.

— Si notre collectionneuse d'organes pouvait vraiment manipuler les éventreurs par l'hypnose, pourquoi ne pas utiliser un mot tout simplement ? Elle les appelle sur le téléphone du colis, elle leur dit : « *Svengali !* » Et elle va tranquillement se faire un thé.

Il poussa un soupir de frustration. Dahlia ramassa le flambeau là où il était tombé :

— Pour les appeler, dit-elle, il faudrait qu'elle connaisse, à la seconde près, le moment où ils vont se retrouver seuls face à leur colis.

Le détective sourcilla. Il n'avait pas couvert cet angle-là.

— Alors qu'en utilisant le téléphone comme un détonateur, c'est l'éventreur lui-même qui déclenche la clé d'induction en arrachant le portable de la glacière, une fois l'emballage ouvert.

McKenna ne savait pas comment contrer cet argument. Ce qui permit à Dahlia de conclure :

— Elle n'a pas besoin de parler à ses éventreurs pour qu'ils agissent. Elle les a tous rencontrés avant, un par un. Et elle a implanté dans leur esprit une suggestion associée à une mélodie : la *Gnossienne n° 1* d'Erik Satie.

Le détective baissa la tête. Son scepticisme reprenait le dessus. Il avait du mal à suivre sa partenaire sur ce terrain-là.

— « *Svengali...* », murmura-t-il en écarquillant les yeux comme John Barrymore dans le film portant le même nom.

Ils partagèrent un rire complice. Puis le policier leva sa chope en disant :

— À la santé de Blake...

Dahlia trinqua avec lui avant de demander :

— Comment va votre cheville ?

— Mieux que mon orgueil. Dites donc, pour une criminologue, vous courez sacrément vite !

— Au FBI, c'est parcours du combattant hebdomadaire. Je n'ai aucun mérite.

Elle avala une gorgée. Quand elle reposa sa pinte sur le comptoir, McKenna jouait nerveusement avec son alliance.

— Ça fait longtemps que vous êtes marié ?

McKenna hésita, puis ouvrit son col de chemise. Il en portait une deuxième en médaillon autour du cou.

— Veuf.

— Désolée, je…

Il balaya l'embarras de Dahlia d'un revers de la main. Un silence pesant les emmitoufla. Puis le regard du détective décrocha du présent…

— On s'est rencontrés à New York. Elle avait du mal avec mon accent et moi avec le sien.

Dahlia opina, attendrie.

— On s'est mariés dans sa ville, elle m'a suivi dans la mienne et, quatre enfants plus tard…

Il avait visiblement du mal à terminer sa phrase.

— … la maladie d'Alzheimer me l'a prise.

Le silence qui suivit fut chargé de pudeur. McKenna tenta d'évacuer la gêne.

— Certains tueurs sont juste… impossibles à profiler, dit-il dans un soupir. Les deux dernières années ont été… très dures. Mais, aujourd'hui, je donnerais n'importe quoi pour la ramener. Même dans cet état. Dieu merci, il me reste les enfants. Je suis loin d'être un père modèle mais…

Il chassa son malaise d'un haussement d'épaules.

— … avec un peu d'entraînement, je devrais pouvoir m'améliorer.

Il prit une nouvelle gorgée de Guinness et dégusta son arrière-goût de nostalgie.

— Ma mère avait raison. Elle disait : « La bière blonde vous enivre ; la brune… vous confesse. »

Dahlia apprécia la maxime, mais y mit un bémol.

— Je ne saurais pas vous dire, je ne me suis jamais soûlée.

— Non…

— Je vous jure. J'aime les alcools forts, mais… pour la chaleur qu'ils procurent. L'idée de perdre le contrôle… je ne peux pas. Je dois être aux manettes, moi ! Savoir ce qui va se passer.

McKenna n'en revenait pas.

— Du reste, je ne supporte pas les surprises… Quand j'étais petite, il fallait toujours me raconter la fin des histoires en premier.

— Et le père Noël, euh… le lapin de Pâques ?

— Je n'y ai jamais cru. Et en Dieu non plus, du reste. Les mythes et les religions sont autant d'histoires inventées par ceux qui…

McKenna termina sa phrase pour elle :

— … qui ont peur de lire la fin en premier ?

Dahlia acquiesça en souriant. Un téléphone sonna. Le détective plongea la main dans sa poche et décrocha.

— D.C.I. McKenna.

Il écouta, consulta sa montre-bracelet.

— On la rejoint.


Le cadavre de Lidy Moutoussamy était allongé sur une des tables d'examen de Lambeth. Pour ne pas être agressée par l'odeur de décomposition avancée, Kimberley s'était enduit les narines de Vicks VapoRub. Elle en tendit un pot à ses visiteurs qui l'imitèrent.

Ils prirent une profonde inspiration et s'avancèrent vers le corps ouvert du cou jusqu'au pubis.

— Comme vous pouvez voir, l'entaille est franche

mais pas rectiligne. C'est du travail d'amateur. Tous les organes ont été prélevés.

— À quand remonte le décès, Kim ? demanda McKenna.

— À en juger par l'état de décomposition du corps, je dirais sept jours.

— À quoi bon se servir d'une glacière, alors ?

— C'est là où je voulais en venir, Mac. Les organes prélevés sur ce cadavre sont aussi morts que lui. Ils ne seront d'aucune utilité à leurs commanditaires.

## 32

Rédemption… Pourquoi ce mot lui venait-il aujourd'hui encore à l'esprit ? En quoi avait-elle besoin de se racheter ? La victime devait-elle être redevable toute sa vie des exactions de son bourreau ?

Ce mot ne s'appliquait pas à elle. Ni aujourd'hui ni hier. Il avait été implanté dans son subconscient des années plus tôt par le maître de maison pour justifier ses actes les plus ignobles.

— *Est-ce que tu aimes ton père, petite ?*

Sa voix grave résonnait encore sur les murs humides de la cave de son enfance comme celle du buisson ardent parlant à Moïse.

Dahlia ouvrit les yeux. Elle essaya de se rappeler où elle était. L'endroit était obscur et empestait l'urine. *Son* urine, à en juger par l'état de sa jupe.

Le premier regard lucide de la fillette fut pour son écuelle désespérément vide. Elle n'avait ni bu ni mangé depuis plusieurs jours. Elle leva les yeux et aperçut la silhouette gigantesque du maître de maison qui se découpait à contre-jour dans la lumière du puisard. Son corps était massif. C'était l'homme le plus grand du village. Le plus colossal que Dahlia eût jamais vu.

— J'ai soif, père, soupira-t-elle.

— Je sais, fit-il calmement. Mais tu n'as pas répondu à ma question. Est-ce que tu aimes ton père, petite ?

L'enfant ne savait comment répondre. C'était un péché mortel de mentir. Mais dire la vérité n'aurait fait que prolonger son supplice. Les nœuds autour de ses poignets étaient si serrés qu'elle ne sentait plus ses mains.

— Pourquoi me punir tout le temps, père ? Je ne suis pas si mauvaise.

— L'ivrogne ignore qu'il est ivre, répondit le pasteur. Et le possédé ne sait pas que Satan le gouverne. Tu *es* mauvaise, ma fille. Que Dieu me pardonne de t'avoir conçue. Mais j'extirperai le Mal de toi, dussé-je pour cela te faire violence.

Il empoigna sauvagement la fillette par les cheveux et la força à s'agenouiller. Les mains de Dahlia étaient nouées derrière son dos. Son visage alla donc s'écraser sans protection contre le sol souillé de boue et d'urine.

Puis vinrent les litanies :

— Nous t'exorcisons, qui que tu sois, esprit immonde, puissance satanique, horde de l'infernal ennemi, au nom et par la Vertu de notre Seigneur.

Il ouvrit la mallette des supplices, en sortit un martinet et le consacra en l'aspergeant d'eau bénite.

Dahlia profita de cette diversion pour tenter de fuir. Elle se releva tant bien que mal, les mains toujours liées derrière le dos. Puis elle se mit à courir vers l'échelle qui donnait sur la maison. Le pasteur l'intercepta dans son élan et le fouet s'abattit sur elle. Le coup fut si violent qu'elle alla s'affaler contre un vieux berceau d'osier, déchirant son chemisier au passage.

En quelques enjambées, le pasteur fut sur elle. Ses mains immenses empoignèrent l'enfant. Alors, Dahlia rassembla ses dernières forces et hurla comme un animal à l'abattoir :

— Maman ! Aide-moi, je t'en supplie !

Mais le maître de maison l'attrapa par la gorge, la tira brutalement en arrière et murmura à son oreille :

— Tes tromperies ne te seront d'aucune aide, Satan. Sors du corps de ma fille ! Maintenant !

Dahlia étouffait. La main du pasteur lui écrasait le larynx au point qu'elle faillit perdre connaissance. Le peu d'humanité qui restait à son père l'avait quitté :

— Je vois clair dans ton jeu, maudit serpent. Tu crois qu'en falsifiant l'innocence, je t'accorderai ma miséricorde ?

D'un geste vif, il retourna sa fille sur le berceau comme un quartier de viande sur un étal. Puis il lui susurra à l'oreille :

— Je vais t'extirper de ce corps une fois pour toutes et te renvoyer aux portes de l'enfer.

— Maman, il me fait mal ! hurla à nouveau Dahlia. Ne le laisse pas faire !

Mais déjà, le maître de maison brandissait le martinet.

— Non ! implora-t-elle.

Mais rien ne put empêcher l'inéluctable. Le fouet déchira le dos de l'enfant. Et, tandis que le sang coulait sur le berceau qui l'avait vue naître, Dahlia hurlait de douleur mais surtout d'humiliation, de déchéance. Insensible à sa souffrance, le pasteur continuait de la flageller tout en interpellant le démon :

— Il n'y a plus de place en elle pour que tu y

restes, Satan ! Plus tu tardes à partir, plus grande sera ta souffrance !

Dehors, un ouragan s'était levé et les branches des arbres cognaient contre les parois de la maison comme si le Ciel, impuissant à venir en aide à la fillette, désavouait le blasphème de celui qui s'exprimait en son nom.

Tandis que son père la châtiait, Dahlia aperçut le visage de sa mère entre les barreaux de l'échelle qui descendait à la cave. Pourquoi la laissait-elle souffrir ainsi ? Pourquoi n'intervenait-elle pas ? Elle voulut l'appeler à l'aide, mais ses cordes vocales n'étaient plus capables d'émettre des sons. Derrière, les litanies se poursuivaient au rythme des coups de fouet du pasteur :

— Je t'ordonne de te retirer, au nom de notre Seigneur, fils du Dieu vivant ! Quitte ce corps qui ne t'appartient pas ! Quitte-le, maintenant !

Dahlia se dégagea brusquement de Nils, la chair en souffrance, le souffle court et la peau humide de transpiration. Ses yeux affolés cherchaient à appréhender le cadre autour d'elle. Dehors, l'orage grondait. La pluie cognait contre les baies vitrées et le vent sifflait sous les jointures.

Elle resta un moment allongée sur le dos à reprendre ses esprits, rassurée par le décor. Elle connaissait cet endroit.

— Ça ne va pas ? demanda Nils, en se redressant sur les coudes.

— Si, si, mentit-elle.

Comment lui expliquer ce qu'elle ressentait ? C'était la première fois, depuis sa fugue de la maison familiale, qu'elle revivait cette scène abominable. Sa mémoire l'avait enfouie au tréfonds de son être dans des fûts d'amnésie, comme on immerge des déchets toxiques. Pourquoi refaisait-elle surface ? Était-ce à cause de Nils ?

Dahlia avait toujours pratiqué le sexe comme un sport, une fonction nécessaire à l'équilibre hormonal du corps, mais dénuée de tout sentiment. Et c'était à cette condition qu'elle avait accepté de partager sa sensualité avec Nils. Mais les choses semblaient *différentes* avec lui. Était-ce parce qu'ils partageaient tous les deux un statut de survivant ? Reconstruisait-il chez elle, sans le savoir, un tissu affectif en charpie ? Une sensibilité condamnée au silence ? Parviendrait-il à la ramener sur le chemin perdu de l'innocence ?

— Ne t'inquiète pas, répondit-elle, encore essoufflée. C'était juste un mauvais trip…

— Pour moi, c'était plutôt un bon trip.

Dahlia sourit tristement et bascula sur le côté pour lui faire face. Il la regarda intensément.

— Quoi ? fit-elle.

— Rien. Je te déteste en silence, c'est tout.

— Pourquoi tu dis ça ?

— Pas de sentiment, c'est ça, le deal, non ?

— La haine est un sentiment.

— Merde ! Il me reste quoi, alors ?

Elle le considéra longuement, essayant de déchiffrer l'énigme qu'il représentait à ses yeux.

— Quoi ? fit-il.

— Rien. Je te regarde. J'ai bien le droit, non ?

— Le droit, c'est mon domaine, pas le tien. Enfin… c'était.

Cette pensée le fit basculer dans son jardin secret.

Dahlia lui prit la main, la détailla. Elle était rugueuse et portait encore, ici et là, des résidus rebelles de glaise séchée.

— Tu trouves que j'ai des mains d'avocat ? demanda-t-il.

— Je ne sais pas. Tu es le premier que j'examine d'aussi près.

Elle fit glisser le poing de Nils le long de ses joues et se surprit à embrasser tendrement ses phalanges.

— Il y a cinq mois, mes mains étaient aussi douces que celles qui ne manient que du papier et des claviers d'ordinateur.

Il soupira, envahi par un mélange de frustration et de nostalgie qu'il prohiba très vite. Il avait peur de s'aventurer sur un sujet aussi intime avec Dahlia. Peur que cela mette leur pacte en péril. Elle s'en rendit compte et lui glissa au creux de l'oreille :

— « Pas de sentiments », ça ne veut pas dire qu'on ne peut pas se parler, tu sais ?

Un demi-sourire se dessina sur ses lèvres. Puis son gosier se noua. Ce n'était pas le thème le plus facile à aborder. Il demeura un long moment songeur, avant de lui confier :

— Tu as entendu parler de la mémoire cellulaire ?

— La quoi ?

— La mémoire cellulaire. C'est une théorie qui voudrait que… le cerveau ne soit pas le seul organe à stocker la mémoire. Le cœur la conserve aussi.

— Une théorie vieille de cinquante siècles.

— Comment ça ?

— Pour les Égyptiens, le cœur était le siège de la mémoire. Et même de la pensée, des sentiments, de l'imagination. Ils n'accordaient que peu d'importance au cerveau. Pour eux, ce n'était qu'un estomac spirituel. Du reste, le mot par lequel ils le désignaient, *ais*, signifie viscères en égyptien.

Nils était fasciné par ces explications qui donnaient une légitimité à ce qu'il ressentait. Mais sa pudeur le poussa vers l'humour :

— Cinquante siècles pour redécouvrir ce qu'on savait déjà ? Ça doit être ça, le progrès.

Il tendit le bras vers la table de nuit, fourragea dans un tiroir et y attrapa un paquet de cigarettes déjà ouvert.

— Tu fumes ?

— Moi, non. Mais lui... j'ai l'impression.

Il alluma une cigarette, tira une bouffée et joua nerveusement avec le briquet.

— Qui ça, lui ? insista-t-elle.

Nils hésitait à poursuivre. Cette voie risquait de lui coûter Dahlia. Il était encore temps de hausser les épaules et d'éclater de rire en prétextant une plaisanterie. Mais il se devait d'être sincère avec elle. Plus question de mentir.

— Mon donneur.

Dahlia eut une moue amusée. Mais elle disparut très vite.

— Tu es sérieux ?

Il se contenta de hocher la tête.

— Tu connais l'identité de...

— Pas encore. Je sais juste qu'il est... fumeur, franc, végétarien...

Il attrapa une télécommande et mit en marche la hi-fi. Les notes d'une *Rhapsodie* lui vinrent en aide.

— ... qu'il adore la musique classique et que... c'est un sacré bon sculpteur.

— Ou sculptrice ?

— Ou sculptrice, acquiesça-t-il en souriant.

Il y eut un moment de silence entre eux dont Rachmaninov s'empara, avant que Dahlia ose demander :

— Nils, je sais que ça ne me regarde pas, mais… après une expérience pareille, j'imagine qu'on doit vouloir repartir à zéro, prendre un tout autre chemin, vivre plus intensément, tu ne crois pas ?

— Sans doute, répondit-il pour enterrer le sujet.

Elle lui caressa le front tendrement, avant de le relancer :

— Mais ce n'est pas ce que tu ressens.

Il secoua la tête et se rallongea sur le dos, les mains nouées derrière la nuque. Il contempla un instant le plafond et dit :

— Nous ne sommes pas faits pour vivre ensemble, tous les deux.

— Je sais, fit-elle, décontenancée, mais…

— Non, je veux dire, mon cœur et moi, nous ne sommes pas faits l'un pour l'autre. Nous sommes trop différents.

Dahlia était à court d'arguments.

— Dans le service qui m'a opéré, il y a un gamin : Badji. Il attend son cœur depuis un mois. Si ça se trouve, celui qu'on m'a greffé aurait été parfait pour lui !

— Arrête, Nils, ça sert à rien de dire ça.

— Tous ces jours passés à l'hôpital, à attendre un donneur… inconsciemment j'ai dû… j'ai dû souhaiter la mort de quelqu'un.

Un silence puis :

— Je n'ai jamais entendu battre mon propre cœur

236

comme j'entends celui-ci. Il ne bat pas pour moi, Dahl. Il ne bat pas pour moi.

Dahlia regarda Nils en silence. Cet étrange mélange de vulnérabilité et de noirceur commençait à la toucher, bien plus qu'elle ne voulait l'admettre.

## 33

Quand McKenna poussa la porte de sa maison ce soir-là, un sac de Burger King sous le bras, il pensait encore au rapport de la légiste sur Mme Moutoussamy. La femme du portrait-robot avait pris tous les risques pour récupérer des organes en voie de décomposition. Cela n'avait aucun sens.

Le détective s'arrêta sur le seuil et prêta l'oreille. Ce qui l'angoissait le plus, en rentrant chez lui, c'était le silence qui régnait dans la maison. Quand Gillian était encore des leurs, sa voix joyeuse et entraînante était toujours le premier son qu'il percevait en ouvrant la porte. Aujourd'hui, son absence semblait avoir effacé tous les bruits. Tant et si bien qu'il lui fallait toujours quelques minutes pour se résigner à l'acoustique du présent. Telle une pupille qui s'ouvre pour s'accommoder à l'obscurité, il éprouvait le besoin de reconstituer sa rétine affective. Très vite, des sons familiers lui parvinrent de la salle à manger : les voix de ses garçons, en pleine partie de *Yu-Gi-Oh !*[1].

1. L'un des jeux de cartes à collectionner les plus connus, adapté d'un manga de Takahashi.

— J'active Monster Reborn pour libérer mon Lapin Sauveteur du cimetière, déclara Miles. Je le ramène sur le terrain et j'active son effet.

— Je déclenche ma carte piège ! répliqua Ewan avec emphase. Jugement Solennel !

— Tu vas perdre la moitié de tes points de vie...

— Peut-être, mais ton putain de Lapin Sauveteur reste au cimetière et t'as utilisé Monster Reborn pour rien. Ha ! ha !

*Le Lapin Sauveteur !* pensa McKenna en les regardant jouer depuis l'entrée à leur insu. *Qu'est-ce qu'ils ne vont pas inventer ?*

Il retira son parka, l'accrocha au portemanteau, puis se rendit en claudiquant à la cuisine. Il y déposa son sac de hamburgers et ouvrit le frigo à la recherche d'une bière. Mais il ne trouva rien à l'intérieur. Il avait terminé la dernière canette la veille. Il fallait vraiment qu'il se décide à faire des courses. D'autant qu'avec les enfants...

— Tu m'as pris des nuggets ? s'écria Tim en faisant irruption dans la pièce.

— On ne dit pas bonsoir avant ?

— Bonsoir, p'pa.

Il se rendit compte que son père boitait.

— Qu'est-ce qui t'est arrivé ?

— J'ai voulu « me la péter » et j'ai glissé. Un câlin, c'est trop demander ?

— Tu sais bien que j'aime pas ça, p'pa...

— Allez, quoi, personne nous regarde...

À contrecœur, Tim accepta l'accolade de son père. Puis il écourta en disant :

— T'as pris une boîte de neuf, au moins.

— Oui. Mais vous partagez les nuggets, hein ? Deux chacun, on est d'accord.

— Et le neuvième ?

— Il est pour moi.

— Lol. T'as la sauce barbecue ?

— Et la mayo pour Miles.

— Tu manges avec nous ?

— Bien sûr que je mange avec vous, qu'est-ce que tu crois ?

— Je pensais que t'avais genre du travail et…

— J'*ai* du travail. Mais ça passe après vous.

L'ado ramassa le sac de Burger King et l'emporta avec lui. Son père le suivit en disant :

— Comment s'est passé ton D.S.T., aujourd'hui ?

— Moyen.

— C'était quoi, le sujet ?

— Méthode et pratique scientifiques, répondit-il en faisant la moue. Ça sert un peu à rien, ce cours. Enfin… c'est plutôt le prof qui sert à rien.

— Comment ça, le prof sert à rien ?

— Il nous envoie sur un site genre où y a marqué ce qu'on doit apprendre pendant toute l'année. Et la première chose qu'ils disent sur le site, c'est : « Utilisez les fiches que le professeur vous donne. » Sauf que le prof, il nous a rien donné.

— Et vous lui avez dit ?

— Bien sûr. Il nous a répondu : « Vous inquiétez pas, je vais vous les donner. » Sauf qu'il le fait jamais.

— Peut-être qu'il les a pas encore.

— Il les a pas encore ? Ça fait genre depuis le début de l'année, quand même !

— Je vais lui parler.

— Non, p'pa, s'te plaît, fais pas ça... Il va me saquer, après.

— Il n'a pas intérêt. Sinon, c'est moi qui le saque.

Tim leva les yeux au ciel.

— Room service ! lança McKenna à la cantonade.

Il franchit la porte de la salle à manger en clopinant. Peter récupéra le sac de Burger King et demanda :

— Qu'est-ce qui t'est arrivé, p'pa ?

— Il a voulu se la péter et il a glissé, répliqua Tim à la place de son père.

Peter répartit la commande sous le regard glouton de ses frères. Miles se rua dans les bras de McKenna.

— J'ai trouvé la maison, p'pa. Peter, Tim et Ewan la kiffent. Il manque plus qu'toi.

Pris au dépourvu, le détective fit de son mieux pour ne pas laisser transparaître son embarras.

— Eh ben, euh... t'as des photos ?

Miles sortit un smartphone de sa poche et montra à son père les clichés qu'il avait pris :

— Alors, tu la trouves comment ?

— Euh... de l'extérieur... elle a l'air pas mal.

— Je suis sûr que de l'intérieur aussi. Elle est trop stylée. On peut la visiter ce week-end ?

— Ben, euh... Dégotte-moi le numéro de l'agence et je verrai avec eux.

— J'te l'e-maile tout de suite, fit Miles surexcité en tapotant l'écran de son téléphone.

Le père regarda son fils avec un mélange d'admiration et de crainte. Admiration pour son entêtement, crainte de ce que cela impliquait. McKenna allait devoir visiter cette maison avec ses enfants. Il était trop tard pour reculer. En attendant, il préféra changer de conversation et utiliser un des rares mots de jargon qu'il maîtrisait :

— Alors, t'en es où de ton *deck*, Miles ? C'est toujours Ewan qui te coache ?

— Non, c'est fini, ça. J'ai créé mon propre *deck*. Y a que de l'échange. J'ai pas payé une carte. Alors qu'elles valent toutes un bête de prix.

— Bien joué, Miles.

— En plus, il a récupéré des cartes *ghost*... elles sont d'enfer, précisa Ewan. Y a des différentes raretés, tu vois ? Genre la plus rare, c'est Mangeur d'Étoiles. Il y a des griffures de folie dessus...

McKenna hochait la tête, mais il ne comprenait pas un traître mot de ce que lui racontait son fils. Y avait-il un Lapin Sauveteur pour aider les parents qui ne parlaient plus la langue de leurs enfants ?

Le détective souriait encore en y pensant dans la solitude de son bureau. Faute de pouvoir dormir, il s'était replongé dans le dossier des éventreurs. Cette affaire, il s'en rendait compte, l'obnubilait au point de délaisser ses autres enquêtes. Les classeurs, qu'il rapportait à la maison pour tenter de rattraper son retard, s'amoncelaient sur sa table de travail, témoignant de l'étendue de sa procrastination. Jamais une affaire ne l'avait accaparé à ce point. Et il se demandait bien pourquoi. Était-ce parce que certains aspects de cette enquête le ramenaient à sa propre tragédie ?

Il ouvrit le dossier de police et feuilleta pour la énième fois ses pages écornées à force d'être manipulées. Rapports d'experts, interviews de témoins, photos de scènes de crime. Les dernières en date avaient été prises par Dahlia, en direct, au cimetière. On y voyait Moutoussamy profaner la sépulture de sa propre mère.

« *Ils pleurent parce qu'ils ont tué quelqu'un qu'ils aiment*, lui avait confié la criminologue. *Ils pleurent la perte insupportable de l'être qui comptait le plus pour eux. Comme Abraham l'aurait fait si Yahvé n'avait pas retenu son bras.* »

*Et qui donc retient le bras de Yahvé ?* pensa-t-il.

Ce serial killer à l'échelle planétaire, ce tueur vénéré par des millions d'adeptes, ce tortionnaire invisible qui change d'identité d'une religion à l'autre, Dieu, tel qu'il se fait appeler chez nous, avait pris la vie de Gillian sans le moindre remords. Pleurait-il aujourd'hui sa perte ? Était-ce vraiment celle qui comptait le plus pour lui ?

Il tourna la dernière page du dossier et tomba sur le portrait-robot de la collectrice d'organes. Son visage avait quelque chose de mystique, mais aussi de particulièrement dérangeant. Un peu comme les sacrifiés que ses éventreurs semaient sur leur parcours.

Jamais McKenna n'aurait imaginé que le commanditaire de ces meurtres ait pu être une femme. Il y avait trop de violence dans ces « rituels ». Trop de perversion dans la corruption des esprits qu'ils impliquaient.

Le détective soupira et frappa son front plusieurs fois contre le dossier. C'était à lui d'établir un lien entre les meurtriers et celle qui les manipulait. À lui aussi d'imaginer un mobile. Quatre jours après le début de l'enquête, il n'avait pas l'ombre d'un début d'explication. Des familles attendaient qu'on leur rende justice. Et il ne pouvait rien faire pour elles.

Pire, il ne pourrait rien faire non plus pour celles qui allaient suivre. Car demain, il y aurait un autre sacrifice humain. Et après-demain encore, s'il ne parvenait pas à comprendre la stratégie de son adversaire.

*La perte insupportable de l'être qui compte le plus.* McKenna savait ce que l'on pouvait ressentir après ce genre de drame. Et c'était sans doute cela qui le perturbait autant.

*Ils pleurent parce qu'ils ont tué quelqu'un qu'ils aiment.* Pour la première fois de sa carrière, il avait davantage de compassion pour les assassins que pour leurs victimes.

Une sonnerie de téléphone le fit sursauter. Il se retourna brusquement, mais dut se rendre à l'évidence. Ce n'était pas dans la pièce que l'appareil avait retenti. C'était dans sa tête…

McKenna avait été prévenu, au bureau, par un de ces coups de fil qu'on espère ne jamais recevoir. Un de ceux qui vous font immédiatement penser que vous cauchemardez tant ils sont insupportables. Mais il n'y avait pas eu de réveil salvateur. L'appel était bien réel. Sa femme venait d'avoir un accident de voiture.

De voiture ? Comment était-ce possible ? Il y avait plus d'un an que Gillian ne conduisait plus. L'Alzheimer était incompatible avec la conduite !

Quand McKenna était arrivé aux urgences, les pompiers lui avaient confirmé que c'était bien elle qui était au volant. Il avait accusé le choc tout en remerciant le ciel que ses enfants s'en soient sortis indemnes. Les jeunes sapeurs s'étaient tournés vers leur chef pour savoir quelle attitude adopter, suite à cette réaction. Mais ils n'avaient trouvé que compassion dans ses yeux.

Le détective se livra, pour la première fois, à ce

qui allait bientôt devenir un rituel : lavage des mains avec une solution antiseptique, protections enfilées sur les chaussures, tunique sur les vêtements... Puis ce fut le purgatoire de la salle d'attente, avant que s'ouvrent les doubles portes de cette ambassade de l'au-delà qu'était la réanimation.

— Je suis désolé, fit l'interne de garde qui n'était pas encore rompu à l'art de la consolation. Je peux difficilement imaginer ce que vous ressentez, monsieur, mais... il ne faut pas en vouloir à votre femme. Elle ne s'est pas rendu compte de ce qu'elle faisait. Elle est allée chercher les enfants à l'école comme elle avait sûrement l'habitude de le faire avant sa maladie.

Des larmes pointèrent au bord des paupières de McKenna. Mais il s'interdit de les laisser couler.

— Il ne faut rien dire à mes enfants, docteur, vous m'entendez ?

Le médecin interrompit sa marche pour se tourner vers le détective, le regard circonspect. Alors, McKenna posa les mains sur les épaules du praticien comme on le fait avec un ami, un confident, et poursuivit :

— Il ne faut pas qu'ils sachent que leur mère est dans cet état. Elle est blessée, oui, mais rien de plus. Elle va s'en sortir. Je leur parlerai d'ici quelques jours. Mais, en attendant, je vous demande de bien vouloir faire passer le mot à toute l'équipe. Il se pourrait très bien que Peter, mon aîné, appelle le service. Avec le temps, il a appris à se méfier de l'« optimisme » de son père, conclut-il avec tendresse.

L'interne considéra son interlocuteur sans savoir quels mots choisir pour lui expliquer. McKenna écourta sa réflexion :

— Je peux la voir ?

— Euh… bien sûr. Suivez-moi.

Il emboîta le pas du médecin tout en essayant de rassembler les quelques forces qu'il lui restait. Pas question d'être faible devant sa femme ou de lui laisser endosser une quelconque responsabilité dans l'accident.

À mesure qu'il avançait, dans le long couloir lumineux qui desservait des salles ouvertes, il ne put s'empêcher de regarder sur sa droite et sur sa gauche. Non, il n'était pas seul à avoir été frappé par ce Dieu qu'on disait miséricordieux. Il y avait là autant de familles en détresse que de patients sous assistance.

Quelque part, dans cette ruche surmédicalisée, se trouvait sa reine. Rien ne la distinguait des autres ouvrières si ce n'était l'amour qu'il lui portait. Cet amour qui la rendait unique, irremplaçable. Comment pouvait-on survivre quand on vous enlève l'irremplaçable ?

Leurs années de vie commune les avaient fusionnés au point que la perte de l'un sonnait irrémédiablement le glas de l'autre. Sa déchéance. Mais… il y avait les enfants.

*Leurs* enfants.

— Hey ! dit-il à sa femme en lui caressant le front sous ses bandages. Ne me dis pas que tu as fait ça pour qu'on achète une nouvelle voiture…

— Les enfants ! Comment… vont les enfants ? bredouilla-t-elle, angoissée, en luttant contre son alimentation en oxygène.

— Très bien. Mais tu leur as foutu une sacrée trouille. Ils ne sont pas près de remonter en voiture avec toi, j'te préviens.

— Ils n'ont rien ?

— Pas de quoi rater l'école. Ce qui contrarie pas mal Ewan, tu t'en doutes bien.

Gillian eut un rictus amusé et leva les yeux vers le plafond. McKenna en profita pour parcourir du regard son corps meurtri. En le découvrant couvert de broches et de pansements suintants, il ne put contenir une grimace de douleur. Mais celle-ci disparut dès que les yeux de sa femme se posèrent à nouveau sur lui.

— Les ombres du plafond, murmura-t-elle. Ce sont elles qui ont provoqué cet accident.

Le détective leva instinctivement les yeux vers le soffite. Les voyants des appareils médicaux y projetaient les ombres des câbles, lesquelles apparaissaient et disparaissaient au rythme de clignotements têtus.

— Gil, écoute-moi. Tu es sous morphine, en ce moment. Et cela te fait voir des choses qui ne sont pas là.

— Elles sont là. Juste au-dessus de ta tête.

— Ce sont les machines qui projettent ces ombres, Gil.

— Non. Ce sont les démons.

— Il n'y a pas de démons sur Terre, Gil. Pas plus qu'il n'y a de Dieu dans le Ciel. Et, dans cette chambre, il n'y a que toi et moi. Je veux que tu te battes pour t'en sortir, tu m'entends ? Je veux que tu te concentres sur ta guérison et sur rien d'autre. Les enfants et moi, on compte sur toi. Tu comprends ça ?

Gillian acquiesça en versant des larmes de peur :

— Fais-les taire, s'il te plaît. Fais-les taire, je t'en supplie !

— Tu veux que je fasse taire *qui*, Gil ? répliqua McKenna qui perdait patience. Je ne peux pas couper ces machines ! Tu en as *besoin*.

À bout d'arguments, il essuya tendrement les joues de sa femme. Gillian leva une main tremblante vers lui et caressa son visage. Il y vit un renoncement et soupira, soulagé. Mais, loin d'abdiquer, elle ajouta calmement :

— Elles nous ont enlevé nos enfants. Et tu ne t'en rends même pas compte. Si tu refuses de les voir, alors elles me prendront, moi.

— Je ne refuse pas, fit-il, désespéré. Je ne vois pas ce que tu vois, Gil ! Dis-moi comment elles sont, tes ombres. Et j'apprendrai à les voir !

On toqua. Dans un sursaut, McKenna se retourna et aperçut son fils, Peter, qui poussait la porte interdite :

— Tu viens, p'pa ? On va encore être en retard à…

Il s'interrompit et fixa son père, inquiet :

— Qu'est-ce que tu fais, p'pa ?

Le détective n'était pas à l'hôpital, au chevet de sa femme. Il était chez lui, dans la penderie de leur chambre, le visage enfoui dans les robes de Gillian qu'il tenait à pleines mains. Sans se retourner, il referma le placard, à l'instar de quelqu'un pris la main dans le sac. La lumière du jour qui filtrait par les fenêtres accentuait l'aspect sacré des lieux.

— Depuis quand tu as le droit d'entrer dans cette chambre ? grommela-t-il.

— Tu ne répondais pas et je me suis inquié…

— Monte dans la voiture avec tes frères. J'arrive tout de suite.

Peter resta planté là, à regarder son père toujours de dos, sans savoir s'il aurait la force de lui dire ce qu'il avait sur le cœur.

— Qu'est-ce que tu attends ? gronda l'adulte avec un ton qui en aurait découragé plus d'un.

— Maman est *morte*, papa. Faire de cette pièce un mausolée ne la fera pas revenir, tu sais ça ?

McKenna gifla son fils.

Peter encaissa sans broncher.

Il dévisagea son père, en silence. Dans ce regard, il n'y avait pas de ressentiment mais de la pitié. Alors seulement, le détective prit conscience de ce qu'il avait fait.

— Rends-la-moi, Peter, supplia-t-il. Rends-la-moi ! J'avais pas le droit de te faire ça !

Comme l'adolescent ne bougeait pas, McKenna lui prit la main et essaya de le forcer à lui rendre sa gifle. Mais, au lieu de ça, son fils l'enlaça et le serra fort. Il tenta de se dégager, mais Peter ne relâchait pas son étreinte, comme s'il voulait obliger son père à l'accepter.

— Tu te fais du mal, p'pa ! murmura-t-il entre ses dents. Tu te fais du mal. Et ça nous en fait à nous.

Ces paroles eurent un effet immédiat sur le détective qui arrêta de se débattre. Il resta ainsi, les bras ballants, appuyé contre son fils. La colère avait fait place aux sanglots.

Alors, l'adolescent se mit à le bercer tendrement. McKenna finit par accepter son étreinte. Il enlaça son fils à son tour et tous deux restèrent ainsi un long moment, accrochés l'un à l'autre.

— C'est toi qui as raison, Peter. Je vais jeter ses affaires et je te promets que tout rentrera dans l'ordre.

— Qui te demande de jeter, papa ? Il faut juste ranger.

Il se dégagea des bras de son fils, le considérant avec fierté, comme on regarde un homme. Puis il hocha la tête et lui tapa sur les épaules, dans un geste de reddition virile.

## 34

*Broadmoor Secure Hospital,*
*Crowthorne, Berkshire,*
*JOUR 4, samedi, 9 h 30*

Le Pr Saouma sortit de l'ascenseur, précédant Nils et l'infirmier qui les accompagnait. L'éminent neurologue qui avait eu autrefois le béguin pour Maggie était aujourd'hui un petit homme replet aux épaules tombantes, aux yeux malicieux et aux cheveux grisonnants. Il se dégageait de lui une sympathie naturelle et un charme tout oriental.

— Maggie est une très vieille connaissance, déclarat-il en roulant les *r*. Enfin, très vieille… nous fréquentions la même fraternité à Oxford.

Le groupe venait d'accéder à l'aile expérimentale de Broadmoor. Située en sous-sol, officiellement, elle n'existait pas. On y pratiquait toutes sortes de tests sur les cerveaux les plus dérangés du Royaume-Uni. Ce qui justifiait amplement la clause de confidentialité que Nils achevait de signer.

— Et vous êtes restés en contact ?

— Euh… pas vraiment, maître, répondit-il, embar-

rassé. Une petite… comment dire… déception senti-
mentale qui a laissé des traces. Enfin… surtout chez
moi. C'est pourquoi j'ai été particulièrement surpris
de son appel.

L'avocat baissa la tête, bien conscient d'être pour
quelque chose dans ce rabibochage improvisé.

— Mais… qui peut dire non à Maggie Hall ?
conclut Saouma avec une moue nostalgique.

— Oui, qui… marmonna Nils.

Un grand Noir en blouse blanche les attendait au
bout d'un long corridor sans porte ni fenêtre. Il salua
son collègue qui n'était pas habilité à aller plus loin
et prit le relais.

— Un sacré numéro, à l'époque, Miss Hall, si vous
voyez ce que je veux dire ! poursuivit Saouma.

— Aujourd'hui encore, fit le défenseur en fin
connaisseur.

— Et un beau brin de fille. Je dois avouer que, sur
le campus, nous étions tous amoureux d'elle.

— Elle en fait encore craquer plus d'un.

Ils rirent de bon cœur. Cet échange sympathique
avait créé un climat de complicité masculine que Nils
ne tarda pas à exploiter :

— Au téléphone, vous m'avez indiqué avoir déjà
réalisé des tests sur les éventreurs ? À quoi faisiez-
vous allusion exactement ?

— À leurs troubles du sommeil, répondit le professeur qui ménageait ses effets. Ils n'ont pas fait une
seule nuit complète depuis leur arrestation. Ils sont
sujets à des insomnies chroniques et ce, malgré les
neuroleptiques.

— Vous les avez examinés ?

— Mieux que ça. J'ai leur PSG.

— Leur quoi ?

— L'enregistrement polysomnographique de leur nuit d'hier. Nous les avons endormis artificiellement en augmentant les doses.

Face à la réprobation silencieuse de l'avocat, Saouma crut bon de préciser :

— Maggie m'a dit que vous aviez besoin d'une expertise parasomniaque d'urgence pour l'audience préliminaire qui est prévue lundi, je crois ?

— C'est exact.

— Il n'y avait donc pas une seconde à perdre. Mais je m'attendais à tout sauf à ce qu'ils ont fait.

— Si vous me disiez de quoi il s'agit, professeur.

— Le mieux est que vous jugiez par vous-même, maître. Par ici.

Le neurologue s'arrêta devant une lourde porte métallique et composa un code sur un mini-clavier.

— Les trois PSG ont été réalisées en même temps hier soir, après augmentation des doses de neuroleptiques. Les patients occupaient bien entendu des chambres individuelles.

Il ouvrit la porte.

— Attention à la marche…

Nils précéda Saouma dans un local qui ressemblait à une régie technique. Trois moniteurs surplombaient un pupitre informatique relié à du matériel médical sophistiqué. Le neurologue alluma la console, enclencha les enregistrements et bientôt Nora, Roddy et Marvin apparurent chacun sur un écran. Ils étaient allongés sur un lit et dormaient paisiblement. Au bas de chaque moniteur, leurs signes vitaux défilaient sur un bandeau.

— Je tiens à préciser qu'ils n'ont eu aucun contact

depuis leur internement, ni entre eux ni avec les autres patients, poursuivit le professeur.

Les caméras infrarouges, qui avaient capté les images des éventreurs dans l'obscurité, avaient zoomé sur eux, les présentant en gros plan avec leur attirail de cobaye. Une batterie d'électrodes sur le cuir chevelu et les paupières recueillaient les ondes cérébrales et les mouvements oculaires. Des ceintures thoracique et abdominale collectaient les données cardiaques et respiratoires, tandis que différents accessoires venaient compléter l'équipement. Une canule nasale mesurait la différence de pression entre l'air inspiré et l'air expiré. Un oxymètre sur l'index jaugeait le taux de saturation du sang en oxygène. Enfin, un micro sur le cou enregistrait les ronflements et un capteur de position, les mouvements musculaires.

— Ne vous laissez pas intimider par tout ce matériel, commenta Saouma. Le test est absolument indolore et tout à fait basique.

— Ma question va sans doute vous paraître idiote, mais…

— Ce sont les meilleures, interrompit le professeur. Et, malheureusement, elles sont rarement posées.

— Pourquoi est-ce que… un somnambule agit pendant son sommeil et pas un rêveur ?

— Question essentielle, répondit le neurologue avec jubilation. Quand nous dormons, un système de sécurité situé dans notre tronc cérébral nous paralyse. Nous pouvons donc délirer intensément tout en restant immobiles. Chez les somnambules, ce système fonctionne mal.

— Vous voulez dire qu'ils vivent leurs rêves ?

— C'est plus compliqué que ça, répondit Saouma

253

avec une gourmandise évidente. Les deux phénomènes sont indépendants l'un de l'autre. Du reste, ils ne se produisent pas durant la même phase de sommeil. Paradoxal pour le rêve, profond pour le somnambulisme.

— Les somnambules dorment profondément ?

— La partie supérieure de leur cerveau, oui. Celle qui gère la pensée et la conscience de soi. C'est pourquoi, à leur réveil, ils ne se souviennent de rien. En revanche, la partie inférieure, celle qui gère la motricité, est pleinement réveillée. Et elle peut les pousser à commettre des actes particulièrement dangereux.

L'image de Nora éventrant Kumar traversa l'esprit de Nils, tandis que le professeur poursuivait :

— Une de mes patientes somnambules a visité un chantier, pendant son sommeil. Elle a grimpé sur une grue de quarante mètres et a été sauvée in extremis par les pompiers alors qu'elle s'avançait, en toute confiance, sur la flèche. Quand ils l'ont réveillée, elle n'en croyait pas ses oreilles car elle est sujette au vertige.

L'attention de l'avocat fut attirée par un changement notable sur les courbes des encéphalogrammes. Il se tourna vers le neurologue en quête d'explications.

— Nora et Roddy viennent d'entrer en phase de sommeil paradoxal, déclara Saouma. Vous voyez leurs ondes cérébrales ? Elles sont plus grandes et plus espacées. Leur respiration et leur rythme cardiaque ralentissent, leur corps se détend. Ils rêvent. Mais le plus intéressant se trouve plus loin sur les disques, en phase de sommeil profond.

Le neurologue se tourna vers Nils avec délectation. Il prenait un malin plaisir à jouer avec les nerfs de son invité.

— Bon, alors quoi ? maugréa le défenseur. Vous me la montrez, votre séquence choc, ou vous comptez passer de la pub, avant ?

Le professeur éclata de rire. Il tapa un code sur son clavier et les disques défilèrent en avance rapide. Il en profita pour préciser :

— Les images des trois écrans sont réglées sur le même code horaire. Les événements auxquels vous allez assister se sont produits en même temps, à quelques secondes près, dans les trois chambres.

Les images se stabilisèrent. Saouma lança la lecture tout en se régalant d'avance de l'expression qu'aurait bientôt son spectateur.

Sur l'un des écrans, Roddy se redressa sur son lit en fixant un point, droit devant lui. Ensuite, il arracha ses électrodes avec une force peu commune.

— Les capteurs sont fermement collés au cuir chevelu, expliqua le neurologue. Normalement, on utilise du solvant, pour les retirer. Vos clients se sont arraché les cheveux, pour les enlever, maître. Sans rien ressentir.

Nils s'approcha des moniteurs pour examiner le visage du dormeur, à la recherche d'une expression qui trahirait une émotion quelconque. Il n'en trouva aucune. Cela dit, le rendu infrarouge des images n'aidait pas beaucoup.

Roddy se leva. Ses mouvements étaient légèrement ralentis mais déterminés. Il sembla chercher quelque chose autour de lui avant de s'approcher d'une charte de température. Il attrapa le marqueur qui y était attaché et l'arracha de son socle. Puis il se dirigea vers le mur du fond.

Nora se redressa à son tour. Gênée par ses électrodes, elle les extirpa et se mit debout. Sans pouvoir visualiser ce qu'avait fait Roddy dans l'autre pièce, elle se comporta presque de la même façon. Puis ce fut le tour de Marvin. Chacun finit par se retrouver devant un des murs de sa chambre et le contempla un moment comme s'il y déchiffrait quelque chose. Puis, sous les yeux effarés de Nils, ses clients se mirent à écrire : « *Puissent ces sacrifices apaiser l'âme de Celui dont le Nom n'est plus.* »

## 35

Tandis qu'il traversait le parking de l'hôpital pour regagner sa voiture, Nils repensait aux images qu'il venait de visionner. Il avait à présent la preuve que l'épitaphe retrouvée sur la scène de crime *pouvait* avoir été rédigée par ses clients en état de somnambulisme. Cela pouvait-il être étendu à tout ce qu'ils avaient commis au domicile de leur victime ? Cet enregistrement et le témoignage de Saouma suffiraient-ils à convaincre les jurés qu'au moment de tuer, ils n'étaient pas conscients de leurs actes ?

Toutes ces questions se bousculaient dans l'esprit de l'avocat. Mais certaines des réponses du neurologue le harcelaient aussi. Oui, l'hypnose boostait bien la mémorisation, car la concentration du sujet était bien plus grande en transe qu'à l'état de veille.

— Certains apprennent des langues étrangères, sous hypnose, avait-il affirmé. D'autres, à jouer d'un instrument.

— Et apprendre à prélever des organes, c'est possible ? avait demandé Nils.

— En théorie, oui. L'hypnose rend l'apprentissage plus facile.

— Et en pratique ?

Réalisant que son interlocuteur était sérieux, il avait réfléchi un moment avant d'ajouter :

— Cela dépend de trois facteurs, difficiles à combiner : la sensibilité du sujet, la puissance de persuasion du thérapeute et le temps dont ils disposent.

Cette réponse avait au moins un mérite : elle ne niait pas tout en bloc. D'autant que d'autres questions taraudaient Nils. Comment Roddy, Nora et Marvin avaient-ils pu présenter, tous les trois, les mêmes symptômes, et ce, à quelques minutes d'intervalle ? Ces crises étaient-elles une conséquence directe de leur insomnie combinée à une surdose de neuroleptiques comme le prétendait le professeur ? Ou bien étaient-elles la suite logique des suggestions post-hypnotiques qu'on avait implantées chez eux ? L'hypnose revenait au cœur du débat.

Juste avant de partir, Nils avait demandé à Saouma s'il était possible de provoquer un état de somnambulisme en utilisant l'hypnose. Le neurologue avait avoué avoir tenté l'expérience sur des sujets parasomniaques. Mais les résultats s'étaient avérés… instables.

— Qu'entendez-vous par « instables » ? avait demandé l'avocat.

Le professeur était resté évasif. Visiblement, cette partie de l'entretien le contrariait suffisamment pour qu'il se décide à l'abréger.

*Les résultats se sont avérés instables.*

Les paroles de Saouma résonnaient encore dans la tête de Nils tandis qu'il montait à bord de sa Mercedes CLA. Absorbé dans ses pensées, il introduisit sa clé de contact et leva les yeux machinalement vers le rétroviseur.

C'est alors qu'il vit l'intrus sur la banquette.

Mais trop tard.

Deux mains gantées surgirent derrière lui. Une compresse de chloroforme lui écrasa les voies respiratoires.

Il suffoqua. Hurla. Se démena.

La silhouette en survêtement sombre resserrait son étau, l'asphyxiant de plus belle.

Les mains de Nils tentèrent désespérément d'agripper son agresseur par la nuque. Mais elles ne parvinrent qu'à arracher sa casquette à large visière, révélant des cheveux coupés à ras.

L'avocat rugit sous son bâillon. Tenta même de mordre.

Ses yeux écarquillés entrevirent le rictus funeste de son assaillant, dans le rétroviseur.

Son cœur battait de plus en plus vite, accélérant la contamination de son organisme par l'anesthésique. La léthargie gagnait du terrain.

Dans un ultime effort, ses jambes tentèrent d'escalader le tableau de bord. Ses pieds prirent appui momentanément sur le volant, faisant résonner le klaxon.

Mais il n'y avait pas grand monde pour lui venir en aide sur le parking de l'hôpital.

Utilisant ses dernières forces, il pencha la tête en arrière et découvrit avec stupeur deux yeux clairs qui le fixaient dans la semi-obscurité de l'habitacle. Des yeux vastes et pénétrants. Et, tandis qu'il se perdait en eux, ses muscles se relâchèrent. Ses jambes se dérobèrent. L'odeur répugnante du chloroforme se répandit dans la voiture.

La torpeur gagna Nils.

Sa dernière pensée fut pour Dahlia qu'il ne reverrait probablement jamais.

Il sentit qu'il basculait sur lui-même. On avait abaissé le dossier du conducteur et son corps glissait à présent sur la banquette. En quelques secondes, on fut sur lui. On lui tordit les bras derrière le dos et on lui passa des menottes.

Il tenta de dire quelque chose, mais ses cordes vocales n'émirent aucun son.

Ensuite, il perdit connaissance.

## 36

Le superintendant Quinn donna une accolade cha-
leureuse à McKenna.

— Alors, cette cheville ?

— Elle arrive à me supporter. Ce qui lui donne un
avantage sur pas mal de monde.

Quinn secoua la tête, amusé, et indiqua un siège à
son collègue. McKenna détestait le fauteuil assigné aux
visiteurs. Impossible de s'asseoir dessus. On s'enfonçait dedans jusqu'aux coudes, en attendant qu'il vous
digère. Ce qui, mine de rien, permettait au superintendant d'avoir psychologiquement le dessus sur ses
interlocuteurs pendant toute la durée des entretiens.

— Ça fait trop longtemps qu'on ne s'est pas vus,
lâcha Quinn en rejoignant sa table de travail. À croire
que tu m'évites…

— Houla ! Ça commence mal. Si tu veux un
punching-ball, il y en a un dans la salle de sport. Et
il est plus patient que moi.

— Hé, relax ! On est entre amis, ici !

— C'est ce que je croyais en entrant.

— Dis donc, c'est vrai que t'es à cran, toi, trancha
le superintendant avant de se moucher bruyamment.

McKenna s'inquiéta de cette remarque.

*Qui donc a balancé ?* songea-t-il.

Mais il préféra ne pas relever.

Le bureau de Quinn était le plus large de l'étage. Cependant, il n'était pas imposant pour autant. Ses baies vitrées ne donnaient pas sur Victoria Street mais sur Dacre. Elles offraient une vue médiocre que des stores vénitiens s'efforçaient d'occulter.

— Une petite verveine ?

— Plutôt un grand verre d'arsenic avec une paille, si tu as en magasin.

— Ça va si mal que ça, Mac ?

— Non, ça va très bien. J'ai un retard monstrueux sur toutes mes enquêtes en cours. Je suis à fond sur les éventreurs. Avec les résultats que l'on sait…

Le sarcasme de cette tirade obligea le superintendant à s'armer de diplomatie :

— Tu en es où ?

— Tu sais très bien que j'en suis nulle part. Pourquoi tu m'aurais convoqué, sinon ? Pour me dealer ta verveine ?

— Je ne t'ai pas convoqué.

— Bon, ben, je m'en vais, alors ! s'exclama le détective en se relevant. Tu diras au procureur que tu m'as viré et qu'ils peuvent aller se faire foutre, lui et son pote l'ambassadeur.

Quinn sentit le sang lui monter à la tête, mais il parvint à garder son calme.

*Ce type est un sac à problèmes, mais c'est aussi mon meilleur inspecteur.*

— Ramène ta patte folle ici, détective chef inspecteur ! Et parlons comme deux amis, tu veux bien ?

McKenna s'immobilisa, émit un long soupir et revint

s'asseoir dans le fauteuil carnivore avec une certaine lassitude.

— Qu'est-ce que je peux faire pour t'aider ? s'enquit le superintendant.

Le détective alluma une cigarette et répondit entre deux taffes :

— Tu l'as déjà fait. Ta profileuse ricaine est d'enfer. Si ça se débloque à un moment donné, ce sera sûrement grâce à elle.

— Eh ben, en voilà une bonne nouvelle. Et à part ça ?

McKenna grimaça en chassant la fumée :

— J'en suis nulle part, j'te dis. Pas de mobile. Des tueurs qui ne se connaissent pas entre eux mais qui utilisent le même *modus operandi*. Ils tuent la personne qu'ils aiment le plus au monde, prélèvent ses organes et offrent à sa dépouille le rite mortuaire prescrit par sa religion. Les éventreurs n'essaient même pas d'effacer leurs empreintes. Ils reconnaissent avoir tué mais ignorent comment et surtout pourquoi. Ils effectuent la livraison des organes dans une glacière reçue par FedEx. Hier, on a failli coincer celle qui les réceptionne, mais je pense que tu es au courant...

Quinn acquiesça. McKenna sortit de sa poche une feuille qu'il déplia avant de la tendre à son patron :

— Elle a perdu ses lunettes dans la poursuite, mais il n'y a pas d'ADN dessus. On a juste son portrait-robot... Un mètre soixante-dix, de grands yeux clairs et... très masculine dans sa façon de bouger. Hier, elle a récupéré des organes morts à moitié décomposés. Qu'est-ce qu'elle va bien pouvoir en faire ?

Il écarta les bras en signe d'impuissance et conclut :

— Les victimes ne partagent ni amis ni centres

d'intérêt. Elles sont riches, sauf la dernière. Les tueurs sont tous d'origine modeste et sans éducation.

— N'empêche qu'ils ont manié le scalpel comme des pros, fit remarquer le superintendant en s'adossant à son fauteuil. J'ai lu les rapports d'autopsie, c'est plutôt… euh… flippant.

— Comme tu dis.

Il y eut un silence que Quinn se décida à rompre :

— Qui leur a appris à opérer ?

— J'en sais rien. Peut-être Tasdebeauxyeux.

— Pardon ?

— La femme qui récupère les organes, fit-il en désignant du menton le portrait-robot. On lui a donné un surnom, avant que la presse s'en charge.

— Et elle serait quoi… chirurgien ?

— Il y a des chances. J'ai fait envoyer son signalement à tout ce que la ville compte de médical et de paramédical.

Le superintendant fit craquer ses articulations en se balançant dans son fauteuil.

— Tu crois que les tueurs simulent l'amnésie ?

— Non.

— Qu'est-ce qui te permet de l'affirmer ?

— Une intuition.

— Mac…

— Trente ans de métier. Des milliers d'heures d'interrogatoire face à des simulateurs.

— Comment on peut oublier ce genre d'horreur ?

En disant cela, Quinn avait levé les yeux vers les photos des victimes épinglées sur son panneau de liège. McKenna se contenta de fixer le sol. Il hésitait à s'aventurer sur le terrain de la suggestion posthypnotique. D'autant qu'il n'était pas certain d'adhérer complètement à cette théorie. Pourtant, c'était le seul axe de réflexion qui permettait d'établir un lien de cause à effet entre les différents éléments dont il disposait. Il décida d'attaquer par la bande.

— Tu as visionné les images des caméras de surveillance et celles qu'on a rapportées du cimetière ?

— Ouais.

— Et tu en penses quoi ?

Quinn se leva et s'approcha de la baie vitrée pour se donner le temps de chercher les mots justes :

— Les éventreurs bougent tous d'une façon étrange, tu ne trouves pas ? Au début, j'ai cru que c'était un problème technique dû à un mauvais report, un léger ralenti ou ce genre de truc, mais... les gens, autour d'eux, marchent normalement. Le plus bizarre, c'est le type du cimetière. Il y a un gros plan de ses yeux à un moment donné, c'est... euh... On dirait qu'il est drogué, quoi. Ou qu'il est... euh...

— ... somnambule ? proposa McKenna en terminant la phrase de son supérieur.

— Ouais, s'excusa-t-il en souriant. Je sais que c'est absurde, mais... c'est à ce genre de choses que ça me fait penser.

— C'est pas si absurde que ça. On dit que les somnambules ne se rappellent pas ce qu'ils font.

Embarrassé par la réponse de son collègue, Quinn vint se rasseoir. Puis il se mit à jouer nerveusement avec un presse-papiers en dévisageant McKenna.

— Tu essaies de me dire quoi, là, Mac ? Qu'ils auraient tué en dormant, c'est ça ?

Le détective était au pied du mur. S'il devait se confier, c'était maintenant :

— Il y a quelque chose que je ne t'ai pas dit.

265

Il plongea la main dans sa poche et en sortit un téléphone avant de poursuivre :

— Sur le couvercle de la glacière du fossoyeur d'Abney Park, il y avait ce portable scotché…

— Et vous avez tracé les appels ?

— On n'a pas pu. Portable à carte. De toute façon, il n'y avait aucun appel entrant. Il était juste programmé pour jouer une mélodie dès qu'il serait détaché.

McKenna actionna le cellulaire et la *Gnossienne n° 1* d'Erik Satie résonna dans la pièce.

— Et alors ?

— Et alors ? Et alors, je crois que lorsque les éventreurs reçoivent leur colis, cette musique joue un rôle de catalyseur dans leur changement d'état.

— Qu'est-ce que tu veux dire par là ?

— Dans son interrogatoire, la femme du fossoyeur a déclaré avoir entendu une musique lorsque son mari a ouvert le colis. Et elle dit plus loin que Moutoussamy avait l'air bizarre au moment de partir avec. L'éventreur de Kumar, Nora Gyulay, a parlé d'une « musique dans sa tête ».

— Où tu veux en venir, Mac ?

— J'ai envoyé Berg à Broadmoor pour faire écouter cette mélodie à chacun des éventreurs. Ils ont réagi exactement de la même façon.

— C'est-à-dire ?

— Ils sont entrés dans un état second, comparable à celui de Moutoussamy sur les images. Il a filmé l'expérience, si tu veux visionner.

— État second ne veut pas dire meurtre, Mac.

Le détective joua nerveusement avec sa cigarette, tandis que la fumée s'échappait de ses narines.

— Tu as entendu parler de la suggestion post-hypnotique ?

Le superintendant se fendit d'une grimace ironique.

— Le truc pour arrêter de fumer ? Ça n'a pas marché avec moi.

— Ben, apparemment, avec eux, oui.

Quinn éclata de rire, mais s'arrêta très vite en réalisant que McKenna était sérieux. Ne tenant plus dans son fauteuil carnivore, le détective se leva et écrasa sa cigarette dans un cendrier.

— Écoute, Jason, tu sais que ce n'est pas mon style de croire à ces trucs. Mais là, franchement, il faut être sacrément borné pour ne pas l'envisager.

— Ben, je dois être sacrément borné, alors. Et toi, sacrément surmené.

McKenna prit appui sur le bureau pour regarder son chef droit dans les yeux.

— L'avocat des éventreurs va plaider dans ce sens.

— Un avocat fait tout ce qu'il peut pour déresponsabiliser ses clients. C'est son job. Nous, le nôtre, c'est d'arrêter des coupables. Pas de leur trouver des excuses.

McKenna explosa :

— Je ne leur cherche pas d'excuses, bordel ! Je cherche les raisons qui poussent des gens normaux, sans casier, à massacrer leurs proches ! Comment tu crois qu'on va arrêter cette boucherie, sinon ? Ils tuent la personne qu'ils aiment le plus au monde. Et ils en sont bouleversés. Tu tuerais ta mère, toi ? Ta femme ?

— Ma femme, j'ai bien failli, mais j'avais une bonne raison.

— Merde, tu ne peux pas être sérieux deux minutes !

hurla le détective. Ils sont manipulés par quelqu'un. Je ne sais pas encore comment, mais ils sont manipulés.

— C'est une intuition, ça aussi ?

McKenna le foudroya du regard.

— Écoute, Mac. Mon but n'est pas de mettre en doute tes intuitions. Dieu sait qu'elles se sont souvent révélées juste par le passé, mais… tu es dans un sale état, là. Je voudrais que tu revoies la psychologue.

— Pourquoi ? Tu penses que je perds la boule, c'est ça ?

— Je pense que cette affaire est en train de t'affecter physiquement. Et moralement, aussi.

— Je manque de sommeil, c'est tout.

— Tu sais où ça t'a mené, la dernière fois.

— C'est pas ça qui m'a amené là, tu le sais très bien.

— Ouais, bien sûr… Excuse-moi.

Il y eut un silence gêné entre les deux hommes. Ils avaient effleuré, sans le vouloir, un sujet qu'ils gardaient tabou d'un commun accord. Quinn se leva pour mettre fin à l'embarras et à l'entretien.

— Tu n'es pas le seul à vouloir arrêter ce carnage, Mac. Mais je ne laisserai pas un de mes meilleurs hommes y perdre la santé. Ne m'oblige pas à te retirer l'enquête.

— Fais ça et tu repars à zéro, Jason. Il y aura un cinquième sacrifice humain aujourd'hui. Et un autre demain et après-demain jusqu'à ce qu'on accepte de raisonner comme celle qui est derrière tout ça.

Berg fit irruption dans la pièce, un feuillet à la main. Il était essoufflé et survolté :

— Désolé de vous interrompre, messieurs, mais…

Becky Yu et Lidy Moutoussamy avaient toutes les deux subi une transplantation.

McKenna arracha le rapport des mains de l'inspecteur pour le parcourir.

— Et les deux autres ?

— On est en train de vérifier.

— Putain, les gars, mais comment on a pu passer à côté de ça ?

— Les corps étaient vidés de leurs organes, boss. C'était impossible pour la légiste de déceler les greffes !

— Et pour nous, c'était impossible de croiser les informations ? De recouper les témoignages ? Tu ne vas pas me dire que, parmi les proches des quatre victimes, il n'y en a pas un qui ait mentionné la greffe !

— Alan Ginsburg n'avait pas de famille. Mme Kumar est partie rapatrier le corps de son mari à Washington et la mère de Becky vient de nous appeler avec l'information.

— Parce que, si elle n'avait pas appelé, on n'aurait pas trouvé !

— Qu'est-ce que tu veux que je te dise, Mac... on a merdé, ça arrive...

— Ça arrive ? hurla McKenna. Mais on est qui, nous, pour merder ? Un petit commissariat de province sans moyens ? On est Scotland Yard, bordel ! Il nous faut qui pour boucler cette affaire ? Sherlock Holmes ?

Il sortit en claquant la porte. Berg se tourna vers Quinn, lequel se contenta d'ajouter :

— Il m'a sorti les mots de la bouche.

La salle de réunion empestait le tabac froid et la pizza. La pause déjeuner avait été annulée, la rumeur selon laquelle McKenna était fou de rage s'étant répandue à travers les services comme une traînée de poudre.

Des chaises récupérées ici et là étaient assemblées face à une estrade. Les bureaux vacants de l'*open space* avaient été réquisitionnés comme places assises supplémentaires car le colosse irlandais avait exigé la présence de tous ses hommes, sans exception. En congé ou pas.

— Nos quatre sacrifiés ont tous subi une greffe les 3 et 4 août derniers, déclara McKenna en faisant les cent pas devant le panneau. Alan Ginsburg a reçu un rein gauche, Kumar, un foie, Becky Yu, un rein droit et Mme Moutoussamy, des poumons. Je ne reviendrai pas sur le temps qu'il vous a fallu pour me rapporter cette information cruciale, mais je peux vous garantir une chose : personne ne prendra plus un week-end ou un jour de congé jusqu'à ce que nous ayons arrêté celle qui est derrière tout ça.

Un soupir de consternation parcourut l'assistance. Le détective enchaîna :

— Vous allez contacter le Blood & Transplant[1] pour qu'ils nous fournissent la liste de tous les transplantés des 3 et 4 août derniers.

— Il y a combien de transplantés chaque jour à Londres ? demanda Bauman, démoralisé d'avance.

— Tu veux dire au Royaume-Uni ? Assez pour remplir tes journées de stagiaire, fiston, répondit Knox, déclenchant le rire étouffé de ses collègues.

— Ce qu'on devrait se demander surtout, interrompit Emma, c'est pourquoi elle s'en prend uniquement à des transplantés des 3 et 4 août derniers ? Ça a peut-être à voir avec l'identité des donneurs, vous ne croyez pas ?

— Eh ben, vous voyez que vous pouvez être créatifs, quand vous voulez ! ironisa le détective. Emma, tu t'occupes de la liste des donneurs.

— Le don d'organe est anonyme, Mac, tu le sais. Ces infos sont confidentielles, j'aurai rien sans mandat. Et aujourd'hui c'est samedi. Il n'y a que nous qui travaillons le week-end.

— Non, le tueur aussi. Et je peux te dire qu'il va me le cracher, son mandat, le procureur. S'il le faut, j'irai le chercher chez lui.

Dahlia ne parvenait plus à suivre les débats. Prise d'une crise d'angoisse irrépressible, les voix, les sons lui parvenaient déformés. Les gestes, au ralenti. Elle fut contrainte de quitter la salle de réunion, sous le regard inquiet de McKenna.

— Tout ça, c'est bien beau, renchérit Knox. Mais en quoi ça va nous aider à localiser Tasdebeauxyeux ? On n'a rien sur elle à part ce putain de portrait-robot. On n'a aucune idée de l'endroit où elle va frapper ce

1. Équivalent britannique de l'Agence de biomédecine.

week-end. Et encore moins de qui elle va embrigader. J'ai contacté toutes les compagnies de courrier express. Elles n'ont rien à livrer qui corresponde en taille et en poids à notre glacière.

— Il n'y aura plus de glacière, Knox, intervint McKenna en gardant un œil sur Dahlia qui téléphonait dans le couloir. Elle sait qu'on est au courant, maintenant. Elle va changer son M.O.

— On contacte les médias, histoire d'informer les transplantés plus vite ? proposa Berg.

— Surtout pas, fit le détective en traversant la salle. Si on fait ça, on perd notre avantage sur Tasdebeauxyeux. Pour l'instant, elle ignore qu'on sait pour les greffons.

Il frappa dans ses mains et ordonna :

— Allez, au boulot, les gars. On contacte les transplantés et on les réunit tous aujourd'hui dans un même endroit. Ils seront plus faciles à protéger.

— Et il est où, cet endroit ? demanda Knox.

— J'attends confirmation.


Penchée à la fenêtre du couloir, Dahlia tentait de vaincre son malaise. Chaque fois qu'elle composait le numéro de Nils, elle tombait sur sa messagerie à la sixième sonnerie :

*Vous savez quoi faire, alors faites-le. Bip...*

— Nils, c'est encore moi, dit-elle. Je t'en supplie, rappelle-moi, c'est urgent.

Elle raccrocha et aperçut McKenna qui s'approchait d'elle.

— Qu'est-ce qui se passe ?

— Nils Blake a été greffé du cœur, il y a cinq mois. Je ne connais pas la date exacte, mais il ne répond pas.

## 38

Le nombre de greffés au Royaume-Uni était plus faible que McKenna ne l'aurait imaginé. Environ quatre mille par an, soit une dizaine par jour. Cela en raison du manque chronique de donneurs.

Le détective avait réparti le travail par secteurs géographiques. Scotland Yard ayant mis le paquet, des hélicoptères furent réquisitionnés et une quarantaine d'enquêteurs envoyés aux quatre coins du pays. L'opération de rapatriement devait être réglée dans la journée car chacun appréhendait la découverte d'une cinquième victime. Il y avait eu un sacrifice humain toutes les vingt-quatre heures. Et personne ne pouvait se risquer à penser que cela s'arrêterait.

Sur les vingt-trois transplantés recensés les 3 et 4 août, deux tiers habitaient Londres. Le tiers restant se répartissait entre l'Écosse, le pays de Galles et l'Irlande. L'avocat Nils Blake figurait sur la liste des greffés.

Mais, si le Blood & Transplant avait pu déterminer cette liste des receveurs, il avait été incapable d'identifier les donneurs. Non pas en raison du principe d'anonymat que le mandat du procureur avait fait tomber, mais parce que les dossiers médicaux de ces prélèvements thérapeutiques avaient tout bonnement disparu des bases de données. Même chose au bureau d'état civil des hôpitaux qui avaient prélevé, même chose au Registre national des refus que l'on interrogeait systématiquement avant d'utiliser un greffon. Les procès-verbaux étaient introuvables. Et personne ne pouvait expliquer pourquoi. Cela ne s'était jamais produit.

Les vingt-trois transplantés allaient être rassemblés dans un hôtel londonien : le *Guoman Tower*.

Situé sur la rive nord de la Tamise, juste en face du Tower Bridge, ce bâtiment, considéré par les Anglais comme l'un des plus laids de Londres, offrait un avantage stratégique : il donnait directement sur les quais St Katharine. Ses abords étaient à découvert, donc faciles à surveiller.

Le Home Office y avait réservé l'intégralité du premier étage. En dehors de la police et des transplantés, personne n'aurait le droit d'y accéder.

Les proches des greffés, considérés comme des éventreurs potentiels, avaient été conduits à Broadmoor pour y subir un bilan psychiatrique complet. Ceux qui s'y étaient opposés avaient été placés en garde à vue, avant d'y être amenés de force. La police disposait ainsi d'une liberté d'action de vingt-quatre à quatre-vingt-seize heures pour réaliser les tests. Le but était double : séparer ces éventuels bourreaux de leurs futures victimes et étudier chez eux l'apparition d'un comportement parricide.

Les avocats des gardés à vue protestèrent violemment contre l'arrestation arbitraire de leurs clients. Ils y voyaient une violation de leurs droits les plus élémentaires. Au pays de l'*habeas corpus*[1], c'était inconcevable. La presse, que l'on essayait de tenir à l'écart, allait en faire des gorges chaudes.

Faute de pouvoir joindre Nils sur son portable, Dahlia tenta de le contacter à son bureau. Au bout de quelques sonneries, le répondeur s'enclencha. Le message conseillait de rappeler lundi aux heures d'ouverture. Dahlia avait oublié qu'on était samedi. Mais elle ne pouvait pas en rester là.

Si, comme elle le pressentait, Nils était la cinquième victime, alors sa dépouille devait se trouver à son domicile. Les cadavres d'Alan Ginsburg, d'Andrew Kumar et de Becky Yu n'avaient-ils pas été retrouvés chez eux ?

Lorsqu'elle se présenta devant l'hôtel particulier de Nils, le soleil se couchait sur Soho. Un vent glacé agitait les branches dénudées des rares arbres qui survivaient au béton. Le quartier-vampire commençait à s'illuminer.

La criminologue appuya plusieurs fois sur la sonnette de l'interphone, sans qu'on lui réponde. Où était-il ? Ses rideaux étaient ouverts. Ses lumières, éteintes. Peut-être avait-il décidé de dîner dehors ? Elle tenta désespérément de s'en convaincre.

N'y parvenant pas, elle contourna le bâtiment et emprunta la venelle qui le séparait des maisons adjacentes.

La Mercedes de Nils n'était pas dans la cour. Dahlia vérifia que personne ne l'observait et enjamba la grille.

---

1. Principe qui s'oppose à l'arbitraire permettant d'arrêter n'importe qui sans raison valable.

Ensuite, elle s'avança vers la demeure, jeta un œil par la fenêtre de la cuisine… aucun signe de vie.

Terrassée par la crainte qu'il ne soit déjà trop tard, l'agent du FBI voulut crocheter la serrure, mais réalisa avec angoisse que la porte était ouverte.

Elle la poussa légèrement…

Les gonds grincèrent.

Cinq secondes plus tard, elle était entrée.

À l'intérieur, tout était tranquille. *Trop* tranquille.

Elle dégaina son Smith & Wesson et s'avança sur la pointe des pieds. Les lattes du parquet geignaient dangereusement.

Son cœur battait la chamade.

Qu'allait-elle découvrir au-delà du vestibule ? Le corps éventré de son amant ? Cette seule pensée la fit tressaillir. Mais elle la censura aussitôt.

*Vider son esprit. Rester concentrée sur la mission*, lui avait-on enseigné au FBI. L'éventreur était peut-être encore sur place. Et, qui sait, celle à laquelle il livrait peut-être aussi…

Elle réalisa soudain l'inconscience de sa démarche. Elle était venue ici sans couverture, poussée par ces satanés sentiments qu'elle prétendait ne pas éprouver.

En quelques enjambées, Dahlia atteignit l'atelier. Elle le traversa, les sens en alerte. Les cyclopes primitifs sculptés par Nils semblaient la suivre de leur œil unique, tandis qu'elle progressait prudemment au milieu des statues, pistolet au poing.

Elle monta l'escalier qui menait à la mezzanine en pointant son arme autour d'elle. L'appartement ne présentait aucune trace de lutte. Le sol, aucune empreinte sanglante.

Elle fit une pause à l'étage, le dos collé au mur,

ses deux mains sur la crosse, son index déplié près de la gâchette. Elle compta mentalement jusqu'à trois et surgit dans la chambre, son arme braquée devant elle.

Personne.

Le lit était défait.

Sur la table de nuit, une vingtaine de boîtes de médicaments attendaient patiemment qu'on les sollicite.

Elle se fit la réflexion que Nils ne serait jamais parti sans son traitement. S'il l'avait laissé là, c'est qu'il comptait revenir.

Précédée de son pistolet, elle se glissa dans la pièce adjacente, avec la même prudence.

Le bureau de l'avocat était désert. Sur sa table de travail, elle trouva son agenda. Ouvert à la date d'aujourd'hui. Un rendez-vous y figurait : *9 h 30 Professeur Saouma, hôpital psychiatrique de Broadmoor.*

— Ne bougez pas, fit une voix rauque, provenant de derrière elle.

Un frisson glacial parcourut la nuque de Dahlia. La femme qu'elle recherchait l'avait précédée. Elle avait dû l'entendre arriver et se cacher dans l'angle mort de la pièce.

— Posez votre arme sur le plancher, sans vous retourner.

La criminologue hésita un moment…

— Posez-la, je vous dis, répéta la voix rauque plus fermement.

Dahlia obtempéra.

— Faites-la glisser en arrière avec votre pied.

Elle s'exécuta. L'arme parcourut quelques mètres sur le parquet ciré et s'immobilisa. Dans le reflet d'un carreau, la policière put voir une ombre s'avancer vers elle et s'accroupir brusquement pour ramasser le pistolet.

— Tournez-vous lentement, ordonna la voix.

Dahlia obéit et finit par découvrir la silhouette sombre qui la braquait avec son arme.

— Qui êtes-vous et qu'est-ce que vous faites ici ? aboya la femme en la maintenant en joue.

— Agent Spécial Rhymes du FBI. Où est Nils ? Qu'est-ce que vous lui avez fait ?

— Bon sang, vous ne pouvez pas vous annoncer avant d'entrer chez les gens ?

La silhouette sortit de l'obscurité et s'avança vers Dahlia en baissant son pistolet. À sa grande surprise, ce n'était pas la suspecte du portrait-robot.

— Maggie Hall. Je suis l'associée de Nils. Il ne répond plus au téléphone et… ça ne lui ressemble pas…

L'avocate rendit le Smith & Wesson à son interlocutrice, laquelle n'en revenait pas. Son « agresseur » n'avait pas d'autre arme que celle qu'elle lui avait prise.

*Où est passée l'agent Rhymes ? songea-t-elle. J'ai obéi à quelqu'un de désarmé !*

— Vous êtes la consultante du FBI, c'est ça ?

— C'est ça, répondit Dahlia en rengainant son pistolet.

Maggie la détailla comme seule la meilleure amie d'un homme peut détailler. Puis elle soupira longuement et déclara, pour s'en convaincre :

— C'est absurde. Il ne disparaîtrait pas comme ça, sans prévenir.

Elle tourna les talons et s'approcha du bureau de son associé. Ses doigts effleurèrent l'agenda ouvert.

— Je suis inquiète, agent Rhymes. Je suis vraiment inquiète.

— Je le trouverai, répondit Dahlia simplement.

Sans se retourner, Maggie ajouta :

— C'est ma faute, vous savez ? C'est moi qui l'ai poussé à défendre les éventreurs. Je pensais lui redonner le goût du métier avec cette affaire et, au lieu de ça, j'en ai fait une cible...

— Ce n'est pas l'avocat qu'on a enlevé, maître. C'est le transplanté du 4 août. Il aurait été une cible, qu'il s'occupe ou non de cette affaire.

Miss Hall considéra cet argument et, réalisant que la criminologue disait vrai, la remercia d'un hochement de tête.

Une sonnerie de portable les fit tressaillir. Dahlia s'excusa d'un geste et décrocha :

— Rhymes.

— J'ai une bonne et une mauvaise nouvelle, fit McKenna à l'autre bout du fil. Toutes les informations concernant les donneurs des 3 et 4 août derniers ont disparu des bases de données du Blood & Transplant.

— Comment ça, disparu ?

— Elles ont été effacées.

— Par qui ?

— Sans doute par celle à qui profite le crime...

Il y eut un silence pendant lequel Dahlia se demanda si elle pouvait parler librement devant Maggie.

— Vous m'excusez un moment ? dit-elle à son partenaire.

Elle mit la main sur le combiné et se tourna vers l'avocate qui comprit aussitôt son embarras. Elle s'approcha, une carte de visite à la main, en disant :

— Je sais que déontologiquement ça ne se fait pas, mais… si l'on pouvait se prévenir l'une l'autre dès qu'il y a des nouvelles de Nils…

— Bien sûr, répondit l'agent du FBI en acceptant la carte. Je vous enverrai mon numéro par texto.

Maggie la remercia d'un geste et quitta la pièce discrètement. Alors, Dahlia reprit sa conversation avec McKenna :

— Excusez-moi… euh… et la bonne nouvelle, c'est quoi ?

— Le mobile. Nous savons maintenant qu'il y a un lien direct entre l'identité des donneurs et cette série de meurtres sacrificiels. On a vingt-deux transplantés sur vingt-trois, poursuivit McKenna. Il ne nous manque plus que Blake, Rhymes.

— Il n'est pas chez lui, fit-elle, désespérée. Les gens de son cabinet ne savent pas où il est et il ne répond toujours pas sur son portable. Je ne sais plus quoi faire.

— On a lancé un avis de recherche. Vous êtes où, là ?

— Chez lui, à Soho.

Le poste de McKenna sonna sur son bureau.

— Deux secondes, dit-il en décrochant le filaire. Allô ?

Il écouta. À en juger par son expression, la nouvelle devait être bonne.

— Épelle-moi son nom, dit-il tout excité.

Il coinça le combiné entre sa joue et son épaule, ramassa un stylo et chercha nerveusement un morceau de papier sur lequel écrire. Ne trouvant rien, il griffonna sur sa paume : *Helen Ross*. Il raccrocha et attrapa son parka, le portable toujours collé à l'oreille.

— L'hôtesse d'accueil de Barts[1] a formellement identifié la femme du portrait-robot. Il s'agit du Pr Helen Ross. Anesthésiste-réanimateur chez eux. On se retrouve là-bas.

---

1. Surnom donné au St Bartholomew's Hospital.

## 39

La nuit était tombée sur Londres, emmitouflant la ville dans cette brume bleutée qui lui allait si bien. Il était 18 heures. Le trafic était dense sur Waterloo Bridge et le serait sans doute plus encore au sud. Les automobilistes n'avançaient que de quelques centimètres à la fois. Les piétons les narguaient en les doublant sans pitié ou en traversant allègrement hors des passages cloutés.

Quatre voitures de police escortées par des motards leur passèrent sous le nez, toutes sirènes hurlantes.

Les deux mains agrippées au volant, Bauman pestait contre les piétons, contre le trafic et la météo. Il était à cran. Mais les conditions de circulation n'étaient pas les seules responsables de son état. Il craignait secrètement d'arriver trop tard et de voir Tasdebeauxyeux leur échapper à nouveau.

À ses côtés, McKenna était d'un calme olympien. Tel un athlète se mettant en condition, ses gestes étaient toujours les mêmes avant une intervention. Il ouvrait le barillet de son six-coups et en vérifiait le chargement.

Bauman observait le Magnum du coin de l'œil.

— Il a l'air flambant neuf, monsieur. On jurerait qu'il n'a jamais servi.

— Ce n'est pas l'arme qui sert, fiston. C'est celui qui la tient. Et ce gars-là, crois-moi, il est loin d'être flambant neuf.

Le jeune inspecteur s'amusa discrètement de la remarque de McKenna. Il se dit qu'il avait une chance folle de travailler avec une légende comme lui ! Il ne désirait qu'une chose : rester le plus longtemps possible à ses côtés pour en apprendre un maximum.

Le détective fit tourner son barillet en roue libre, comme lors d'une roulette russe, puis relâcha doucement le chien avant de replacer le revolver dans son holster.

Devant eux, les trois voitures de police prirent un virage en épingle à cheveux. Bauman fit de son mieux pour ne pas se laisser distancer.

McKenna sortit son smartphone et tapa « Helen Ross » sur un moteur de recherche. Ensuite, il cliqua sur le premier lien disponible. La photo de la suspecte apparut sur l'écran. Elle était assez proche du portrait-robot qu'avait établi Dahlia. Les yeux, surtout, étaient très ressemblants. Seuls ses cheveux rasés de près étaient une surprise.

— Vous pensez qu'il n'y a qu'elle qui collecte les organes ? demanda Bauman, en jetant un regard oblique vers l'écran.

— J'espère pour nous, répondit le détective. Tiens, écoute ça : « Helen Ross. Professeur diplômée de l'hôpital universitaire de Genève en anesthésie-réanimation et chirurgie générale. Médecin-chef au St Bartholomew's Hospital... » Elle y pratique, tiens-toi bien, l'hypnosédation depuis six ans.

— L'hypno quoi ? s'enquit la jeune recrue.

— L'hypnosédation, répéta McKenna qui n'en revenait pas lui-même. L'anesthésie par hypnose.

Un adolescent était allongé sur une table d'opération. Une équipe chirurgicale le préparait pour une ablation de l'appendice.

À son chevet, Helen Ross, quarante-cinq ans, officiait en tenue de bloc. Une calotte sur les cheveux et un bâillon sur le bas du visage, son regard d'aveugle ressortait encore davantage. Des yeux clairs. Vastes et pénétrants.

— Tu es batteur *et* chanteur du groupe ? demanda-t-elle à son patient.

Sa voix rauque, étonnamment masculine, achevait de troubler ceux auxquels elle s'adressait.

— Ouais.

— Comme Phil Collins, quoi !

— Carrément, mais je chante pas aussi bien, fit l'adolescent en souriant.

— J'ai le même problème.

Elle se tourna vers son équipe en ajoutant :

— Demande à mon rock band.

Le jeune homme rit de bon cœur. Quelques secondes avaient suffi à Helen pour gagner la complicité de son patient.

— On y va ? proposa-t-elle en le fixant intensément.

L'adolescent hocha la tête. Le regard de l'hypnothérapeute avait quelque chose de fascinant et d'unique qui interpellait le passant, comme ces galets que l'on trouve au hasard d'une promenade sur la grève et qu'on ne peut s'empêcher de ramasser. Sa voix grave et rassurante procurait aussitôt une sensation de bien-être qui finissait par vaincre toute résistance.

— OK. Tu vas regarder mes pupilles, sans jamais les perdre de vue, d'accord ? Moi, je vais regarder les tiennes. Et pendant tout ce temps, je veux que tu te concentres sur ma voix.

Elle s'approcha lentement de son patient.

— Regarde bien ce qui se passe. Plus je m'approche de toi, plus mes pupilles rétrécissent. Exactement comme les tiennes. Et plus elles rétrécissent, plus il fait sombre en toi. Laisse aller, Gavin. Lâche du lest. C'est reposant, non ?

L'adolescent acquiesça.

— Pendant que tu te concentres sur le son de ma voix, les muscles de ton corps se détendent, se relâchent. Et, même si tu es conscient de m'entendre, tu es encore plus conscient de la vague de bien-être qui t'envahit… Tu peux fermer les yeux maintenant.

Le jeune homme obéit.

— Quand je compterai jusqu'à trois, tu te réveilleras sans le moindre souvenir de ce qui s'est passé. Il ne te restera qu'une sensation de douceur et de plénitude. Nous sommes d'accord, Gavin ?

Le jeune homme hocha la tête.

Les voitures de police franchirent le porche majestueux du St Bartholomew's Hospital. Elles s'engagèrent à vive allure sur le parking et freinèrent brusquement, faisant crisser leurs pneus. Les portières s'ouvrirent sur des hommes en uniforme et en civil.

McKenna, Berg et Bauman firent irruption dans le hall, entourés d'une quinzaine de policiers.

— Elle est au bloc, lança Dahlia qui était déjà sur place.

— Comment vous avez fait pour arriver avant nous ?

— Métro. Bakerloo Line jusqu'à Elephant & Castle. Après… taxi et gros pourboire pour la vitesse.

— Une vraie *Brit*[1] ! conclut le détective en s'accoudant au comptoir de l'accueil pour soulager sa cheville. Il montra son badge à l'hôtesse.

— D.C.I. McKenna. C'est bien vous qui nous avez contactés au sujet du portrait-robot ?

— Oui, monsieur. Je l'ai déjà dit à votre collègue, fit-elle en désignant Dahlia.

Puis, avec une cupidité assumée, elle ajouta :

— Il y a une récompense, pour ce genre de tuyau ?

— Certainement, fit le policier en lui serrant la main. Les remerciements de la Couronne et des familles des victimes pour votre contribution à l'enquête.

Décontenancée par cette réponse, la réceptionniste fixa McKenna avec des yeux ronds tandis qu'il exhibait la photo d'Helen Ross sur son smartphone.

— C'est bien elle ?

L'hôtesse acquiesça.

— Elle opère dans quel bloc ?

— Le 1, aile A, 3e étage, fit la jeune femme.

1. Surnom donné aux Britanniques pur jus.

Helen poursuivait la préparation de son patient. Le son de sa voix semblait lui apporter tout le bien-être nécessaire.

— Je veux que tu visualises un cadran allant de 0 à 10, 10 étant le niveau de confort maximal. Tu as le pouvoir de contrôler ce cadran. S'il arrivait que ton confort baisse en dessous de 10, il te serait très facile de le ramener au niveau de confort maximal, pas vrai, Gavin ?

L'adolescent hocha la tête.

— Parfait. Je vais placer un bloc-notes sous ton poignet et un stylo dans ta main. Et je vais te demander, tout au long de l'expérience, d'y inscrire ton niveau de confort. OK ?

Le patient acquiesça.

— À quel niveau de confort te situes-tu en ce moment ?

La main du jeune homme inscrivit un 10 maladroit sur le carnet.

— Un 10, c'est bien ça. Confort maximal.

Helen se tourna vers son équipe. L'intervention pouvait commencer. Le chirurgien tendit la main vers son assistant qui lui remit un scalpel.

— C'est comme une *caresse*, tu verras, poursuivit-elle, rassurante. Comme être en *harmonie* avec ce que tu aimes vraiment.

Le chirurgien approcha la lame du flanc du patient, tandis qu'Helen continuait de l'anesthésier par ses paroles :

— Exactement comme quand tu fais de la musique. Tu frappes tes cymbales, mais tu ne leur fais pas de mal. Tu ne leur fais *aucun mal*, répéta-t-elle. *Aucun*. Elles ne *ressentent rien*. Et pourtant, elles vibrent.

Elle fit un signe de la tête au chirurgien. La lame s'enfonça dans la chair, creusant une plaie chaude. Le patient ne broncha pas d'un cil.

— C'est inconfortable pour elles, mais ta musique le vaut bien. Et elles le savent...

McKenna et Dahlia avaient pris place en salle de viscopie, au-dessus du bloc, escortés d'une infirmière. Grâce à des haut-parleurs fixés dans les cloisons, ils suivaient les paroles échangées au niveau inférieur. Sous leurs yeux ébahis, un patient communiquait avec son anesthésiste, tandis qu'un chirurgien lui triturait les entrailles.

— Vous n'allez pas me dire que ce gamin n'est pas sous anesthésie ? fit McKenna à l'infirmière.

— Il a eu deux comprimés de paracétamol, comme pour un mal de tête. Si son niveau de confort descendait à 4, ou si son rythme cardiaque s'emballait, on lui administrerait une dose d'anesthésique local. Le cerveau gère bien mieux la douleur sous hypnose. Et la convalescence est quatre fois plus rapide. Moins de douleurs postopératoires, moins de nausées.

Un infirmier pénétra dans le bloc et s'approcha d'Helen. Il buta par mégarde sur un chariot.

Une paire de ciseaux tomba.

Le bruit métallique déconcentra le patient. Il fronça les sourcils et inscrivit un 6 sur son carnet. Le chirurgien interrompit son travail sur les viscères de l'adolescent et se tourna vers Helen qui reprit la main.

— Un 6, Gavin. Il va falloir faire mieux qu'un 6. L'intensité du picotement que tu ressens en ce moment n'a d'autre fonction que de te rappeler l'intensité de l'état de *confort* et de *détente* vers lequel je te demande de revenir. Ne perds pas le tempo. Reste dans la musique. Augmente le niveau de *confort* sur ton cadran. Tu en as le pouvoir. C'est ça, continue à remonter le niveau du cadran. Le *bien-être* se propage dans ton ventre et dans ton être tout entier. Peux-tu m'écrire le chiffre qui figure sur le cadran, maintenant ?

Le visage du patient était à nouveau détendu. Sa main écrivit un 9 sur le carnet par-dessus les autres chiffres.

— Bien joué, Gavin. Un 9. En route vers le *confort maximal*.

L'infirmier fautif s'excusa auprès d'Helen et murmura à son oreille. Dans les secondes qui suivirent, l'anesthésiste leva les yeux vers la coupole de viscopie et salua de la tête ceux qui étaient venus pour l'arrêter.

Parmi eux, elle reconnut Dahlia.

Elle la fixa intensément, puis elle reprit le fil de son discours, sans quitter la criminologue des yeux.

— Tu garderas de ce moment ce qui est utile et *agréable*. Le reste sera balayé de ta mémoire, comme le sable, par le vent du désert.

Dahlia éprouva un besoin impérieux de s'arracher à ce regard inquisiteur. Elle quitta la pièce en titubant, referma la porte derrière elle et s'y s'adossa. Elle était transie de peur. Elle aurait voulu courir loin d'ici pour ne plus être à la merci de ces yeux. Durant quelques secondes, elle avait eu, une fois encore, la sensation d'être totalement perméable. Comment était-ce possible ?

McKenna la rejoignit à l'extérieur.

— Ça va ? lui demanda-t-il, inquiet.

— Ça va aller. Les hôpitaux me font toujours un drôle d'effet, mentit-elle.

Une vingtaine de minutes plus tard, les portes du bloc s'ouvrirent.

Helen Ross en sortit, vêtue d'un costume gris en flanelle et d'une chemise à col mao. L'élégance masculine des vêtements qu'elle avait passés, ses cheveux coupés à ras et son visage osseux achevaient d'imposer une silhouette androgyne.

— Désolée de vous avoir fait attendre, messieurs, dit-elle à la troupe de policiers chargés de l'arrêter. La prochaine fois, prenez rendez-vous, c'est plus sûr.

Bauman surprit tout le monde en la plaquant contre le mur, son arme de service sur la nuque.

— Mains derrière le dos ! Plus vite que ça !

— Doucement, fiston, intervint McKenna en le dégageant d'un revers de la main. Elle n'est pas armée.

Mais, en se retournant, le détective réalisa que le reste de ses hommes avait réagi exactement comme Bauman. Ils la tenaient en joue, comme si elle détenait le pouvoir de les anéantir tous d'un seul regard.

— Baissez vos armes, ordonna-t-il. Et lisez-lui ses droits.

Deux policiers verrouillèrent les menottes d'Helen Ross. Puis ils l'empoignèrent.

McKenna sentit une gêne chez Dahlia, un malaise dont l'origine semblait être moins l'hôpital que sa prisonnière.

— Vous avez le droit de garder le silence. Dans

291

le cas contraire, tout ce que vous direz pourra et sera utilisé contre vous devant un tribunal…

Tandis que Berg lui signifiait ses droits, Helen tourna lentement la tête vers la criminologue. Elle la dévisagea comme Jésus avait dû le faire avec Judas au jardin des Oliviers. Un mélange d'assentiment et de compassion.

## 41

Les chaînes de télévision avaient interrompu leurs programmes à l'annonce de l'arrestation d'un suspect. La fièvre avait gagné toutes les rédactions et des sujets sur Helen Ross avaient été montés à la va-vite avec tous les « à-peu-près » qui étaient monnaie courante dans ce genre de course au scoop.

Les compétences en hypnose de la suspecte donnaient, à elles seules, un caractère sensationnel aux nouvelles, ce qui ne manquerait pas de faire exploser les audiences et les tirages. Helen Ross était la candidate idéale pour les manchettes. Une notable qu'on allait pouvoir jeter en pâture à la vindicte populaire. La presse allait en faire ses choux gras. Et pas seulement les tabloïds.

Une heure après l'arrestation de la présumée coupable, Dahlia reçut un coup de téléphone de son patron du FBI.

— Un moment, monsieur Turner, fit-elle en cherchant autour d'elle, dans les couloirs de Scotland Yard, un endroit pouvant lui assurer un semblant de discrétion.

Elle opta pour le local de la photocopieuse.

— Je vous écoute, monsieur, dit-elle en vérifiant que personne, dans les bureaux voisins, n'avait remarqué son manège.

— Vous avez mis dans le mille, Rhymes. L'ambassadeur américain est aux anges. Vous n'avez donc plus aucune raison de rester chez les « rosbifs ». Vous pouvez rentrer à la maison.

La criminologue jeta un œil par-dessus son épaule. Une frénésie nouvelle régnait dans l'*open space* et Dahlia se sentait en parfaite harmonie avec elle.

— Avec tout le respect que je vous dois, monsieur Turner, ma mission auprès de Scotland Yard n'est pas terminée, je…

— C'est moi qui vous ai confié cette mission, Rhymes. Et je viens de vous dire qu'elle *est* terminée.

— Rien ne prouve, pour l'instant, que la suspecte est coupable, monsieur.

— On s'en fout, Rhymes, OK ? L'ambassadeur est content. Le reste, c'est leur problème.

— Très bien, monsieur. Dans ce cas… euh… si vous n'y voyez pas d'inconvénient, je voudrais prendre quelques jours de congé, avant de rentrer. Je n'ai pas eu la chance de visiter Londres et… cette ville me plaît.

— De congé ? Vous vous sentez bien, Rhymes ?

— Oui, monsieur. Un peu fatiguée, mais…

— Ce sera à vos frais, on est d'accord…

— Bien sûr, monsieur.

Il y eut un moment de silence, puis :

— Amusez-vous. Vous l'avez bien mérité. Beau travail, Rhymes.

— Merci, monsieur.

Elle raccrocha et souffla, soulagée. Jamais elle n'aurait accepté de quitter la ville avant d'avoir retrouvé Nils.

Helen Ross croupissait à présent en salle d'interrogatoire, les mains menottées à un pied de table, lui-même fixé au sol par des boulons. Toutes ces précautions paraissaient démesurées pour quelqu'un d'apparence si inoffensive. Mais l'était-elle vraiment ?

Adossée à sa chaise, la tête relevée vers le plafond, elle attendait sereinement qu'on la sollicite.

*La patience du crocodile avant qu'il déchaîne sa furie*, songea Dahlia.

Derrière un miroir sans tain, la criminologue observait le profil de sa prisonnière en compagnie de McKenna, de Berg et du Pr Schell, le spécialiste de l'hypnose dont Nils lui avait parlé. Cet homme de soixante ans, d'allure austère, était tout entier dédié à ses recherches. Il avait appris l'humilité à force de se frotter à l'inconnu. Comme tous les chercheurs, il savait que la science est le nom que l'on donne à la fiction quand elle cesse de l'être.

— Ne la laissez pas parler trop longtemps, conseilla-t-il. Obligez-la à des phrases courtes. En matière de suggestion, la voix est un vecteur essentiel.

— Je croyais qu'on ne pouvait hypnotiser quelqu'un qu'avec son consentement, objecta Dahlia.

— En théorie. En pratique, cela dépend de bien d'autres facteurs, comme la force de conviction de l'hypnothérapeute ou le degré de suggestibilité du sujet. Helen sait se montrer très convaincante…

McKenna et Dahlia échangèrent un regard inquiet.

— On pourrait avoir du café ? demanda le détective à Berg.

Amusé, l'inspecteur sortit en chercher.

La criminologue sourit. Schell en fit autant.

— Vous avez de l'humour. C'est bien. Vous en aurez besoin. Une dernière chose… Quoi qu'elle vous dise, évitez de la regarder dans les yeux trop longtemps. C'est plus prudent.

La porte s'ouvrit derrière eux. Le superintendant Quinn pénétra dans la petite salle d'observation et dévisagea aussitôt Schell.

— Vous êtes qui, vous ? demanda-t-il avec arrogance.

McKenna s'empressa d'intervenir avant que le chercheur en prenne ombrage :

— Jason, je te présente le Pr Schell, docteur en psychopathologie et hypnothérapie. Il était le professeur d'Helen Ross à Genève, avant d'être nommé à la tête du London College of Clinical Hypnosis. Il a gentiment accepté de nous « coacher » pour l'interrogatoire qui va suivre. Et de rester discret sur cette collaboration. Professeur, je vous présente le superintendant Jason Quinn, responsable des enquêtes criminelles à Scotland Yard.

Les deux hommes échangèrent une poignée de main glaciale en se jaugeant du regard. Deux façons de penser irréconciliables.

— Espérons que notre « coach » reste éveillé, lui, ironisa le superintendant.

Le sarcasme de cette remarque sonnait comme un affront. Ce qui poussa McKenna à monter au filet :

— Le Pr Schell est un des plus grands spécialistes européens de l'hypnose, Jason. Je suis certain que ses conseils s'avéreront très utiles, que tu adhères ou non à la discipline qu'il enseigne. C'est suffisamment clair ou tu veux qu'on en parle dans ton bureau ?

La menace dans la voix du détective n'était pas feinte. Pour défendre les siens, McKenna était prêt à affronter ses supérieurs en se moquant des conséquences. Dalhia venait de comprendre pourquoi ses hommes le respectaient tant. Mais aussi pourquoi il n'était pas monté plus haut sur l'échelle savonnée de l'administration policière.

En guise de réponse, Quinn eut un rictus comparable à celui d'un homme politique qui vient d'encaisser un coup bas, en direct à la télé.

— Ne vous inquiétez pas, rétorqua-t-il avec une fausse légèreté. Je ne vais pas rester dans vos pattes. Je venais juste voir la « bête ». Où est son avocat ?

— Elle refuse toute assistance pour l'instant.

Il s'approcha du miroir sans tain, les mains dans les poches, et détailla sa prisonnière en disant :

— Casier judiciaire vierge, parcours universitaire exemplaire, des louanges partout où elle passe. Pas de vices connus, pas de problèmes bancaires. Célibataire, sans enfants, bref, une sainte. Juste un petit accroc qui nous empêche de la canoniser. Elle collectionne les organes humains.

Quinn se retourna vers son détective et, avant de sortir, lui glissa :

— Le CO19[1] va se charger de l'intervention à son domicile.

— De l'intervention ?

— Ouais. Il y a peut-être d'autres membres de sa secte, là-bas. Je ne veux prendre aucun risque.

1. Équivalent britannique du G.I.G.N.

— Il y a surtout des indices précieux. Envoie tes cow-boys si tu veux, mais à une condition : je suis de la partie. Je ne veux pas hériter de leur bordel.

Le superintendant serra les dents, préférant ne pas relever. Puis il murmura à son oreille :

— C'est toi ou le Pr Nimbus qui va interroger Tas-debeauxyeux ?

— D'après toi ?

Quinn regarda successivement le détective et sa prisonnière. Puis il tapa amicalement sur l'épaule de McKenna en disant :

— Bonne chance, vieux...


La salle d'interrogatoire était une pièce sans fenêtres, éclairée par un unique tube néon fixé en plafonnier au-dessus des suspects. McKenna y entra avec deux gobelets de café et une enveloppe de papier kraft. Sa boiterie était plus légère.

Helen ne leva pas les yeux. Elle contemplait méticuleusement les lignes de sa main gauche.

— Vous n'avez pas peur de tomber « sous mon emprise » ? ironisa-t-elle, de sa voix rauque.

— Je ne risque pas grand-chose, je suis insomniaque. Je n'arrive déjà pas à dormir la nuit, alors en plein jour...

Le détective déposa les cafés sur la table, tout en prenant garde d'éviter le regard de son interlocutrice.

— Brûlez de la sauge. Placez une bassine d'eau sous votre lit, et orientez sa tête vers le nord. Avec ça et une tisane de verveine au coucher, vous devriez dormir comme un bébé.

— Merci, docteur, mais vous n'êtes pas ici pour une consultation.

De l'autre côté du miroir sans tain, Berg suivait les oscillations acoustiques de la prisonnière sur l'écran d'un analyseur de stress vocal, dans le vain espoir d'y détecter ses mensonges.

— Il ne se débrouille pas trop mal, fit remarquer Dahlia.

— C'est la première phase de toute thérapie, dite « phase d'observation », commenta Schell. Le thérapeute amène le sujet à formuler ses critères personnels. À se confier. Chaque individu est un cas particulier. Pour espérer entrer dans son esprit, il faut faire connaissance. Et c'est exactement ce qu'Helen est en train d'accomplir.

Dahlia se tourna vers Schell, décontenancée. Elle n'avait pas su décoder ce qui se jouait devant ses yeux. En serait-il de même pour son partenaire ? Fallait-il interrompre l'entretien pour le prévenir ?

McKenna disposa un gobelet de café devant Helen.

— Noir, sans sucre. Ça vous définit plutôt bien, non ?

— Quelle perspicacité ! En revanche, pour le sens pratique, vous repasserez.

Elle leva les mains vers le godet pour montrer à son hôte que ses menottes l'empêchaient de l'atteindre.

— Je vais avoir besoin d'aide, ajouta-t-elle en le dévisageant.

McKenna hésita. Helen s'en rendit compte et s'en délecta.

— Allons, n'ayez pas peur… Je ne vais pas vous manger.

Il s'approcha et plaça le gobelet dans les mains de sa prisonnière.

Elle en profita pour le toucher, ce qui le mit mal à l'aise. Il retira sa main un peu trop rapidement et remit une distance raisonnable entre eux. Helen s'en amusa.

Le policier ouvrit l'enveloppe de papier kraft et en sortit des clichés représentant les éventreurs. Il les déposa sur la table en disant :

— Vous reconnaissez ces personnes ?

— Je devrais ?

Les yeux d'Helen cherchaient ceux de McKenna avec avidité. Le détective, qui s'en était aperçu, s'efforçait de masquer sa nervosité grandissante.

— Je suppose que c'est votre plus belle cravate ? s'enquit-elle.

— C'est la seule.

— Étrange… Mes yeux sont de la même couleur…

Un mauvais réflexe poussa McKenna à vérifier. Son regard rencontra celui d'Helen. Un trouble naquit de ce face-à-face, trouble auquel le policier s'efforça d'échapper en se détournant.

De l'autre côté du miroir sans tain, l'incident n'avait pas échappé à Dahlia et au Pr Schell. En s'approchant de la baie vitrée, McKenna leur fit un clin d'œil, pour les rassurer. Mais il n'en menait pas large.

— Il lui a suffi de cinq minutes pour l'obliger à la regarder, constata l'agent du FBI avec inquiétude.

— Forcer le regard de quelqu'un permet de marquer des points très vite dans le cadre d'une manipulation mentale.

— Comment ça ?

— Cette technique agit comme une sorte de bombe

à retardement. Elle atteint la confiance du « regardé ». On est entré chez lui par effraction, la porte principale de son inconscient est fracturée et une bonne portion de son énergie va être utilisée à réparer les dommages pendant que l'entretien se poursuit. D'où un affaiblissement de la vigilance.

Le gobelet de McKenna se renversa, répandant son café sur la table. D'un geste vif, il dégagea l'enveloppe de papier kraft, avant que le liquide ne l'atteigne. Puis il revint avec, vers sa prisonnière.

— Est-ce que vous savez pourquoi vous êtes ici, professeur ?

— D'après ce qu'on m'a dit, j'aurais… « poussé des gens à tuer sous hypnose » ? ironisa-t-elle en fixant le café qui progressait vers le bord de la table. On nage en pleine science-fiction.

Le policier aligna les photos des quatre sacrifiés, loin de la flaque, sous le nez de la suspecte.

— Et ça, c'est de la science-fiction ?

Tandis qu'Helen se concentrait sur les clichés, McKenna guettait son expression. Elle semblait fascinée.

— Ils sont magnifiques.

— Magnifiques ? s'offusqua le détective.

— Je veux dire… pour des cocons. La mort n'est que métamorphose. Aujourd'hui, l'homme dépense des fortunes à soigner son apparence déclinante, de son vivant. Il y a cinq mille ans, il était obsédé par celle qu'il aurait après sa mort. Quand on y réfléchit, c'est plus logique. Un mort, ça ne vieillit pas. Et l'éternité vaut bien un petit lifting.

McKenna acceptait mal la légèreté avec laquelle sa prisonnière évoquait les victimes.

— Les gens dont vous parlez étaient bien vivants avant que vous ne leur fassiez subir...

— Que *je* ne leur fasse subir ? Et comment aurais-je fait, détective chef inspecteur ?

McKenna évita le regard de son interlocutrice. Mais cela devenait de plus en plus difficile.

— La mort est l'antichambre d'une nouvelle vie, poursuivit-elle. Et il faut se réjouir quand elle nous ouvre ses portes.

— Se réjouir ?

— Oui. Se réjouir d'y accéder. Nos sciences « exactes » sont incapables de nous donner des réponses sur ce qui se passe après la mort. Les anciens, eux, nous en ont apporté à travers leurs rites et leurs croyances. Mais nous préférons les oublier. Et après, on s'étonne d'être désemparé ?

— Allez expliquer ça aux familles des défunts.

— Je ne crois pas à la notion de défunt. Pour moi, il y a juste vivant et ailleurs.

— Définissez « ailleurs ».

— Dans un autre niveau de conscience... où seule l'âme peut nous conduire.

— De quelle âme parlez-vous ? De celle qu'il convient d'apaiser, par tous ces sacrifices ? Celle qui est mentionnée dans l'épitaphe que vos éventreurs laissent derrière eux ?

Helen sourit, mal à l'aise. McKenna était tenté de lire la gêne dans ses yeux, mais n'en fit rien.

— Si vous me parliez de *Celui dont le Nom n'est plus*, professeur.

302

Le visage serein de l'anesthésiste se chargea soudain de rancune.

Ce que ne manquèrent pas de noter Dahlia, Schell et Berg, derrière le miroir sans tain.

— Dans les cordes, la mère Ross ! se réjouit l'inspecteur.

— C'est sur la défensive que le serpent est le plus dangereux, objecta sa collègue.

L'inspecteur se tourna vers Schell qui acquiesça tout en ajoutant :

— Helen n'est pas juste un des meilleurs hypnothérapeutes de sa génération. Elle a cette faculté rare de retourner les arguments de ses détracteurs contre eux. Une espèce d'aïkido oratoire où plus un adversaire développe sa puissance, plus il est susceptible de tomber sous ses propres coups.

— Sous l'Égypte antique, poursuivit McKenna, la punition suprême consistait à effacer le nom de quelqu'un. Ne plus le nommer, c'était le plonger dans l'oubli. Vous vous intéressez à l'Égypte, professeur ?

— Comme tout le monde.

— Comme le tueur que nous recherchons.

— Soixante-trois millions de suspects, rien qu'au Royaume-Uni. Vous allez avoir du travail.

— Mais un seul qui allie connaissance des rites anciens et maîtrise de l'hypnose… J'ai vu, dans votre C.V., qu'en plus de vos diplômes médicaux, vous possédiez également une maîtrise en égyptologie et rites anciens de l'University College London. Qu'est-ce qui a pu pousser une scientifique comme vous à s'intéresser à des sciences aussi… inexactes ?

— La foi. Et le manque de certitudes. La foi se nourrit du doute, détective chef inspecteur. Quand on dit « je crois », c'est bien qu'on n'est pas sûr.

Schell consulta sa montre.

— Je suis désolé, docteur Rhymes, mais je vais devoir vous quitter.

— Déjà ?

— Ma conférence m'attend. Je ne peux pas être en retard. Vous connaissez les consignes. Tant que l'un d'entre vous reste attentif à ce qui se passe pendant les entretiens, il peut intervenir à tout moment et briser le lien qui s'établit.

— Bien sûr. Merci d'avoir fait le déplacement, professeur.

— C'est bien normal. Je ne comprends pas ce qui aurait pu pousser Helen à se détourner ainsi de sa mission. Elle était si... dévouée aux autres. Elle a fait beaucoup de bien autour d'elle, vous savez ?

Dahlia eut une moue compatissante. Elle raccompagna son hôte jusqu'à la porte. Avant de sortir, Schell eut un dernier regard pour sa disciple.

— Vous croyez vraiment qu'elle est responsable de ces atrocités ?

— C'est à elle que le dernier éventreur a livré les organes.

Le chercheur hocha la tête tristement et lâcha avant de sortir :

— Si c'est le cas, je m'en voudrai toute ma vie.

— Et si on parlait « alibi », professeur Ross ? Quatre meurtres, quatre créneaux horaires qu'il va vous falloir couvrir. Je ne parle pas des meurtres en eux-mêmes, bien sûr, car vos éventreurs s'en sont chargés. Non, je parle des livraisons qui ont suivi.

Il déposa un document devant Helen en disant :

— Ceci est une petite simulation des horaires. Où étiez-vous, par exemple, hier à 12 h 30 ?

— J'étais chez moi.

— Quelqu'un peut en attester ?

— Non.

— Vous n'étiez pas à l'hôpital...

— Pas à 12 h 30, non.

— Pourquoi ? C'était la pause déjeuner ? Ou bien la pause livraison ?

Pour toute réponse, Helen croisa les mains sous son menton. McKenna prit appui sur la table face à sa prisonnière et poursuivit son raisonnement en évitant de la regarder droit dans les yeux :

— À 12 h 30, hier, l'agent Rhymes et moi, nous vous courions après. À propos...

Le détective sortit une paire de lunettes de sa poche et la fit glisser sur le meuble, jusque sous le nez d'Helen. Les montures étaient encore endommagées.

— ... je vous ai rapporté vos lunettes.

Les yeux de l'hypnothérapeute se reflétèrent un moment dans les verres miroir fissurés, mais elle se garda bien de les toucher.

— Vous voulez quoi exactement, détective chef inspecteur ? Que je mette mon ADN sur ces lunettes, histoire de justifier ma détention ? C'est ça qui vous ferait plaisir ?

— Pourquoi utiliser une glacière pour le transport ? répliqua-t-il, imperturbable. Pour nous faire croire à un trafic d'organes ? Qu'est-ce que vous faites de tous ces greffons, professeur ?

Les yeux aiguisés d'Helen scannaient McKenna, à l'affût du plus léger indice. Les rides de son front, la jugulaire qui battait sous son cou...

— Quels greffons ? fit-elle en continuant de détailler son contradicteur.

La concentration de l'hypnothérapeute était telle qu'elle percevait la respiration du policier, le battement intime de son cœur sur les veines apparentes de ses rugueuses mains de flic... adoucies par l'alliance qu'il portait à l'annulaire...

— Ceux que vos éventreurs récupèrent, répondit McKenna. Vous avez fait prélever les autres organes pour nous embrouiller, mais ce sont les greffons qui vous intéressent, n'est-ce pas, professeur ?

Les pupilles d'Helen s'arrêtèrent sur l'indice qu'elles cherchaient : le détective portait une deuxième alliance en pendentif autour du cou...

Une expression de tristesse éclaira le visage de l'anesthésiste, tandis que McKenna poursuivait :

— Pourquoi avoir fait disparaître des bases de données du Blood & Transplant toute information concernant les prélèvements des 3 et 4 août derniers ?

— Vous me surestimez. Je suis nulle en informatique.

— Mais très douée en manipulation mentale. J'ai lu quelque part qu'on pouvait apprendre à jouer d'un instrument, sous hypnose. Peut-on apprendre des rudiments de chirurgie ?

— L'homme peut tout apprendre, détective chef inspecteur, sauf à accepter la mort. Il est prêt à se mentir, pour y survivre.

Un silence glacial et pesant submergea la salle, à l'instar de celui que perçoit le boxeur juste avant le K.-O. McKenna avait encaissé un direct en plein visage alors qu'il ne s'y attendait pas. Il titubait. Il était dans les cordes. Et Helen allait pouvoir placer quelques uppercuts.

— Pourquoi garde-t-on l'alliance de celle qu'on aime autour du cou quand elle n'est plus là pour la porter ?

Le policier ne put s'empêcher de lever les yeux vers sa prisonnière.

— Par fétichisme ? Non. Parce qu'on refuse son absence. Ce qui nous fait peur, dans l'idée de mourir, ce n'est pas la décomposition du corps. C'est le départ de l'âme. Pour celui qui reste, c'est un supplice.

McKenna ne pouvait plus détacher son regard de celui d'Helen. Elle avait trouvé le point douloureux de son adversaire et appuyait dessus sans merci.

— La plupart des gens acceptent la fatalité qui les frappe, sous prétexte que les dieux ont leurs raisons que notre raison ignore. Mais il existe un autre choix. Celui de refuser. C'est le choix que vous avez fait, n'est-ce pas, détective chef inspecteur ?

Dahlia fit irruption dans la pièce et interpella son supérieur :

— McKenna !

Le détective sembla sortir d'une transe.

Penché sur le lavabo de la salle d'observation, le colosse irlandais se passait de l'eau sur le visage.

— Ça va aller ? s'enquit Dahlia.

Il acquiesça et poussa un long soupir.

— Laissez-moi faire, proposa-t-elle. Je sais comment leur parler.

Le silence qui suivit fut rompu par l'entrée de Bauman dans la pièce :

— Le CO19 est paré pour la perquise, monsieur.

McKenna se tourna vers la salle d'interrogatoire. Helen Ross y buvait tranquillement son café.

— Je vais faire un tour chez elle, dit-il à Dahlia. Berg, tu ne bouges pas d'ici et tu ne les lâches pas des yeux, compris ? Rhymes...

— Les héros, c'est chez les pompiers, je sais, dit-elle en terminant la phrase de son partenaire.

Le détective eut un rictus de sympathie, tapa sur l'épaule de Dahlia, comme il l'aurait fait avec un de ses hommes, et sortit.

## 42

La porte coulissante de la fourgonnette s'ouvrit. Les hommes en noir du CO19 surgirent comme des fauves qu'on libère dans le tunnel d'entrée accédant à la piste du cirque. Le cliquetis de leurs armes remplaçait le bruit de leurs pas tant les membres de ce commando semblaient survoler leur parcours. Gilets pare-balles et casques à visière en Plexiglas, tout semblait prévu pour essuyer le feu d'un ennemi qui ne tarderait pas à les prendre pour cible.

McKenna avait emmené Emma et Bauman. Knox s'occupait de coordonner le rapatriement des transplantés. Quant à Berg et Dahlia, ils géraient Helen.

Boosté par le rush d'adrénaline, le détective ne boitait plus. Bauman avait la gorge sèche. C'était sa première intervention avec le CO19. Même s'il avait répété l'exercice à de nombreuses reprises à l'école de police, cette fois, c'était pour de vrai. Il observait McKenna et Emma avec un mélange d'admiration et d'envie. Comment pouvaient-ils avoir l'air si sereins ?

Le commando d'élite se scinda en deux. Une moitié prit l'entrée principale de l'immeuble bourgeois, l'autre celle de service. Les policiers du Yard suivirent le capitaine qui commandait l'assaut. Leur groupe progressa dans l'escalier en file indienne.

Arrivé sur le palier du quatrième étage, le chef du CO19 repéra le nom de « Ross » sur la sonnette d'un appartement. Il fit signe à ses hommes de se positionner autour de la porte. McKenna, Emma et Bauman se répartirent le long du mur, derrière l'unité d'intervention.

Le capitaine posa son oreille contre le battant et perçut des voix qui discutaient.

Bauman transpirait à grosses gouttes. Il était pâle comme un linge.

*Combien sont-ils à l'intérieur ?* se demandait-il. *Sont-ils armés ?*

Il ne put s'empêcher de penser au siège de Waco[1] au Texas et au brasier qui avait suivi l'intervention des forces de l'ordre.

— Police, ouvrez ! hurla le chef du commando en tambourinant contre la porte.

Dans l'appartement, les voix montèrent d'un ton, comme si deux personnes se disputaient. Le chef s'écarta, consulta sa montre et laissa s'écouler le nombre de secondes prévues par le règlement après les sommations. Pendant ce temps, deux de ses hommes préparaient un outil pour enfoncer la porte.

— Maintenant, ordonna-t-il.

Le bélier en acier fit exploser la serrure.

Les membres du CO19 s'engouffrèrent dans l'appartement, toutes armes dehors, en hurlant :

— Police !

---

1. L'un des raids les plus meurtriers menés par le FBI, contre la secte des Davidiens.

Ils scannèrent chaque recoin de l'habitation. Mais ils ne trouvèrent personne à l'intérieur. Les voix provenaient d'un poste de télévision allumé.

Déjà, dans le couloir de l'étage, certains résidents, alertés par le bruit, entrouvraient leurs portes. D'autres avaient quitté leur logement et papotaient entre eux en se hissant sur la pointe des pieds pour prendre des photos.

— Excusez-moi…

Une femme d'une quarantaine d'années s'approcha de McKenna. Deux petites filles la suivaient, accrochées à ses pas comme une portée de chiots.

— Il est arrivé quelque chose à Helen ?

— Vous la connaissez ? répondit le détective.

— Je suis sa voisine de palier. Elle n'a rien, j'espère.

— Non. Elle habite seule, ici ?

— Elle vivait avec quelqu'un, mais ça fait un moment que je ne l'ai pas vu.

— Ils sont séparés ? s'enquit Emma.

— J'espère que non. Ils forment un si joli couple, tous les deux ! Sans histoires… Il s'est passé quelque chose de grave ?

— Non, madame, fit McKenna. Je suis désolé, nous ne pouvons rien vous dire de plus.

— Vous n'avez rien remarqué de spécial, ces derniers temps ? renchérit Emma. Des visites étranges ? Des éclats de voix ?

— Non, rien de tout ça. Helen est une voisine modèle, vous savez.

— Rentrez chez vous, madame. Ne laissez pas vos enfants dans ce couloir.

La femme se pencha vers ses filles, leur murmura quelque chose et les entraîna sagement vers la porte voisine.

Une fois les lieux sécurisés, les hommes du CO19 se retirèrent, laissant la place aux inspecteurs du Yard.

— Range-moi ça, fit Emma à Bauman en désignant son arme du menton. Tu vas finir par blesser quelqu'un.

Le jeune inspecteur tremblait encore comme une feuille. Il aurait tant souhaité que cela ne se voie pas.

Le détective enfila une paire de gants de latex, alluma la lumière et parcourut l'appartement du regard. Contre toute attente, l'endroit n'avait rien d'un intérieur bourgeois. C'était un décor zen chichement meublé, où chaque objet renvoyait à l'ésotérisme et au sacré. Des masques primitifs semblaient veiller sur une collection d'instruments chirurgicaux très anciens... L'association des deux produisit chez McKenna une sensation de malaise.

Il se retourna et porta son attention sur un bureau austère aux lignes monacales. Un cadre unique le décorait. On y voyait un homme oriental d'une trentaine d'années posant avec Helen, le long d'une voie de chemin de fer. Ils étaient adossés à une charpente en ruine. Face à la photo trônait une balance en or. Située au-dessus d'un sous-main de cuir, elle semblait en condamner l'accès. Une plume était placée sur l'un des deux plateaux, lesquels étaient en parfait équilibre. Le détective souleva la lourde balance pour libérer délicatement le sous-main. Les plateaux perdirent aussitôt leur subtil aplomb.

À l'intérieur du porte-documents, le policier s'attendait à découvrir une collection d'articles de journaux relatant la découverte des sacrifices humains. Suivraient des photos des éventreurs et de leurs victimes, prises au téléobjectif, dans leur vie quotidienne précédant le drame. Enfin, des notes exhaustives sur leurs habitudes. Mais il n'y avait rien de tout cela. Le sous-main était vide. Pas le moindre indice qui puisse relier Helen à ses éventreurs ou à leurs victimes. À quoi pouvait bien servir cet accessoire ?

Alors, McKenna se rappela les paroles de Dahlia : « Le tueur cherche à nous perdre. Exactement comme dans les pyramides. Les chambres vides n'existent que pour protéger le tombeau. »

Le détective récupéra le cliché de l'homme oriental et le glissa dans la poche intérieure de son parka.

Il délaissa le bureau pour s'intéresser aux livres qui tapissaient l'intégralité des murs de l'appartement. La plupart des ouvrages traitaient d'ésotérisme : *Le Livre des morts, Rites mortuaires et talismans, L'Embaumement et ses techniques, Transe hypnotique et magnétisme animal.*

— Hé, Mac, viens voir ça ! s'écria Emma.

McKenna se retourna et rejoignit sa collègue à genoux devant des rayonnages. Des centaines de cahiers y étaient méticuleusement référencés. Elle avait ouvert l'un d'eux. Ses pages étaient criblées de hiéroglyphes et de croquis médicaux. L'ensemble évoquait irrésistiblement le travail d'un Vinci égyptien. En parcourant ces feuillets, McKenna hésitait entre malaise et fascination.

Le poste de télévision allumé diffusait à présent un bulletin spécial en direct de l'hôtel *Guoman Tower* : « ... On ne connaît pas les raisons qui ont poussé

Scotland Yard à agir de la sorte, étant donné que le principal suspect dans l'affaire des Éventreurs, Helen Ross, est actuellement sous les verrous… »

— Ouais, commenta Bauman. Il manquerait plus qu'on vous les donne, nos raisons.

— Un mois au Yard et il se la pète déjà, nota Emma en partageant un sourire avec McKenna.

« … reste que les familles des transplantés n'ont toujours pas la permission de visiter leurs proches. Seule la mère du petit Tobby Graham, 6 ans, a obtenu l'autorisation de rester auprès de son fils… »

Le détective s'immobilisa, les yeux rivés sur l'écran.

— Mais ils sont dingues ou quoi ? grommela-t-il.

Bauman et Emma n'eurent pas le temps de réagir que déjà McKenna se précipitait vers la sortie en dégainant son téléphone.

## 43

Debout face au miroir sans tain, Dahlia observait Helen Ross. Elle l'avait laissée moisir seule dans la salle d'interrogatoire, histoire de faire monter la pression. Mais rien, dans l'attitude de sa prisonnière, ne trahissait la moindre inquiétude. La tête relevée vers le plafond, les yeux fermés et le dos creusé, elle semblait méditer. S'extraire de cette enceinte dans laquelle on la maintenait enfermée. Ses mains jointes, menottées devant elle, accentuaient l'impression de prière. L'attente avait en fait l'air de la régénérer.

Pour la première fois de sa carrière, Dahlia ressentait de la peur. Peur d'entrer dans cette pièce. Peur de se confronter à nouveau à ce regard inquisiteur. Peur des conséquences sur sa psyché.

Elle se savait vulnérable.

La disparition brutale de Nils la fragilisait bien plus qu'elle ne voulait se l'avouer. Il était présent dans son esprit chaque instant et elle déployait des efforts surhumains pour l'en chasser. Il n'avait fallu que quelques minutes à Helen pour localiser le tendon d'Achille de McKenna, combien de temps lui faudrait-il pour déceler le sien ?

*Ne plus penser à Nils. Oublier jusqu'à son existence.*
Elle craignait de ne pas être à la hauteur. Pourtant, depuis toute petite, elle en avait connu des esprits putrides ! À commencer par celui de son propre père. Et elle avait appris à s'en protéger. Une exposition prolongée aux aspects les plus sombres de l'âme humaine avait développé en elle les anticorps lui permettant d'y survivre.

Ce fut d'une main tremblante que la criminologue poussa la porte de la salle d'interrogatoire. La perception interne de sa respiration rivalisait avec le bourdonnement externe du néon. La moiteur perlait sur son front. Les poils se hérissaient sur sa peau. Mais, de toutes les manifestations physiques de son effroi, les battements de son cœur constituaient son principal handicap. Car, si Dahlia ne parvenait pas à les contrôler, ils crisperaient bientôt ses cordes vocales et altéreraient le son de sa voix. Il lui serait alors impossible de dissimuler à son interlocutrice la crainte qu'elle ressentait.

— Bonjour. Je suis le docteur Dahlia Rhymes, déclara-t-elle après s'être raclé la gorge.

Helen quitta sans hâte sa méditation et posa ses yeux contagieux sur son nouvel interlocuteur.

— Je vous attendais. Vous ne pouvez pas savoir à quel point. Êtes-vous enrhumée, docteur Rhymes ?

— Pas que je sache, répondit Dahlia, déconcertée par la question.

— Le raclement de gorge a généralement pour but de décoller de la paroi du pharynx des mucosités diverses. Mais il peut également avoir des causes psychologiques. Les attaques de panique, par exemple.

Cette sensation d'avoir une boule dans la gorge, vous voyez ce que je veux dire ?

Cette première remarque eut pour effet immédiat de désarçonner Dahlia. Son cœur se mit à battre encore plus vite. Ses cordes vocales s'engourdirent davantage.

*Souviens-toi de ce que t'a dit le Pr Schell. Cantonne-la à des phrases courtes.*

Mais elle en fut momentanément incapable. Helen en profita pour continuer de déverser son venin.

— La peur est un mécanisme de défense, docteur Rhymes. Elle peut s'avérer utile ou néfaste selon les individus. La sensation de danger stimule le cortex préfrontal droit. L'instant d'après, on expérimente un shoot d'adrénaline qui booste les uns et paralyse les autres. À quel groupe appartenez-vous ?

— Au premier, fit-elle en se forçant à recouvrer ses esprits.

— Vous m'en voyez ravie.

Dahlia se détourna un instant et s'approcha du miroir sans tain. Le visage assombri de la suspecte s'y reflétait. Ses yeux étaient braqués sur elle, prêts à la sonder.

— Et vous, professeur Ross, à quel groupe appartenez-vous ? Au premier ou au second ?

— Je ne connais pas la peur.

— Les sociopathes non plus. Ils ne ressentent pas les émotions humaines. Ils n'ont aucune empathie. Ni pour les autres ni pour eux-mêmes. D'où cette incapacité à ressentir les souffrances qu'ils infligent. Le Bien, le Mal, ce sont des notions floues, pour eux. Connaissez-vous encore la différence entre les deux, professeur ?

Helen eut un regard indulgent, dépourvu d'amertume.

— Chaque matin, chaque soir, le Bien et le Mal combattent, comme le jour et la nuit. Vous et moi ne sommes que les enfants de ce combat.

— C'est une conception très orientale, fit remarquer Dahlia. Et très pessimiste aussi.

— Lequel est le plus pessimiste, docteur Rhymes ? L'Occidental qui voit mourir le soleil ou l'Oriental qui le voit renaître ?

Dahlia était fascinée par les propos de sa prisonnière, lesquels flirtaient avec ses propres convictions. Mais elle s'efforçait de ne pas le montrer.

*Ne la laisse pas parler trop longtemps. Garde le contrôle de la conversation.*

— Je voudrais téléphoner à mon avocat, déclara Helen. Je suis en droit de le faire.

## 44

Neve Graham s'était installée à Londres six ans auparavant avec l'espoir de s'intégrer à la vie fiévreuse de la capitale. D'origine écossaise, elle était née dans les Cotswolds, une région située à une soixantaine de miles à l'ouest de Buckingham Palace. Les terres agricoles de l'Angleterre profonde avaient été préservées de l'industrialisation grâce à un manque chronique de charbon. Le mode de vie rural y était demeuré intact. Et les paysages s'en ressentaient, avec leurs villages couleur de miel, blottis dans les vallées, leurs maisons en pierre calcaire et leurs toits de lauzes.

Les parents de Neve, éleveurs de moutons, avaient tout sacrifié pour que leur fille puisse s'extraire du monde paysan. Ils l'avaient envoyée à Bath étudier l'obstétrique et rêvaient de la voir pratiquer dans les grandes cliniques de la City. M. Graham père comparait Neve à la Tamise. Comme elle, elle prenait sa source dans les Cotswolds. Comme elle, elle ne révélerait son véritable potentiel qu'en émigrant vers l'aval.

Excitée et effrayée par ce changement radical de vie, cette jeune femme de vingt-cinq ans au physique banal et à la myopie avancée se demandait si son salaire lui permettrait de vivre dans la ville la plus chère du monde : 1 791 livres sterling par mois, ce n'était pas grand-chose. D'autant qu'entre-temps, son premier et unique rapport sexuel l'avait gratifiée d'un petit Tobby.

Le refus d'avorter de cet enfant non désiré fut vécu comme une déclaration de guerre par ses parents, lesquels rompirent, du jour au lendemain, toute relation avec leur fille. Ce fut donc dans l'isolement affectif le plus total que Neve vécut sa grossesse. Mais lorsque arriva le jour de la naissance de Tobby, toutes les souffrances et les humiliations que les siens lui avaient fait subir ne firent pas le poids face au sourire de son bébé.

Ses collègues de la maternité lui proposèrent de partager un logement de fonction avec elles. Neve y vécut décemment avec son enfant jusqu'à ce que le destin se mette en tête de lui concocter un nouveau croc-en-jambe.

Tobby Graham souffrait d'un diabète de type 1. Il était insulinodépendant. Le jour de son cinquième anniversaire, il développa de graves complications rénales que les dialyses ne parvinrent pas à éradiquer. Il avait impérativement besoin d'une greffe du pancréas.

Alors commença l'impitoyable attente du donneur providentiel et compatible. Neve s'arrangea avec ses collègues pour que ses quatorze gardes de onze heures trente par mois ne viennent pas perturber le rythme des dialyses. Et sa vie s'organisa tant bien que mal autour de celle de son fils.

Le 3 août, Neve Graham reçut un coup de téléphone en pleine nuit. Le Blood & Transplant disposait d'un donneur compatible. Tobby fut admis d'urgence au

Charing Cross Hospital pour y subir une transplantation.

Et ce fut la délivrance.

Plus de dialyse.

Plus de piqûres d'insuline.

Juste un traitement immunosuppresseur...

Cela faisait maintenant cinq mois que Tobby menait la vie normale d'un petit garçon de son âge grâce au pancréas qu'un inconnu lui avait offert. Comme les vingt et un autres transplantés des 3 et 4 août derniers, il avait été transféré au *Guoman Tower Hotel* sur ordre de Scotland Yard. Étant donné son jeune âge, sa mère avait été autorisée à l'accompagner après que ses tests psychologiques se furent révélés excellents.

Pour l'heure, les greffés dégustaient une collation dans le bar privé du palace en se demandant combien de temps tout cela allait durer. Certains discutaient en mangeant. D'autres regardaient la télévision ou feuilletaient des magazines. D'autres encore perdaient patience.

— Quand est-ce qu'on va pouvoir appeler nos familles ?

— Je suis désolé, monsieur, ce n'est pas possible pour l'instant, répondit un policier de faction.

— Mais enfin, c'est ridicule ! Vous n'avez pas le droit de nous retenir ici, comme ça. On n'a rien fait de mal, bordel !

Et, tandis que ce dialogue de sourds se poursuivait, la sonnerie d'un téléphone retentit dans la grande salle. Elle était à peine audible dans le brouhaha ambiant, mais funestement familière : la *Gnossienne n° 1* d'Erik Satie.

Neve se pencha vers son sac à main, posé à ses pieds, et en fouilla l'intérieur. Elle en sortit un téléphone, le regarda sonner, sans pour autant prendre la communication. La mélodie semblait provoquer en elle une sensation étrange.

Elle releva la tête comme au ralenti et ses lunettes de myope scannèrent la salle à la recherche d'une échappatoire. Devant chaque issue, un policier montait la garde.

Lorsque la musique s'interrompit, elle parut presque déçue. Elle se pencha vers son fils et lui demanda :

— Tu viens aux toilettes avec maman, mon chéri ?

Son portable à l'oreille, Dahlia secoua la tête avant de raccrocher.

— Votre avocat ne répond pas. On réessaiera plus tard.

— Ce ne sera pas la peine, merci. Vous avez été parfaite.

Intriguée par cette remarque, l'agent du FBI fut tentée de regarder son interlocutrice dans les yeux, mais elle parvint à se contrôler.

— Pourquoi ne pas récupérer vous-même ces greffons, professeur ? Pourquoi forcer vos victimes à sacrifier la personne à laquelle ils tiennent le plus ?

— Seul le coupable pourrait répondre à cette question, docteur Rhymes. Les anciens, eux, sacrifiaient l'innocence pour obtenir le pardon des dieux.

— Le pardon pour qui ? s'offusqua Dahlia. Pour ces hommes et ces femmes qui ont osé repousser les limites de la mort, en acceptant une transplantation ? C'est pour ça que vous récupérez les greffons ? Pour que la frontière de la mort soit toujours sous contrôle de vos dieux ?

— Ce sont aussi les vôtres.

Dans la salle attenante derrière le miroir, Berg ne perdait pas une seconde des échanges. Il était épaté par le cran avec lequel sa collègue menait cet interrogatoire. Cela faisait à peine cinq jours qu'elle collaborait avec le Yard. Et, malgré l'accueil glacial qui lui avait été réservé lors de son arrivée, personne aujourd'hui ne songeait plus à remettre en cause ses compétences. Si Helen Ross se trouvait entre ces murs, c'était en grande partie grâce à elle. À ses déductions, aux risques qu'elle avait pris et à son portrait-robot.

La sonnerie du téléphone arracha l'inspecteur à ses pensées. Il saisit le combiné sans quitter Dahlia des yeux.

— Oui... Qui ça ?

Il fouilla les étagères autour de lui et mit la main sur un dossier dont il vérifia le contenu. Parmi les nombreux feuillets présents, il préleva une lettre manuscrite.

— Oui, je l'ai dans les mains.

Il se tourna vers le miroir sans tain pour jeter un coup d'œil sur sa partenaire.

— Non... elle ne peut pas là, mais... fais-le monter, je vais le recevoir.


— Knox ne répond pas au téléphone ! pesta Emma. Et le standard de l'hôtel *Guoman* sonne toujours occupé.

— Appelle Scotland Yard, bordel ! hurla McKenna. Qu'ils contactent quelqu'un sur place, putain ! N'importe qui !

Au volant, le détective prenait tous les risques. Dès qu'il était un tant soit peu ralenti, il empruntait la file de droite, esquivant les véhicules arrivant en sens inverse. Le gyrophare et la sirène étaient de piètres protections quand on roulait aussi vite. Il grillait tous les feux, violait les priorités, ignorant les injures des conducteurs contraints de piler pour l'éviter.

— Et le MICU[1], c'en est où ? cria McKenna à Bauman.

— Un de leurs hélicos est en route, monsieur, avec une équipe chirurgicale à bord...

— C'est bien, fiston. C'est bien.

Le jeune stagiaire tremblait de tout son être. McKenna ayant tenu à prendre le volant, il s'était retrouvé, bien malgré lui, à partager la responsabilité des appels avec Emma.

— Allô ? l'hôt... l'hôtel *Guoman* ? bafouilla la jeune recrue.

Quelqu'un, à l'autre bout du fil, avait enfin fini par décrocher.

— Bonsoir, monsieur. Je... je vous appelle au sujet d'un des... des transplantés qui sont actuellement chez vous...

— Passe-le-moi, ordonna calmement McKenna.

Bauman hésita. Il craignait que son patron n'ait à combiner « conduite démente » et « conversation téléphonique ». Mais, avant qu'il puisse protester, le détective lui arracha le portable des mains. Il parla distinctement, avec autorité :

— D.C.I. McKenna de Scotland Yard. Vous êtes monsieur... ? Keller. Écoutez bien ce que je vais vous dire, monsieur Keller. C'est une question de vie ou de mort. Allez chercher immédiatement le responsable

1. Mobile Intensive Care Units : équivalent du SAMU.

de la sécurité des transplantés et dites-lui, de la part du D.C.I. McKenna, que le petit Tobby Graham est en danger. Il faut absolument le séparer de sa mère !

Une fois dans les toilettes de l'hôtel, Neve Graham verrouilla la porte et s'accroupit aux pieds de son fils en disant :

— On joue ?

— À quoi ? répondit l'enfant, innocemment.

Neve avait sorti de son sac un flacon contenant une boisson orangée.

— C'est quoi ?

— De la potion magique.

Un large sourire illumina le visage du petit garçon. Sa mère lui tendit la bouteille et il en but aussitôt la moitié.

— Pour que ça marche, il faut tout boire.

Il avala le breuvage jusqu'à la dernière goutte.

— Enlève ta chemise, maintenant.

— Pour quoi faire ?

— Pour jouer. Tu vas voir, ça va te plaire.

— Cool.

Neve aida l'enfant à retirer sa chemise, révélant la cicatrice rectiligne qu'il portait au-dessous du nombril. Elle lui banda les yeux avec et ajouta :

— Maintenant, tu t'allonges par terre et tu comptes jusqu'à vingt, d'accord ?

— D'accord.

Le petit garçon tituba. La boisson commençait à faire son effet. Sa mère le guida gentiment jusqu'au sol carrelé et il se mit à compter. Neve sortit de son sac une assiette en bois, une bible, un bâton d'encens et une boîte FedEx SameDay format A4.

— Je me sens bizarre… C'est froid par terre et j'ai du mal à respirer.

— Ça fait partie du jeu. Compte…

L'enfant continua d'égrener les chiffres. Mais, arrivé à douze, il s'endormit, vaincu par l'anesthésique. Alors, la jeune femme myope fourragea dans son sac et en sortit un miroir de poche qu'elle brisa volontairement sur le sol.

L'agent du FBI tournait toujours autour de sa prisonnière, mais Helen Ross avait repris la main :

— La petite Dahlia a besoin de tout expliquer, de démanteler les systèmes de pensée comme on démonte une horloge, pour en tuer le mystère. Qui sait ce qu'elle deviendrait si la logique n'était plus son credo ?

Helen entraînait sa geôlière vers des terrains glissants qui contrariaient ses chances de diriger l'entretien. Toutefois, Dahlia tenta de garder son sang-froid.

— Vous ne vous en sortirez pas avec vos tours de passe-passe oratoires, professeur. Je crois que…

— Vous ne croyez en rien, docteur Rhymes. Pas plus en Dieu qu'à la parapsychologie. Pourtant, vous évitez soigneusement mon regard.

La criminologue ne savait plus comment interrompre le flot de paroles d'Helen.

— … S'il est sans danger, je suis innocente. S'il est une menace, ce sont les bases cartésiennes de votre être qui s'écroulent. De quoi avez-vous le plus peur ?

La volonté de Dahlia cédait du terrain. Elle avait besoin de se raccrocher à quelque chose pour avoir un espoir de contre-attaquer. Un indice extérieur qui trahirait les intentions de son adversaire. Ses yeux se posèrent sur les mains de sa prisonnière, lesquelles soutenaient son discours avec conviction. Puis ils remontèrent vers sa bouche qui continuait de prononcer ses paroles venimeuses :

— Toute notre histoire est dans nos yeux, docteur Rhymes. Les yeux sont le reflet de l'âme. Ainsi, si je me plonge dans les vôtres, j'y découvre l'inquiétude qui vous ronge. Vous n'avez pas réussi à le joindre. De toute la matinée. C'est un transplanté, lui aussi ! Est-ce qu'il est arrivé quelque chose à Nils Blake ?

Cette dernière remarque interpella Dahlia qui ne put s'empêcher de regarder Helen. Leurs yeux se rencontrèrent.

De l'autre côté du miroir sans tain, personne ne se rendait compte de ce qui se jouait. Berg et le graphologue étaient bien trop occupés à comparer l'écriture des éventreurs à celle d'Helen Ross.

— Ça ne tiendra pas devant un tribunal, regretta le graphologue. N'empêche que le style qui influence l'écriture des éventreurs est bien celui de votre suspecte.

— À quoi voyez-vous ça ?

— Regardez la forme de ses *s*, la courbe de ses *n* ou le pied bien prononcé de ses *a*. Même lorsque nous essayons de déguiser notre écriture, il est des critères inconscients qui nous trahissent. La façon de lier les lettres les unes aux autres, par exemple. Elle est identique chez tous les éventreurs et chez votre suspecte.

Pendant que Berg vérifiait, le graphologue se tourna vers la baie vitrée. Dahlia était assise sur le bord de la table, penchée en avant, dos à lui. Helen Ross semblait lui murmurer quelque chose à l'oreille.

— Alors, c'est elle, le monstre ? commenta le graphologue. Elle a l'air inoffensive !

Lorsque l'inspecteur regarda à nouveau vers la salle d'interrogatoire, ce qu'il vit l'inquiéta. Il enclencha aussitôt l'interphone.

— Ça va, Rhymes ?

Il n'obtint aucune réponse.

L'entrée brutale de Berg dans la salle d'interrogatoire arracha Dahlia à sa transe.

— Rhymes ! Tout va bien ?

La criminologue s'aperçut soudain qu'elle était assise sur le bord de la table tout près d'Helen. Ce qu'elle n'avait jamais décidé. Elle se leva brusquement et se frotta les tempes, en répondant sans conviction :

— Oui, pourquoi ?

Berg regarda tour à tour Dahlia puis sa prisonnière qui le fixa quelques secondes. Mal à l'aise à son tour, il entraîna sa collègue vers la sortie.

Dans les toilettes de l'hôtel *Guoman Tower*, l'unique vasistas était ouvert. Neve Graham s'était hissée à son niveau. Ses jambes battaient l'air à la recherche d'un appui lui permettant de fournir la dernière poussée nécessaire à sa fuite. Dans la manœuvre, elle perdit ses chaussures à talons hauts, lesquelles tombèrent deux mètres plus bas sur un sol carrelé jonché d'empreintes ensanglantées.

La jeune femme myope se récupéra de l'autre côté, sur le pavé de l'arrière-cour de l'hôtel. Puis elle s'éloigna d'un pas lent mais décidé, sa boîte FedEx Same-Day à la main.

## 45

Les gyrophares des voitures de police tournoyaient inlassablement, éclairant, de manière intermittente, la façade ombragée de l'hôtel *Guoman Tower*. Les policiers tentaient en vain de contenir les journalistes, photographes et autres équipes de télévision qui avaient accouru, attirés par la promesse de nouvelles suintantes. En ces temps de crise, les médias n'avaient aucun mal à être renseignés. Il y avait autant d'indicateurs prêts à monnayer leurs services que de personnes à la recherche d'un emploi. La presse à scandale payait bien mieux que les *job centers*[1].

Le Land Cruiser de McKenna freina brusquement, faisant crisser ses pneus. Le détective bondit hors de la voiture, imité en cela par Emma et Bauman. Tous trois se précipitèrent vers l'entrée de l'hôtel. La claudication de McKenna était à présent à peine perceptible.

*Faites que ce ne soit pas trop tard*, songea-t-il en apercevant l'hélicoptère du service médical d'urgence, parqué sur l'esplanade de l'hôtel qui donnait sur les quais. Ses pales étaient à l'arrêt.

---

1. Équivalent britannique de Pôle emploi.

Le colosse irlandais venait d'adresser une prière à un Dieu auquel il ne croyait plus. Mais il était prêt à lui donner une seconde chance si Tobby s'en sortait.

Les enquêteurs se frayèrent rudement un chemin à travers une foule hostile pour laquelle le mot « police » n'était plus synonyme de sécurité, mais d'incapacité à mettre un terme à cette horreur. Ils essuyèrent des quolibets avec plus ou moins de flegme et s'engouffrèrent dans l'accueil marbré du palace. Quand les portes se refermèrent derrière eux, le silence devint presque gênant. Il régnait entre ses murs un climat de funérarium.

— Par ici, messieurs ! s'écria un lieutenant en uniforme chargé de la surveillance des transplantés. L'équipe chirurgicale est auprès du petit. Ils ont arrêté l'hémorragie. Ça devrait bien se passer pour lui.

McKenna laissa échapper un soupir de soulagement. Sa fameuse « intuition » allait peut-être sauver un enfant.

Le gradé entraîna ses collègues vers l'escalator qui menait à la mezzanine. Le hall était anormalement désert.

— C'est M. Keller, de la réception, qui m'a prévenu de votre appel, poursuivit-il, essoufflé. Mme Graham s'était absentée quelques minutes pour emmener son fils aux toilettes… Quand on est arrivés, la porte était verrouillée et elle ne répondait pas. Alors, on l'a enfoncée et… Dieu Tout-Puissant, je n'ai jamais rien vu de pareil. Et j'ai trente ans de maison.

L'homme qui venait de prononcer ces paroles d'une voix chevrotante était un vétéran à la carrure solide, pas de ceux qu'on imagine aisément impressionnables.

— Elle a prélevé quoi ? demanda McKenna.

— Juste le pancréas. D'après le chirurgien, le petit devra reprendre les dialyses, mais ils vont mettre le paquet pour lui trouver un nouveau greffon.

— Il n'y avait personne d'autre aux toilettes, avec elle ?

— Non, monsieur. Les consignes étaient strictes. Pas plus d'une personne. Pour le petit Tobby et sa mère, on a fait une exception.

— Elle lui coûte cher, votre exception…

La remarque du détective tomba sur l'officier comme un couperet. S'il cherchait l'absolution, il toquait à la mauvaise porte.

Tandis que l'escalier mécanique transportait les policiers vers l'étage supérieur, McKenna eut un dernier regard pour ces hommes et ces femmes qui l'épiaient depuis le parvis de l'hôtel, le visage collé aux baies vitrées. Il n'arrivait pas à s'expliquer qu'on puisse être à ce point curieux du malheur des autres. Le pire était que ces gens le prenaient pour un privilégié, quelqu'un qui allait avoir la « chance » d'assister à ce qu'on leur interdisait de voir.

Pourtant, le détective aurait tout donné pour ne pas être confronté à l'horreur indicible qui l'attendait derrière la porte des toilettes. Il aurait préféré se réfugier dans une tout autre vision de l'enfance. Celle des tribunes du stade de Ravenhill, par exemple. Il s'y rendait tous les samedis avec sa mère pour encourager l'Ulster[1]. Non qu'elle soit férue de rugby, mais il fallait bien que son fils ait un père au moins une fois par semaine.

*Une mère est prête à tous les sacrifices pour son*

1. Équipe de rugby de Belfast.

*fils*, songea-t-il. *Alors, comment peut-elle en venir à lui arracher les tripes ?*

Suite à l'agression de Tobby, la police avait consigné les transplantés dans leur chambre. Le MICU avait aménagé un bloc opératoire mobile dans le salon privé qui jouxtait le lieu du drame. Tente stérile et sas de décontamination l'isolaient à présent du reste des locaux.

Le regard de McKenna s'attarda un instant sur les silhouettes de l'équipe médicale qui se découpaient à contre-jour sur la toile.

*Ça, c'est un métier*, pensa-t-il avec admiration.

Le garde en uniforme posté devant la porte des toilettes salua ses collègues, s'écartant pour les laisser passer.

— Si vous n'y voyez pas d'inconvénient, je vais vous attendre ici, déclara le lieutenant. Je préfère ne pas y retourner.

Cela allait être terrible. Plus difficile à supporter que ce que McKenna avait vu jusque-là. Le corps n'était pas là, mais… l'imagination était toujours plus puissante que la réalité. Il jeta un coup d'œil derrière lui. Bauman était d'un sang-froid surprenant.

De la porte entrouverte s'échappait une odeur d'encens que rien ne parvenait à tempérer.

Le détective pénétra dans la pièce. Le flash lumineux d'un appareil photo l'aveugla un moment. Les techniciens de la police scientifique étaient à pied d'œuvre.

Sur le miroir s'étalait l'épitaphe écrite au rouge à lèvres. Knox se tenait debout entre son patron et l'endroit où le corps avait été retrouvé. On aurait dit qu'il cherchait à atténuer le choc. Il lui tendit une enveloppe de papier kraft en disant :

— J'ai fait prendre des photos, avant que l'équipe chirurgicale n'intervienne.

McKenna saisit le pli et fit un pas de côté, découvrant le spectacle. Sur le sol carrelé, la silhouette de l'enfant avait été dessinée au latex. Une flaque de sang témoignait de l'ampleur de l'hémorragie. Elle avait entraîné dans son sillage de nombreux éclats de miroir éparpillés.

Le détective eut un haut-le-cœur qu'il étouffa dans un mouchoir. Il ne put s'empêcher d'imaginer son fils, Miles, allongé là.

Il sentit Bauman agripper son bras pour ne pas flancher.

— Six ans, putain ! gémit-il en état de choc, avant de sortir précipitamment.

McKenna le suivit du regard, se demandant s'il n'allait pas l'imiter.

Il prit une longue inspiration avant d'ouvrir l'enveloppe d'une main tremblante. Il grimaça face à l'horreur des clichés. Une montée de bile brûla sa gorge. Mais il serra les mâchoires, se forçant à examiner certains détails sur les photos, à la recherche d'indices qui pourraient être utiles à l'enquête.

Une bible ouverte couvrait la bouche de l'enfant. Ses paupières étaient maquillées de noir. Une assiette en bois était placée sur sa poitrine. Elle contenait une pincée de sel et une autre de terre délicatement séparées.

McKenna remit les clichés dans l'enveloppe et se tourna vers la seule issue possible en dehors de la porte : un vasistas ouvert qui donnait sur la rue. Juste au-dessous gisait, au milieu des empreintes ensanglantées, une paire d'escarpins repérée comme indice par un plot numéroté.

## 46

McKenna était assis sur le capot d'une voiture de police. Submergé par un sentiment d'impuissance, il brûlait ses pensées dans des bouffées de nicotine.

Il aurait tant aimé à cet instant partager le scepticisme du superintendant Quinn à propos du rôle de l'hypnose dans cette affaire. Mais comment douter du don d'Helen Ross quand on en avait été soi-même victime ?

Il s'était senti défaillir au fond du regard de sa prisonnière. Elle avait lu en lui comme dans un livre ouvert : le décès de sa femme... son incapacité à y faire face... sa révolte contre le Ciel... rien ne lui avait échappé.

Comment procédait-elle ? Un sens aigu de la psychologie ? Un talent de déduction hors normes lui permettant de tout imaginer à partir d'une simple observation : la découverte d'une seconde alliance, portée en pendentif ?

En admettant qu'Helen ait juste besoin de la présence de son sujet face à elle pour le déchiffrer ou même l'influencer, quelle méthode avait-elle employée avec Mme Graham ? L'avait-elle conditionnée la veille ? Était-elle destinée à être réveillée grâce à une clé d'induction ? Si tel était le cas, il restait une énigme à résoudre : la mère de Tobby n'avait pas reçu de colis à ouvrir, de téléphone-détonateur. Elle était isolée, hors d'atteinte. Et Helen aussi !

Le tapage momentané provoqué par la sortie de l'équipe médicale sur l'esplanade de l'hôtel arracha McKenna à ses pensées. Les photographes présents mitraillèrent sans vergogne l'enfant sur son brancard. Le détective jeta un œil par-dessus son épaule et fut rassuré en apercevant un Tobby bien vivant que l'on chargeait dans l'hélicoptère du MICU. Cependant, l'odeur caractéristique de l'éther lui fit détourner la tête.

Il ressentit un besoin irrépressible de s'extraire de son présent, de remonter le temps. De revenir en arrière avant la maladie, avant l'accident, lorsque sa famille existait pleinement. Sans traitements, sans funérailles, sans ombres au plafond et sans mensonges pour survivre à l'absence.

Gillian et les enfants fournissaient quotidiennement à McKenna mille raisons de ne pas renoncer. Mille motifs de se battre contre le Mal. De terrasser ses dragons. De faire en sorte que le monde qu'il rafistolait pour les siens soit un peu plus accueillant que celui dont il avait hérité de ses parents. Gillian, Peter, Tim, Ewan et Miles étaient les cinq éléments qui définissaient l'univers de McKenna, les cinq piliers sur lesquels il avait bâti son temple, sa foi, sa religion. Si l'un de ces soutiens venait à manquer, l'édifice tout entier s'avérerait condamné. Et son locataire n'aurait d'autre choix que d'errer sans but au milieu des décombres.

McKenna croisa le regard de Dahlia qui descendait

d'un taxi. Il voulut se lever pour aller accueillir sa partenaire, mais ses jambes refusèrent d'obéir. Il la vit s'approcher de Knox et échanger quelques mots avec lui en regardant dans sa direction. Les gestes qui accompagnaient les paroles du lieutenant trahissaient le respect qu'il éprouvait pour son chef.

Le détective se désintéressa d'eux et reprit le cours de ses pensées. L'hélicoptère décolla et avec lui l'enfant rescapé. Comment McKenna pouvait-il espérer interrompre ce carnage si l'arrestation du coupable n'endiguait pas l'holocauste ? Qu'y avait-il dans la tête du monstre qu'il combattait pour justifier pareille horreur ? Comment Helen Ross pouvait-elle prétendre « apaiser l'âme » d'un défunt en faisant éventrer un enfant de six ans ?

— Tobby vous doit la vie, monsieur, lança Dahlia en rejoignant son supérieur.

— Peut-être, ouais… N'empêche qu'il aurait encore son pancréas si on était arrivés plus tôt, répondit McKenna avec amertume.

La criminologue s'assit à ses côtés sur le capot du Land Cruiser. Elle partageait la frustration de son collègue et ne trouvait pas les mots pour l'atténuer.

— Le gamin avait une bible ouverte sur le bas du visage et une assiette en bois sur la poitrine, dit-il en lui tendant les photos.

— Avec une pincée de sel et une de terre, à l'intérieur ? demanda Dahlia.

— Oui. C'est quoi, encore, ce délire ? Un rite funéraire ?

Elle consulta les clichés tout en répondant :

— Pratiqué en Écosse au Moyen Âge. Un mélange

de culture celtique et de christianisme. Graham, c'est un nom d'origine écossaise, non ?

McKenna acquiesça dans un soupir.

— La terre pour se rappeler que notre corps n'est que poussière, précisa-t-elle. Le sel, comme symbole de l'âme inaltérable.

— Et la bible sur la bouche ?

— Pour empêcher les démons de pénétrer dans le corps du défunt et d'en prendre possession.

— Les démons... Ils étaient aux manettes, les démons ! objecta-t-il avec amertume.

Le détective se leva et fit quelques pas, tout en réfléchissant à voix haute pour organiser ses pensées.

— Elle n'avait ni glacière ni matériel sur elle, pour opérer. Elle a fait ça avec les moyens du bord : un éclat de miroir pour ouvrir le ventre de son fils. Mais, d'après le chirurgien, le petit était sous anesthésie au moment du prélèvement. Alors, c'est quoi, ce changement dans le mode opératoire ? Un reste d'instinct maternel ?

— Mme Graham n'était pas aux manettes, détective inspecteur. Si quelqu'un a eu pitié de l'enfant, c'est Helen Ross, pas elle.

McKenna en perdit son flegme :

— Helen Ross était à Scotland Yard, au moment où l'agression a été commise. Vous étiez même en train de l'interroger. En l'arrêtant, on lui a juste fourni un putain d'alibi !

Il ponctua sa phrase d'un violent coup de pied dans une poubelle et tourna le dos à sa partenaire pour tenter de contenir sa rage.

— On a montré la photo d'Helen aux quatre éventreurs, poursuivit le policier. Ils sont incapables de l'identifier. On n'a donc aucun témoin oculaire.

— Si, moi ! Vous oubliez que je l'ai vue récupérer la glacière de Moutoussamy. Et le portrait-robot est très ressemblant.

— On n'a rien pour justifier sa détention, Rhymes, répliqua-t-il en se tournant vers elle. Ses empreintes ne sont sur aucune scène de crime. Son casier est plus propre que le mien. Ses employeurs l'adorent, ses voisins et ses clients aussi. Aucun jury n'acceptera de la faire condamner sur la base de... meurtres hypnotiques !

Le silence qui suivit ne fit que souligner l'impasse dans laquelle ils se trouvaient.

— On va devoir la relâcher.

— Quand ?

— Dès ce soir, probablement.

La criminologue et le détective évitèrent de se regarder pour ne pas lire la défaite sur leurs visages respectifs.

— Avec un peu de chance, la mère du petit Tobby pourra l'identifier, lança Dahlia.

— Faut d'abord qu'on la retrouve.

— On la retrouvera.

— Mac ? fit une voix derrière eux.

Ils se retournèrent. Emma les rejoignit, un portable sous plastique à la main.

— Les *boys* ont trouvé ce téléphone à carte dans la rue sous le vasistas des toilettes. Il a dû tomber pendant que Mme Graham s'enfuyait.

— Tu as vérifié les appels ?

Embarrassée, Emma jeta un coup d'œil vers sa collègue.

— Un seul numéro entrant : celui de Rhymes.

Dahlia releva la tête avec appréhension.

Un doute effroyable lui glaça le sang. Elle s'empara de son téléphone, chercha fiévreusement dans sa liste d'appels et en sélectionna un qu'elle appela aussitôt.

Sous le sachet plastique, le portable se mit à jouer la *Gnossienne n° 1* d'Erik Satie. Dahlia comprit avec horreur que ce n'était pas son avocat qu'Helen lui avait fait appeler.

## 47

Sur Tower Bridge, le trafic s'enlisait dans les deux sens. McKenna et Dahlia s'impatientaient, bloqués dans la voiture. Le gyrophare et la sirène ne pouvaient rien pour eux car les véritables responsables de cet embouteillage étaient les deux bascules du pont qui s'étaient levées pour laisser passer les bateaux. Les touristes avaient envahi les trottoirs pour profiter d'un spectacle que les Londoniens ne savouraient plus.

McKenna se rappela la première fois que Gillian l'avait traîné jusqu'ici. À peine débarquée de New York, elle avait tenu à ce que le célèbre pont basculant soit sa première visite. Rien n'était parvenu à la décourager. Ni le décalage horaire ni la pluie torrentielle qui flagellait Londres ce jour-là, dispersant les touristes les plus téméraires. Et lorsque le mécanisme de levage hydraulique s'était enclenché et que le tablier ruisselant de Tower Bridge s'était ouvert sous les yeux émerveillés de Gillian, McKenna avait réalisé qu'ils étaient les seuls à profiter du spectacle.

Leurs petites silhouettes au pied du monument gigantesque évoquaient celles de ces capitaines qui défient seuls la tempête à la proue de leur navire.

Autour d'eux, les trottoirs détrempés étaient déserts. La main de Gillian avait cherché la sienne. Il avait enlacé sa taille grelottante et l'avait serrée contre lui. Transis de froid, fouettés par les embruns, ils s'étaient embrassés sous ce pont. Cette sensation d'intimité avec celle ou celui qu'on aime dans un lieu qui est tout sauf intime allait désormais marquer leur relation au fer rouge. Car elle les suivrait partout. Jusque dans cet hôpital où Gillian continuerait de chercher la main de McKenna. Et la trouverait toujours.

Le pont-levis se rabaissa et les véhicules commencèrent à franchir la Tamise. Au loin, le soleil se couchait sur The Shard[1].

Dahlia se surprit à le contempler par sa fenêtre. Et les paroles de sa prisonnière lui revinrent en mémoire :

« Lequel est le plus pessimiste, docteur Rhymes ? L'Occidental qui voit mourir le soleil ou l'Oriental qui le voit renaître ? »

La criminologue aurait préféré qu'Helen soit une folle à lier, un monstre auquel personne ne pouvait s'identifier. Mais c'était loin d'être le cas. Elle était brillante, cultivée, et ses jugements, même s'ils étaient en rupture avec ce qu'il est convenu d'appeler la morale, étaient pour le moins fascinants par l'impression de vérité intrinsèque qu'ils dégageaient.

À maintes reprises, durant l'interrogatoire, Dahlia s'était même surprise à partager certains des points de vue de son interlocutrice. Peut-être était-ce à cause de leur passion commune pour l'ésotérisme ? Ou peut-être

1. Il s'agit de l'immeuble le plus haut de Grande-Bretagne (308 mètres).

pour des raisons plus obscures qu'elle refusait encore d'explorer.

Mais le pire était le rôle qu'Helen lui avait fait jouer. Celui de la clé d'induction. La criminologue était devenue la complice involontaire de sa prisonnière, en passant ce coup de fil. Elle avait « réveillé » l'éventreur. Et cela, elle ne se le pardonnait pas.

McKenna se tourna vers sa passagère, laquelle n'avait pas prononcé un mot depuis qu'ils avaient quitté la scène de crime. Elle semblait déconnectée de tout.

— N'importe lequel d'entre nous aurait pu passer cet appel, Rhymes.

— N'importe lequel, oui, rétorqua-t-elle, le regard sombre. Seulement, c'est moi qui l'ai passé.

— C'est vrai. Et, grâce à vous, on a la preuve qu'Helen Ross a bien contacté un de ses éventreurs.

— Contacté ? Elle m'a fait appeler un numéro de téléphone à carte sans abonnement qu'on n'a pas retrouvé dans le sac de Mme Graham mais dans la rue, à proximité de l'hôtel.

— Il y aura les empreintes de Mme Graham, dessus.

— Et ça prouvera quoi, tout ça ? Qu'il suffit à Helen Ross de téléphoner à quelqu'un sans lui parler pour que, dans la minute qui suit, il éventre la personne qu'il aime le plus au monde ? Vous pensez vraiment qu'un jury d'assises la condamnera sur la base de ce genre de preuves ?

McKenna savait bien que non. Le plus mauvais des avocats ne ferait qu'une bouchée de ce type de raisonnement.

Dahlia s'immergea à nouveau dans le silence. Et le visage de Nils revint la hanter. Elle sortit son portable

342

de sa poche et consulta sa messagerie et ses textos pour la énième fois.

Le détective s'en rendit compte et tenta de faire diversion :

— La perquisition chez Helen Ross, ça vous intéresse ?

Dahlia répondit par un haussement d'épaules. McKenna insista :

— Si je vous dis : une balance avec une plume sur un des plateaux, vous me dites quoi ?

— La Pesée du cœur, répondit-elle mécaniquement.

— La quoi ?

— La Pesée du cœur. Dans l'Égypte antique, pour avoir droit à la vie éternelle, le cœur du défunt devait être aussi léger qu'une plume.

McKenna ne put s'empêcher de penser à Gillian avec nostalgie. S'il devait exister sur Terre un cœur aussi léger qu'une plume, c'était bien le sien.

— Et la police scientifique ? demanda Dahlia sans trop y croire. Ils ont relevé quelque chose chez elle ?

— Son ADN et celui d'une autre personne, qui n'est pas répertorié dans nos fichiers génétiques. Sans doute celui de son compagnon.

— Vous l'avez interrogé ?

— Ils ne vivent plus ensemble.

— On a une identité pour lui ?

McKenna fit signe que non, avant de préciser :

— L'appartement est à son nom à elle. Les voisins et la concierge ne connaissent que son prénom : David. Il y a sa photo dans le dossier.

— Je peux voir ?

— La boîte à gants. On a vérifié, il n'est pas fiché.

343

J'ai envoyé Knox à Barts pour voir si les collègues de travail d'Helen le connaissent.

Dahlia ouvrit le compartiment et en sortit un classeur qu'elle feuilleta rapidement. Elle tomba sur le cliché de l'homme oriental.

— Un couple sans histoire, d'après les voisins.

— Tous les couples ont une histoire. Et toutes les familles, des secrets, non ? Quant aux voisins, ils sont toujours les derniers au courant.

McKenna détourna la tête, gêné par la remarque de la criminologue. Elle s'en rendit compte et tenta de rattraper sa gaffe :

— Je suis désolée, je ne voulais pas…

— Il n'y a pas de mal.

Dahlia laissa mourir son propre embarras, puis relança :

— Et… il n'y avait pas de courrier, dans les affaires d'Helen ? D'autres écrits ?

— Juste des kyrielles de hiéroglyphes dont elle couvre des dizaines de cahiers.

— Des hiéroglyphes ?

— Autant que j'aie pu en juger. C'est une accro à l'Égypte antique. Il n'y a qu'à voir sa bibliothèque.

— Il y a peut-être de quoi la mettre en examen, dans ces cahiers, insista Dahlia, les yeux brillants.

— Ils seront déchiffrés dès lundi matin, mais si vous voulez jeter un coup d'œil…

— Je veux bien.

Elle en mourait d'envie. Ces dizaines de carnets cryptés cachaient peut-être un journal intime, une chance d'accéder aux motivations derrière ces sacri-fices… peut-être même à des indices sur l'endroit où

344

se trouvait Nils ! Elle sentit les larmes monter. Des larmes qu'elle ignorait posséder encore.

McKenna se tourna vers elle et se rendit compte que quelque chose la perturbait.

— Ça va, Rhymes ?

Elle hocha la tête un peu trop vite, comme pour censurer un sujet tabou.

— Il est vivant, Rhymes, fit le détective avec une douceur qu'elle ne lui connaissait pas. Il ne peut pas communiquer, voilà tout.

Dahlia se sentit soudain à l'étroit dans cette voiture, otage de son intimité forcée, condamnée à se montrer vulnérable, elle qui refusait toute émotion.

— Aujourd'hui, c'était Tobby qui était visé, pas lui, poursuivit McKenna. Elle tue toutes les vingt-quatre heures. Un cycle solaire, c'est vous qui l'avez dit.

Ne parvenant plus à dissimuler son désarroi, Dahlia ordonna :

— Arrêtez la voiture, s'il vous plaît.

— Pardon ?

— Arrêtez la voiture ! supplia-t-elle.

Comme il tardait à s'exécuter, elle descendit en marche. Elle perdit l'équilibre et se rattrapa, les mains sur le goudron.

Crissements de pneus.

Des voitures l'évitèrent de justesse.

Essuyant injures et coups de klaxon, Dahlia s'élança en titubant au beau milieu du trafic, se frayant un chemin jusqu'au trottoir opposé. Là, elle s'agrippa à la balustrade d'un pont. Les yeux noyés dans la Tamise, le visage en larmes, elle se surprit à murmurer entre deux sanglots :

— Ne me laisse pas, Nils. Ne me laisse pas.

Sur le trottoir d'en face, McKenna s'était garé en double file. Il savait d'expérience qu'aucune parole d'empathie ne pouvait cautériser cette blessure-là. Un chemin de croix s'empruntait toujours seul. Les personnes bienveillantes autour ne pouvaient offrir que leur présence au supplicié : une main prête à le relever quand il tombe, à lui donner à boire ou à lui essuyer le front. Mais en aucun cas elles n'avaient la possibilité de faire cesser le martyre.

Voilà pourquoi le détective attendait patiemment que Dahlia ait évacué son trop-plein d'émotions. La perte de l'être aimé et l'impossibilité de lui survivre était un sentiment qu'il ne connaissait que trop.

## 48

Sur les quais déserts de la Tamise, un vieux SDF, sac sur l'épaule, descendait l'escalier d'Alderman Stairs. Les bras écartés, les mains appuyées contre les murs qui encadraient l'étroit passage, il avançait prudemment. Les marches étaient tapissées de mousse. Sa première glissade lui avait appris à se méfier de ce revêtement pavé dont la moitié basse, digérée par l'estran, subissait les caprices des marées, avec parfois plus de six mètres de retrait.

Il franchit la grille censée condamner le site. Il ne l'avait trouvée fermée qu'une seule fois : lorsque la ville avait organisé des fouilles archéologiques en vue de restaurer les vestiges d'une série de jetées de bois datant du Moyen Âge. Mais la crise économique avait révisé les prétentions du maire à la baisse et le vieux SDF avait retrouvé l'usage de ses pénates.

La jetée en ruine constituait, dans la journée, un abri pratique contre la pluie. Mais la nuit, la marée montante contraignait le vagabond à s'installer plus haut, sous une tente en bordure de ce qu'il appelait sa plage privée. Là, allongé sur sa petite grève, il regardait le soleil se lever entre les tours du Tower Bridge.

Une vue que les *golden boys* de la City payaient une fortune et qui ne lui coûtait pas un shilling.

Le vieux SDF déposa son sac à dos au bas de l'escalier. Il s'apprêtait à monter sa tente pour la nuit quand il aperçut une jeune femme qui marchait en titubant, sous la jetée. Elle avait l'air perdue, hagarde.

— Hé, madame ! aboya-t-il de sa voix éraillée. Ça va ?

La jeune femme ne réagit pas.

— Il n'y a aucun passage par là. Et vous risquez de vous faire mal. Ça glisse vachement.

Toujours aucune réaction.

Inquiet, le SDF se mit à marcher vers elle. Elle s'était arrêtée au bord de l'eau. Il crut un moment qu'elle allait s'y jeter.

— Ne faites pas ça, ma petite dame ! L'eau est dégueulasse, ici. Vous allez attraper la mort.

Son pied dérapa sur la mousse. Il se retint in extremis à une poutre.

— Houla ! Attendez-moi !

Arrivé à la hauteur de la jeune femme, le vagabond se rendit compte que ses vêtements et ses mains étaient couverts de sang. Ses lunettes de myope et son visage aussi.

— Merde, mais qu'est-ce qui vous est arrivé ?

Neve Graham pleurait à chaudes larmes.

— Mon petit garçon… bredouilla-t-elle en état de choc. J'ai perdu mon petit garçon.

## 49

*Scotland Yard,*
*Westminster, Londres,*
*JOUR 5, dimanche, 9 h 30*

Une effervescence particulière régnait dans les couloirs de Scotland Yard. Neve Graham avait été appréhendée la veille sur les quais, couverte du sang du petit Tobby. Ses empreintes correspondaient à celles prélevées dans les toilettes de l'hôtel *Guoman Tower*. Comme les éventreurs précédents, elle était incapable de se souvenir des circonstances de l'agression de son fils. Incapable également d'identifier Helen Ross sur la photo qu'on lui avait présentée.

Les enquêteurs avaient obtenu qu'on remette à plus tard l'examen médical de Mme Graham. Ils savaient qu'ils ne disposaient que de peu de temps pour tenter de lui soutirer des informations. Les symptômes des éventreurs précédents n'avaient fait qu'empirer dans les vingt-quatre heures qui avaient suivi leur crise meurtrière. Et, après avoir présenté des troubles parasomniaques et des tendances suicidaires, Roddy Cooper,

Nora Gyulay, Marvin Haas et Auguste Moutoussamy avaient fini par sombrer dans un état catatonique.

L'interrogatoire de Mme Graham n'avait rien donné de concluant. Et ce, malgré l'assistance particulièrement émouvante de ses parents. Rien dans le passé de leur fille ou dans leur histoire familiale ne pouvait laisser supposer un tel déchaînement de violence. Au contraire. Neve s'était battue contre eux pour conserver cet enfant. Jamais elle n'aurait supporté qu'on fasse du mal à son bébé.

Mme Graham avait demandé à voir son fils, ce qu'on lui avait refusé. Elle avait été transférée à l'hôpital psychiatrique de Broadmoor pour y subir les mêmes tests que les meurtriers antérieurs. L'examen clinique révélait une amnésie antérograde partielle et une tendance schizoïde.

La tentative d'homicide du petit Tobby avait provoqué une véritable commotion dans l'opinion publique. C'était la première fois que les éventreurs s'en prenaient à un enfant. Les chaînes de télévision, qui avaient largement couvert l'arrestation d'Helen Ross en vantant les mérites des enquêteurs de Scotland Yard, les livraient à présent à la vindicte populaire. L'impossibilité de mettre un terme à cette série de meurtres atroces, malgré l'arrestation d'un suspect qu'on disait essentiel, était vécue comme une humiliation par les citoyens anglais. Sans parler de la paranoïa engendrée chez les patients greffés pour lesquels chaque proche devenait un bourreau potentiel.

Face à la pression médiatique, le superintendant Quinn avait organisé à la hâte une conférence de presse à 16 heures, exercice dans lequel il excellait.

Il s'était installé devant le panneau rotatif de New Scotland Yard afin d'associer son image au prestige de la maison mère. Et c'était avec un certain plaisir autolâtre qu'il contemplait la cohue des objectifs et des micros pointés vers lui. Les flashes crépitaient. Tout le gratin de la presse internationale jouait des coudes pour lui arracher des informations qu'il se garderait bien de donner.

Derrière la masse des journalistes, c'était un concert de klaxons. Les camions régie de la télévision, garés en double file, bloquaient les rues au grand dam des habitants du quartier.

— Bonsoir à tous. Désolé de vous avoir fait attendre. Je suis le superintendant Jason Quinn de Scotland Yard. Je vais faire une courte déclaration. Ensuite, bien entendu, je répondrai à vos questions.

Il se racla la gorge.

— Comme vous le savez sans doute, l'agresseur du petit Tobby Graham n'est autre que sa mère : Neve Graham. Cette tentative de meurtre, qui ressemble en tous points aux quatre précédents homicides, a été perpétrée pendant la garde à vue du principal suspect. À l'heure où je vous parle, rien ne permet donc de prouver l'implication d'Helen Ross dans cette affaire ni dans les précédentes, du reste.

Un tumulte confus suivit cette annonce. Quinn leva des mains pacificatrices et poursuivit :

— Je vous rappelle que les empreintes d'Helen Ross ne figurent sur aucune scène de crime et que nous n'avons aucune preuve tangible la reliant aux meurtriers ou aux victimes. De plus, elle était dans nos locaux au moment de l'agression du petit Tobby. Enfin, aucun des cinq éventreurs n'a pu l'identifier.

Nous n'avons donc aucun motif de prolonger sa garde à vue. Des questions ?

Une cohue indescriptible s'ensuivit. Les reporters parlaient en même temps, puis brandissaient leur micro comme autant de bâtons de relais.

— Je vous en prie, s'il vous plaît, l'un après l'autre.

— Le Pr Ross est une spécialiste de l'hypnose. Ne peut-on pas imaginer qu'elle ait rencontré Mme Graham avant son arrestation et qu'elle lui ait suggéré de tuer son fils le lendemain de manière à... se constituer un alibi ?

— On peut tout imaginer, monsieur, j'en veux pour preuve ce que j'ai pu lire dans une certaine presse, ces derniers jours...

— Vous lisez les tabloïds, monsieur Quinn ?

Des rires contagieux ponctuèrent la remarque, mais le superintendant les retourna à son avantage :

— Ça m'arrive, chez le coiffeur, comme tout le monde.

Les rires redoublèrent et Quinn en profita pour donner la parole à quelqu'un d'autre.

— Pourquoi avoir arrêté Helen Ross, si rien ne la reliait à ces meurtres ?

« Oui, pourquoi ? » fut la première réponse qui vint à l'esprit du superintendant. Mais il n'était pas du genre à dire ce qu'il pensait.

— En raison de sa ressemblance saisissante avec celui ou celle à qui l'un des éventreurs a livré les organes. Helen Ross a été identifiée sur portrait-robot par le personnel de l'hôpital où elle travaille. Mais, dans notre système judiciaire, cela ne suffit pas pour inculper quelqu'un, Dieu merci !

De l'équilibrisme diplomatique. Ou comment noyer son impuissance dans une phrase bien-pensante.

Une heure plus tard, le nez plongé dans un mouchoir, Quinn regardait les journalistes se disperser du haut de sa fenêtre. Son petit moment de gloire était terminé. Avec ses tours de passe-passe coutumiers, il avait rassuré son auditoire en évoquant le dévouement de ses hommes qui travaillaient sans relâche sur cette affaire. Il avait rappelé à chacun qu'en dépit de l'impatience légitime de l'opinion, son équipe n'avait eu, en tout et pour tout, que cinq jours pour tenter d'endiguer cette horreur. Il avait ému la foule en évoquant la détresse des familles impliquées dans ce drame, aussi bien celles des victimes que celles des meurtriers occasionnels. Enfin, il avait donné l'image d'un brave policier qui faisait son devoir du mieux qu'il pouvait. Un serviteur de sa Très Gracieuse Majesté. Et cela avait fonctionné. Comme d'habitude. Voilà pourquoi le superintendant était en charge des rapports avec les médias.

Quinn avait convoqué McKenna et Dahlia. Quand ils pénétrèrent dans son bureau, ils découvrirent que leur patron n'était pas seul. Un homme de petite taille, cheveux bruns et tempes grisonnantes, était assis face à lui. Mocassins à glands, costume anthracite, épingle de cravate, le genre habitué à décider plutôt qu'à obéir.

— Ah, McKenna ! s'exclama le superintendant en exagérant son enthousiasme. Comment va cette cheville ? Mieux, on dirait !

— Pourquoi ? Tu veux me présenter ton kiné ? polémiqua le détective en désignant l'inconnu du menton.

Quinn eut un rire forcé. McKenna nota les gouttelettes de sueur sur son front, sa mâchoire crispée et sa pâleur inhabituelle. Le superintendant avait l'air tendu. Pourtant, il n'était pas homme à se laisser impressionner.

— Je vous présente David Vogel, l'avocat d'Helen Ross. Il est ici dans un esprit d'apaisement.

— D'apaisement ? tiqua le détective, acerbe.

Quinn ignora la suspicion sous-jacente et acheva les présentations. Il invita Dahlia et McKenna à s'asseoir. Ceux-ci préférèrent rester debout, comme s'ils devinaient, sans se consulter, qu'ils n'allaient pas apprécier l'objet de cette réunion.

— Si vous expliquiez la situation à mes enquêteurs, maître ?

Vogel se tourna vers eux.

— Ma cliente a été très choquée par la manière expéditive et arbitraire dont a été menée son arrestation. Les « soupçons » qui ont pesé sur elle durant ces vingt-quatre heures ont sérieusement entaché son honneur. Et tout cela aura très certainement un impact négatif sur sa carrière. Vous savez ce qu'on dit : « Mentez, mentez, il en restera toujours quelque chose. » Aussi envisage-t-elle de poursuivre New Scotland Yard et la ville de Londres pour violation de l'*habeas corpus*.

— Qu'est-ce que c'est que ces foutaises ?

— Du calme, Mac ! protesta Quinn en s'essuyant discrètement le front avec un mouchoir. Laissez-le terminer.

Mais le calme, chez le détective, était en rupture de stock.

— Comment est-ce qu'on peut se regarder dans la glace en défendant des ordures pareilles ?

— Je ne fais que mon métier, détective chef inspecteur. Rien de plus. Je mets la même application à servir les intérêts de mes clients que vous à les arrêter.

— Je les arrête pour protéger des innocents. Vous, vous les mettez en danger.

— Ça suffit, Mac, aboya Quinn.

— Ma cliente est innocente des crimes dont on l'accuse, rétorqua Vogel. Elle a le droit d'être protégée, elle aussi.

— C'est elle qui est responsable de cette boucherie, explosa le policier, et vous le savez très bien !

— Assez ! tonna Quinn.

Un silence tendu s'installa dans la pièce. McKenna aurait volontiers balancé l'ordinateur de son supérieur par la fenêtre, mais un regard de Dahlia suffit à l'en dissuader. Il connaissait suffisamment sa partenaire pour deviner ce qu'elle pensait. Vogel avait le droit pour lui, toute autre considération était superfétatoire. L'avocat était ici pour négocier. Là résidait son seul point faible.

— Je vous en prie, maître, poursuivez, tempéra le superintendant.

— Je comprends les raisons de tout ce stress et même le pourquoi des erreurs. La pression médiatique est telle qu'il vous fallait un coupable au plus vite. Mais une ressemblance physique et des goûts pour l'ésotérisme ne suffisent pas à faire condamner quelqu'un dans nos démocraties.

Cette critique, à peine voilée, visait directement Dahlia. C'était grâce à son témoignage que le portrait-robot avait été établi. Aussi éprouva-t-elle le besoin de réagir :

— Vous oubliez les images des caméras de surveillance, maître, où l'on voit votre cliente quitter le stade de Stamford Bridge avec la glacière contenant les organes.

— J'ai visionné ces images, docteur Rhymes. Je n'y ai vu, pour ma part, qu'un type en survêtement et casquette qu'un jury aura beaucoup de mal à confondre avec ma cliente. Les images sont floues, granuleuses. Elles sont irrecevables. Article 78 : « Tout élément sans valeur probante pouvant causer des effets préjudiciables à l'accusé ne peut être admis. »

Quinn leva les yeux vers Dahlia qui demeurait impassible. Contrairement à son partenaire, elle avait appris très tôt à censurer toute réaction épidermique.

— Je me suis entretenu longuement avec ma cliente, poursuivit le défenseur. Elle est prête à tirer un trait sur toute cette histoire à condition que le D.C.I. McKenna et le Dr Rhymes lui fassent des excuses en présence d'un huissier.

— Et puis quoi encore ? décocha le détective.

— Ils devront également être en charge de sa sécurité rapprochée pour les quarante-huit heures qui suivront sa libération. C'est-à-dire à partir de ce soir. Ma cliente craint d'être l'objet de la vindicte populaire…

McKenna émit un petit rire et toisa Quinn.

— C'est ça, ton « esprit d'apaisement », Jason ?

Le superintendant se tourna vers Dahlia.

— Qu'est-ce que vous en pensez, docteur Rhymes ?

La criminologue ne répondit pas immédiatement. Helen avait tout planifié depuis le début. Cette proposition devait immanquablement faire partie de sa stratégie. Leur réponse, négative ou positive, avait dû être soupesée avec soin et intégrée au déroulement des futurs événements. Refuser le marché voulait dire ne pas perdre la face lors de ces fameuses excuses légales, mais l'accepter, c'était garder un œil sur leur prisonnière sans avoir à justifier la filature.

Pourquoi voulait-elle cette protection rapprochée de quarante-huit heures ? Désirait-elle les utiliser comme alibi pour des meurtres à venir ? Si tel était le cas, cela signifiait qu'Helen n'avait pas achevé son œuvre. Il devait lui rester encore un ou plusieurs greffons à récupérer. L'un d'entre eux était celui de Nils. Il n'y avait qu'une façon de savoir.

— J'accepte, déclara Dahlia au grand soulagement de Quinn.

— En faisant cela, vous jouez son jeu, objecta McKenna.

— En refusant aussi, répondit-elle. Vous la croyez vraiment capable de s'en remettre à *notre* décision ? Elle a prévu les deux options.

— Ma cliente a bien précisé que le marché ne pouvait se conclure qu'avec l'acceptation des deux enquêteurs.

Le détective en aurait vomi. Tous les yeux se braquèrent sur lui. Fixant le sol, il réfléchissait.

Quinn transpirait à grosses gouttes. Il trouvait la situation surréaliste, mais, avec un procès aux fesses, il pouvait dire adieu à ses espoirs de promotion. La contrition exigée ne serait pas publique, juste légale. Elle ne concernerait que McKenna et Dahlia. Scotland Yard ne perdrait pas la face. Le FBI non plus.

— Alors, Mac, qu'est-ce que tu veux faire ? demanda le superintendant qui faisait des efforts pour paraître détaché. Les excuses de Rhymes ne lui suffiront pas. Et c'est bien naturel. C'est toi qui mènes cette enquête, toi seul.

— C'est gentil de me le rappeler.

Le regard du détective se posa sur chacune des personnes présentes et finit par trouver celui de sa partenaire. Il n'y avait pas de témérité dans les yeux de la jeune femme. Juste de la détresse. Ce n'était pas par professionnalisme qu'elle acceptait. C'était pour Blake. Juste pour Blake.

Quinn perdait patience :

— Mac ?

— Pour les excuses, c'est d'accord, à condition que ça se passe chez nous. Et les seules personnes présentes seront l'huissier, Rhymes et moi. Pas lui.

Il avait pointé un doigt méprisant vers l'avocat.

— Quant aux quarante-huit heures de protection rapprochée, en ce qui me concerne, elles ne pourront commencer que demain matin. Désolé, mais j'ai une vie de famille. Il me faut le temps de m'organiser.

— Mais enfin, Mac…

Le détective ne lui laissa pas le temps de finir sa phrase. Il se tourna vers Vogel et lui lança :

— Si votre cliente a vraiment peur pour sa sécurité, elle n'a qu'à passer une nuit de plus à Scotland Yard. C'est à prendre ou à laisser.

McKenna quitta la pièce. Quinn se tourna vers Dahlia, un sourire politique aux lèvres, et se leva pour la raccompagner.

— Je vous remercie de votre intervention, docteur Rhymes. Sachez que j'en tiendrai compte dans le rapport élogieux que je ferai à votre supérieur : le directeur adjoint Turner.

— Ce ne sera pas nécessaire, monsieur. Merci.

Quelques secondes plus tard, la porte se refermait derrière Dahlia. Elle s'adossa un moment au mur du couloir, les bras croisés. Pourquoi avait-elle cet arrière-goût de trahison à la bouche ? Faisait-elle le bon choix en conseillant à son partenaire d'accepter le marché ? Était-elle impartiale dans sa prise de décision ? Ou bien commettait-elle l'erreur de laisser parler son cœur ? Son cœur... Le siège des sentiments. Elle qui croyait ne plus être capable d'éprouver quoi que ce soit.

Tout naturellement, elle repensa à Nils. Et, contre toute logique, elle composa pour la énième fois son numéro...

## 50

Il ouvrit les yeux.

Autour de lui, l'obscurité était profonde.

Un bruit l'avait tiré de son sommeil artificiel. Une sonnerie familière. Lointaine. Mais qu'il finit par reconnaître.

Celle de son téléphone portable.

Il résonnait dans un espace voûté, le rendant presque visible. Presque, car Nils se sentait aveugle. Sa rétine exigeait plus de temps pour l'arracher à cet abîme.

Portait-il un bandeau ?

Il tenta de se lever, mais en fut incapable.

La douleur qui s'ensuivit le paralysa, déclenchant des crampes dans ses épaules et jusque dans ses mollets. Mais ces crampes étaient moins dues à la position inconfortable qu'il occupait qu'à son sevrage immunosuppresseur. Quelles que soient les intentions de son ravisseur, si Nils ne prenait pas rapidement son traitement, les symptômes allaient s'enchaîner : vomissements, diarrhée, chute de tension, douleurs, déshydratation… le collapsus pouvait survenir à tout moment. Il fallait qu'il tente quelque chose avant de ne plus en avoir la force.

Il était attaché à une structure en bois, les mains derrière le dos. Ses chevilles étaient liées, elles aussi. Et solidaires.

Impossible de bouger.

Il tenta d'appeler à l'aide, mais sa langue non plus ne pouvait remuer. Un goût de tissu sale lui donna la nausée.

Il portait un bâillon.

La sonnerie s'interrompit, laissant place à l'écho exaspérant et régulier d'un goutte-à-goutte.

*Si seulement j'avais pu me traîner jusqu'à mon téléphone pour appeler à l'aide*, pensa-t-il.

Une forte odeur d'épices l'enivra.

Il s'était mis à respirer profondément par le nez pour tenter d'anesthésier sa souffrance. Mais chaque gonflement de sa cage thoracique était un coup de poignard qui rayonnait dans tout son corps.

Une douleur insupportable.

La décharge d'adrénaline qui suivit eut pour effet de lui rendre la vue. Un décor émergea progressivement des abysses, à l'instar d'un cliché dans un bain de révélateur.

L'endroit ressemblait à une galerie souterraine. Les parois, étroites, hérissées de champignons, étaient directement creusées dans la roche noire. Des charpentes pourries soutenaient une voûte suintante qui ne demandait qu'à s'écrouler. Le sol, sous la paille, était noir lui aussi et parcouru de longues tiges de métal à moitié enfouies dans la boue. Il y avait là des box pour les chevaux avec leurs abreuvoirs et leurs mangeoires en bois. Des selles, des brides et des mors étaient accrochés un peu partout. Des wagonnets renversés exposaient leurs roues rouillées, comme s'ils étaient morts d'épuisement sur le flanc.

La lumière, chaude et instable, ne venait pas d'une ouverture sur l'extérieur, mais d'une pièce voisine, hors de portée. Elle conférait au local un aspect quasi religieux. Toutefois, le plus étonnant était les reliques égyptiennes qui se trouvaient là.

## 51

Cela faisait maintenant dix minutes que Dahlia et McKenna s'entretenaient avec Helen Ross dans la salle d'interrogatoire. Un huissier de justice consignait scrupuleusement les propos tenus sur un ordinateur portable. Débarrassée de ses menottes et de sa tenue de prisonnière, Helen avait retrouvé sa respectabilité. Elle écoutait, non sans un plaisir pervers, les excuses de ses geôliers, lesquels évitaient soigneusement son regard.

De l'autre côté du miroir sans tain, Quinn observait la scène en compagnie de Mᵉ Vogel. Le micro était coupé pour assurer l'intimité de l'entretien, un compromis que le superintendant, en bon « Monsieur synthèse », avait su faire accepter in extremis. Berg et Knox seraient les gardes du corps d'Helen pour la nuit en attendant d'être relevés par McKenna et Dahlia, le lendemain matin. La protection policière durerait en tout quarante-huit heures. Pas une minute de plus.

Les deux parties se séparèrent sans se serrer la main. Vogel rejoignit sa cliente. McKenna ignora les remerciements de son supérieur et quitta la pièce sans un mot. Dahlia salua Quinn avant d'emboîter le pas à son collègue.

Ils traversèrent les couloirs de Scotland Yard sans échanger une parole. Quand ils parvinrent à l'accueil, Dahlia brisa le silence :

— Elle n'en a pas fini avec les sacrifices. La protection rapprochée, c'est juste l'alibi dont elle a besoin.

— C'est plus vicelard que ça, à mon avis.

Dahlia était sur le point de pousser la porte principale quand le détective la retint par le bras.

— On va passer par « l'entrée des artistes », c'est plus prudent.

La criminologue suivit le regard de McKenna et aperçut les quelques journalistes qui continuaient de faire le pied de grue, devant le portail.

— À moins que vous ne souhaitiez faire une déclaration, ironisa-t-il.

— Non, ça va aller, je crois.

— Je vous dépose à votre hôtel.

Ils se dirigèrent vers les ascenseurs et poussèrent le bouton d'appel.

— Helen Ross est dans une sorte d'urgence, reprit-elle.

— Pour faire quoi ?

— Pour récupérer le pancréas du petit Tobby. Mme Graham ne l'avait plus sur elle lorsqu'on l'a découverte. Elle va sûrement...

McKenna fit signe à Dahlia de se taire. Les portes coulissantes de l'ascenseur venaient de s'ouvrir et d'autres personnes étaient présentes dans la cabine. Le détective avait appris à se méfier du personnel sous-payé de Scotland Yard, toujours tenté d'arrondir ses fins de mois auprès de la presse à scandale. Il y avait eu trop de fuites ces dernières années.

Arrivés au sous-sol, ils traversèrent le parking. Dahlia attendit d'être à une distance raisonnable pour reprendre la discussion là où ils l'avaient laissée :

— Helen Ross va sûrement récupérer le greffon quelque part…

— À moins qu'il n'ait déjà été livré à quelqu'un.

— Non. Si elle a pris le risque de venir elle-même chercher la glacière de Moutoussamy, c'est que c'est elle qui récupère les organes et personne d'autre. Elle n'a pas d'intermédiaire.

— À part pour tuer des innocents.

— « C'est en sacrifiant l'innocence qu'on obtient le pardon des dieux », répliqua Dahlia.

— Pardon ?

— C'est ce qu'elle m'a répondu quand je lui ai demandé pourquoi elle forçait ces gens à immoler un être cher.

— C'est de la perversité, oui ! fustigea McKenna en déverrouillant les portes de son Land Cruiser. Elle se délecte du chagrin des autres. Comme si ça pouvait lui servir à quelque chose.

La criminologue médita les paroles de son partenaire, tout en le rejoignant à bord de la voiture. Puis elle se tourna vers lui, comme si ces mots avaient soudain pris une signification particulière pour elle :

— Les pleureuses…

— Les quoi ? fit McKenna, perplexe.

Dahlia n'y avait jamais pensé auparavant, mais il y avait un autre point commun entre tous les éventreurs : leur chagrin. Et ce chagrin avait un sens…

— Quand est-ce que je peux récupérer les carnets d'Helen ? demanda-t-elle.

— Je les ai fait livrer à votre hôtel.

L'espoir d'approcher d'une résolution de cette énigme la revigorait. Elle n'avait qu'une hâte : se plonger dans le déchiffrage des carnets pour savoir si son intuition se révélait exacte.

## 52

Le brouillard avait digéré les rues de Londres, effaçant les difformités et les anachronismes, valorisant par son mystère les angles les plus ingrats. Il conférait à la ville la même magie qu'apporte le noir et blanc à des photos ratées. Un simple contre-jour faisait le reste. Sous la lumière de la lune, le chantier du coin avait des allures de champ de bataille et ses pelles mécaniques se métamorphosaient en dragons.

Les réverbères du St Ermin's tentaient de survivre aux ténèbres en éclaboussant les façades en brique rouge de l'hôtel de leur splendeur dorée. Des insectes tournoyaient aveuglément autour, espérant y trouver une forme de rédemption.

De retour dans sa chambre, Dahlia découvrit le colis de Scotland Yard posé sur son lit. Elle le décacheta fiévreusement et contempla un instant les dizaines de carnets qu'il contenait. Ils étaient répertoriés par dates.

Elle saisit le premier et l'ouvrit.

Des hiéroglyphes s'y étalaient au fil des pages, sans esthétisme particulier, comme autant de notes prises au stylo. Il y avait même des ratures ! Pour la première fois de sa carrière, Dahlia eut l'impression de ne pas se trouver face à une langue morte.

Apparus quatre mille ans avant notre ère, les hiéroglyphes égyptiens étaient composés de symboles représentant des objets, des actions, mais aussi des idées. Autant dire qu'ils s'avéraient particulièrement difficiles à manier. Or Helen Ross semblait en maîtriser toutes les nuances, ce qui rendait la tâche de Dahlia particulièrement complexe. Bien sûr, dès le lendemain matin, les enquêteurs pourraient disposer de l'aide d'une égyptologue, mais il serait peut-être déjà trop tard pour Nils. Elle se devait d'essayer d'en comprendre des bribes.

Elle tourna les pages, avide de s'en imprégner. Les symboles semblaient sortir des feuilles manuscrites pour habiter son esprit. C'était bien un journal de bord qu'elle avait sous les yeux. Un journal intime, même. Y étaient consignés des événements de la vie de tous les jours, mais rien jusqu'ici qui ait un rapport avec les sacrifices ou avec son intuition.

Elle acheva de parcourir le premier cahier, en prit un autre... et un autre encore. Une sorte de fièvre la gagnait à mesure qu'elle glanait des informations, ici et là. Elle feuilleta encore et encore... revint en arrière... tourna les pages à vive allure, si vite qu'elle faillit les déchirer. Soudain, elle releva la tête.

Le temps sembla se figer.

Dahlia venait de comprendre ce qui motivait cette effroyable série de sacrifices humains. Et cela l'épouvantait encore plus que lorsqu'elle ne savait pas. Il fallait à tout prix qu'elle s'en ouvre à son partenaire.

Sur un écran d'ordinateur défilaient des pages Internet présentant des illustrations du *Livre des morts*.

Cinq jours plus tôt, McKenna n'aurait perçu de ces images dorées que le potentiel d'émerveillement et de fascination. Comme la plupart des gens, il n'avait jamais associé à ces planches l'idée de meurtre ou de violence. Sa confrontation avec les sacrifiés avait changé cela.

À présent, il voyait dans ces estampes bien plus qu'un rébus magique. Il y devinait une scène de crime, avec des indices à déchiffrer, une charade qui défiait les fondements de la raison, une énigme que même un Sphynx peinerait à décoder.

Mais ce qui, plus que tout, avait changé son regard sur ces rites anciens, c'était cette odeur dont il ne parvenait pas à se défaire. Ce mélange d'encens et de charogne. Il s'était pourtant douché trois fois depuis la veille, comme après chaque scène de crime, mais la puanteur était toujours là, dans un coin de sa tête. Et les images des papyrus sur lesquelles il surfait ne parvenaient qu'à la rendre encore plus prégnante.

À quels dieux Helen destinait-elle ses holocaustes ? À l'homme à tête de chacal ou à celui à tête de faucon ?

McKenna s'attarda sur une phrase qu'il agrandit : « Les Égyptiens représentent l'âme sous la forme d'un oiseau à tête humaine. »

Il resta quelques secondes à contempler l'illustration qui le représentait, et lut la suite du texte entre ses dents :

— Une fois l'esprit passé dans l'autre monde, l'âme-oiseau revient sur Terre pour vivre avec le défunt, à condition qu'elle puisse le reconnaître.

Le détective fronça les sourcils, intrigué. Puis il lança une nouvelle recherche : « Égypte antique & hypnose ».

L'écran proposa ses résultats.

Un intitulé retint l'attention de McKenna : « Les temples du sommeil : séance d'hypnose sous Ramsès II ».

Le policier double-cliqua et oralisa le texte.

— Un manuscrit datant d'il y a quatre mille ans relate l'existence en Égypte de « temples du sommeil ». Les patients y étaient mystérieusement soignés par des prêtres qui leur parlaient à l'oreille, leur offrant de « douces suggestions guérissantes ».

En tête du manuscrit figurait un œil gauche unique et fardé qualifié d'*œil d'Horus*.

# 53

Un taxi déposa Dahlia devant le modeste pavillon de McKenna. Il pleuvait des cordes. Un vélo d'enfant oublié traînait sur la pelouse près de l'entrée, rappelant au passant qu'une famille habitait là. Les fenêtres étaient toutes éteintes à l'exception d'une pièce à l'étage.

La criminologue réalisa soudain l'heure qu'il était. 21 h 45.

*On ne sonne pas chez les gens à cette heure sans s'être annoncé*, songea-t-elle.

Elle s'en voulut de ne pas avoir téléphoné. Quel droit avait-elle de bousculer ainsi la vie privée d'un homme sous prétexte qu'elle-même n'en avait pas ?

Elle sortit un cellulaire de sa poche, puis leva les yeux vers la pièce éclairée au premier, hésitante. Elle se décida à composer le numéro.

La voix enrouée de McKenna mit un terme à son impatience :

— Allô ?

— Euh... C'est Dahlia. Je suis désolée de vous appeler si tard, monsieur. Je ne vous réveille pas, j'espère.

— Les insomniaques sont durs à réveiller, Rhymes. Qu'est-ce qui se passe ?

— Il faut absolument que je vous voie. C'est au sujet de l'affaire.

— J'habite à Sutton, en banlieue, et je n'ai personne sous la main, pour garder les enfants. On ne peut pas faire ça au téléphone ?

— C'est que… je suis devant chez vous, monsieur. Je suis désolée de me présenter comme ça à l'improviste, mais… ça ne pouvait pas attendre.

McKenna s'approcha de la fenêtre et reconnut la silhouette de sa collègue qui se découpait sous la pluie.

— Entrez vite, vous allez prendre froid.

Dahlia poussa la porte d'entrée, glissa momentanément sa sacoche entre ses jambes et retira son manteau détrempé. Elle regarda autour d'elle à la recherche d'un endroit où le poser.

— Le portemanteau, derrière vous, murmura le détective en descendant les dernières marches de l'escalier.

— Je suis vraiment désolée…

— Il n'y a pas de mal. J'ai juste besoin de cinq minutes pour endormir Miles et je vous rejoins dans le living. Servez-vous quelque chose à boire en m'attendant. Le bar est à côté de la cheminée.

Dahlia opina et pénétra dans la pièce que McKenna avait pointée du doigt. Un joyeux désordre y régnait. Des vêtements parsemés cohabitaient avec des livres de classe ; des boîtiers de DVD avec les manettes de la console de jeux. Des cartes de *Yu-Gi-Oh !* traînaient sur la table basse, au milieu de boîtes de pizzas dont les rogatons noircis s'étaient fossilisés dans le carton.

Ce spectacle du quotidien d'un homme élevant seul ses quatre enfants ne fit qu'amplifier la mauvaise conscience de la criminologue. Elle était entrée par effraction dans la vie privée de son partenaire et s'en voulait. Elle tourna les talons et s'apprêtait à quitter les lieux quand une chanson attira son attention. La voix douce et rassurante provenait du premier étage :

> *I feel her arms are hugging me*
> *As when she held me then*
> *And I hear her voice are humming*
> *To me as in days of yore...*

L'ours mal léché de Scotland Yard chantait une berceuse irlandaise pour endormir son fils. Comment pouvait-on être si différent dans sa vie privée et dans sa vie professionnelle ?

Dahlia se rappela la première fois qu'elle était allée au temple étant enfant. Son père, le pasteur, y faisait preuve dans ses sermons d'une largeur d'esprit dont elle ne soupçonnait pas l'existence. Il irradiait la bonté et la tolérance. Mais, quand son regard croisait celui de sa fille, il semblait dire : « Tout cela ne te concerne pas, fillette. Tu es mauvaise et la miséricorde ne s'applique pas aux démons qui t'habitent. »

La bipolarité du maître de maison avait traumatisé Dahlia à tel point qu'elle avait banni chez elle toute nuance. Sa personnalité était monolithique. Il n'y avait aucune différence entre ses versions privée et professionnelle. Elle n'avait qu'une parole. Elle pensait ce qu'elle disait et disait ce qu'elle pensait. Ce qui lui avait souvent causé bien des soucis.

Pour McKenna, cela semblait être l'inverse. De

retour chez lui, il cessait d'être ce leader infaillible que tous ses collaborateurs redoutaient. Il devenait un papa attentionné qui faisait de son mieux pour compenser l'absence de féminité dans sa maisonnée. Le privé prenait soudain le pas sur le professionnel et le fait d'endormir son fils s'avérait prioritaire sur l'avancée de l'enquête.

Dahlia savait bien que c'était ainsi qu'il fallait se comporter. Cultiver une intimité, un jardin secret, était indispensable à l'individu. Il n'y avait aucun mal à la non-transparence des êtres. On pouvait être multiple et ne livrer qu'une partie de soi aux autres, sans pour autant être pernicieux. Mais, pour Dahlia, il était trop tard. La schizophrénie de son père l'avait condamnée à l'intransigeance. Il ne pourrait y avoir qu'une mouture d'elle.

En renfilant son pardessus, elle aperçut les photos de McKenna avec sa femme et ses quatre enfants qui trônaient sur le guéridon de l'entrée. Elle en éprouva soudain une admiration folle pour cet homme qui tentait de préserver pour ses fils ce bonheur emprisonné dans les sels d'argent. Et ce, malgré l'absence de celle autour de laquelle il avait tissé son nid.

— Enlevez ce pardessus, Rhymes, et dites-moi ce qui vous amène ici.

— Je suis désolée, je n'aurais pas dû venir…

— Vous allez arrêter de vous excuser ? Mes enfants dorment et moi j'allais me replonger dans le dossier, alors autant qu'on fasse ça à deux.

Dahlia raccrocha son manteau et rejoignit son partenaire dans le living.

— Miles, Ewan, Tim et Peter fréquentent cette pièce

beaucoup plus que moi. Ce qui explique son état. Je vous sers quoi ?

— Double whisky, si vous avez.

— Un Irlandais sans whisky, c'est comme une vache sans lait, ironisa-t-il en se dirigeant vers le bar. Bushmills, ça vous va ?

— Parfait.

— Les connaisseurs le boivent à température ambiante, donc on oublie la glace ?

— On oublie.

Il servit deux verres et vint s'installer avec Dahlia autour d'une grande table.

— Alors ? Qu'est-ce qui ne pouvait pas attendre ?

— J'ai déchiffré une partie de ses carnets, répondit-elle en retirant un ordinateur portable de sa sacoche. Et je pense avoir compris ce qui la pousse à sacrifier ces gens.

Dans le regard de McKenna, le détective refit surface :

— Je vous écoute.

— Dans la voiture, tout à l'heure, vous avez dit qu'Helen se délectait du chagrin des autres comme si ça pouvait lui servir à quelque chose. Et cela m'a fait penser aux pleureuses.

— Aux quoi ?

— Aux pleureuses. Dans l'Égypte antique, des femmes étaient payées pour pleurer lors des obsèques. Elles suivaient le cercueil, le visage taché de boue, le sein découvert, la robe déchirée. Elles exprimaient la douleur d'une famille qui n'était pas la leur. En faisant cela, elles honoraient le défunt.

— Quel rapport avec notre enquête ?

— Ce ne sont pas des sacrifices en série, auxquels

nous assistons. Ce sont des funérailles. L'expression du chagrin des éventreurs n'est pas destinée à leurs victimes mais à quelqu'un d'autre. À celui dont on célèbre les obsèques, celui à qui sont destinées ces épitaphes que les éventreurs écrivent avec le sang de leurs victimes. À « *Celui dont le Nom n'est plus* ».

— J'ai bien peur de ne pas vous suivre, Rhymes.

Elle pianota sur son ordinateur tout en demandant :

— La « Quête d'Isis », ça vous dit quelque chose ?

— Vaguement.

— La plus belle histoire d'amour de tous les temps. Celle d'Isis et d'Osiris.

McKenna fixa Dahlia, à la fois intrigué par ces noms qui lui étaient familiers et par l'histoire qu'il ne connaissait pas.

— Osiris… c'est un pharaon, c'est ça ?

— D'après la légende, le premier.

Elle orienta l'écran vers son partenaire.

— La tradition égyptienne lui prête l'invention de l'agriculture et de la religion.

Elle enclencha un diaporama composé d'illustrations tirées de diverses fresques funéraires et continua :

— Le frère d'Osiris, Seth, qui convoitait son trône, avait fait construire un somptueux sarcophage et avait promis de l'offrir à celui dont le corps s'y inscrirait parfaitement. Tout le monde s'y essaya en vain. Mais seul le corps athlétique d'Osiris parvint à épouser les dimensions imposantes du coffre.

— C'était un piège ? déduisit McKenna.

Dahlia acquiesça en poursuivant :

— Seth referma le couvercle sur son frère, scella le cercueil et le fit jeter en pleine mer. Folle de douleur, Isis partit à la recherche du cadavre de son amant et, contre toute attente, le retrouva. Quand il apprit cela, Seth découpa le corps d'Osiris en quatorze morceaux et les dispersa aux quatre coins du Nil. Mais c'était compter sans l'amour d'Isis pour Osiris. Durant les années qui suivirent, elle parcourut les marais du delta sans relâche, traquant les morceaux épars de son bien-aimé. Et elle finit par reconstituer son corps.

— Attendez, attendez… Vous voulez me dire quoi, là ? Que tous les greffons prélevés seraient issus d'un même donneur ? Et qu'en les récupérant, Helen, dans son délire, essaierait de reconstituer le corps de quelqu'un, c'est ça ?

Dahlia acquiesça :

— Le corps de celui dont l'identité a été effacée par la dispersion de ses organes. Le corps de Celui dont le Nom n'est plus.

McKenna secouait déjà la tête, en signe de désaccord.

— Le compagnon d'Helen n'est pas mort, Rhymes. Ils sont juste séparés.

— Séparés ? D'après ce qui est consigné dans les carnets d'Helen, l'amour de sa vie, David Djoser, est décédé le 3 août dernier dans un accident de voiture.

## 54

Sur le chemin qui les ramenait à Londres, les enquêteurs n'avaient pas échangé un mot. L'empathie grandissante que McKenna éprouvait pour celle qu'il pourchassait le terrifiait. Comme elle, il avait perdu l'être qui comptait le plus au monde. Comme elle, il refusait la séparation que la mort avait cru pouvoir lui imposer. Comme elle, il aurait voulu croire que l'ultime frontière n'en était pas une et que l'on pouvait en ramener quelqu'un juste par la puissance de son amour. S'il avait pu vendre son âme en échange de quelques jours de plus avec Gillian, il l'aurait fait sans hésiter. S'il avait dû tuer pour cela...

Son esprit censura la suite du raisonnement et il flotta en apesanteur entre morale et damnation, épouvanté qu'il était par ses propres pensées. Il avait du mal à l'admettre, mais il comprenait à présent la logique funeste d'Helen et la glissade qui s'était opérée en elle après que l'insupportable deuil eut explosé ses garde-fous.

— Comment a-t-elle pu en arriver là ? fit Dahlia en brisant le silence, comme si son esprit avait suivi le même parcours que celui de son partenaire.

— Par instinct de conservation, répondit le détective sans hésiter. Le deuil n'est pas une convalescence dont on se remet, Rhymes. C'est un cancer. La mort est contagieuse et, quand elle frappe ceux qu'on aime, le cerveau n'a qu'une solution pour survivre. Refuser de croire et se couper de la réalité.

Une sonnerie de portable vint interrompre le détective. Il décrocha aussitôt.

— D.C.I. McKenna... Oui, merci de me rappeler, Jason... C'est ça : Fry. Elvis Fry. De Coventry Street... Tu as son numéro perso ?... Non, ça ne viendra pas de toi, bien sûr... Je sais que c'est compliqué avec eux. J'en ai besoin tout de suite. Tu peux me l'envoyer ?... Je suis déjà en route, là. OK. Désolé de t'avoir réveillé, vieux, et... excuse-moi auprès de Mallory.

Il raccrocha et se tourna vers Dahlia, victorieux :

— Quinn m'envoie son numéro.

— Je vous accompagne.

— Non. Vous allez rentrer dormir. Demain matin à 6 heures, on arrête Helen Ross à son domicile. Et il faut que l'un de nous deux soit en pleine forme. Je vous dépose à votre hôtel.

— Laissez-moi à une borne de taxis, ce n'est pas sur votre chemin.

— Qu'est-ce que vous en savez ?

— Je suis une vraie *Brit*, non ?

McKenna acquiesça avec fierté :

— Une sacrée *Brit*, ouais...

Le Land Cruiser se rangea le long du trottoir. Dahlia s'apprêtait à descendre, lorsque le détective la retint par le bras.

— Je voulais vous dire... euh... vous avez fait du

379

beau boulot, Rhymes. On n'aurait jamais pu résoudre cette affaire sans vous.

— Merci, monsieur, répondit-elle avec humilité. Mais… pour moi, elle ne sera résolue que lorsque je retrouverai Nils.

McKenna hocha la tête, contrarié par sa bévue.

— Bien sûr, je… je ne voulais pas…

— Je sais, fit-elle en souriant tristement.

Pour ne pas prolonger la gêne, elle ouvrit la portière et s'élança sous une pluie torrentielle qui transformait les rues en marécages. Dahlia fit un signe au chauffeur et se réfugia dans son taxi.

Pour elle, il était hors de question de rentrer à l'hôtel. Chaque minute qui passait était une torture qui l'éloignait un peu plus de Nils. Dormir, c'était gaspiller des heures qui pouvaient servir à le retrouver.

Elle téléphona à Berg et proposa de le relever dans la surveillance d'Helen. Elle n'allait pas pouvoir fermer l'œil de toute façon, alors autant que son insomnie serve à quelqu'un.

La vérité était que Dahlia avait besoin de se retrouver proche de la seule personne capable de la conduire jusqu'à Nils. Car une chose était certaine : il était encore vivant. « Tout bon préleveur se doit de garder le donneur vivant le plus longtemps possible », avait dit la légiste. Le dessein final d'Helen Ross n'était pas encore accompli. Au cours des prochaines quarante-huit heures, elle allait devoir se rendre auprès de Nils pour prélever le cœur de David Djoser et reconstituer le corps de son amant. Et Dahlia serait là pour l'en empêcher.

Nils avait réussi à faire riper la chaise à laquelle il était attaché jusqu'au wagonnet renversé. Diverses contorsions lui avaient permis de libérer ses épaules des rênes qui le ligotaient au dossier. En dépit des fers qui emprisonnaient ses chevilles, il s'était hissé sur la pointe des pieds et avait étiré ses bras en arrière jusqu'aux roues rouillées de la berline. Il cherchait à présent à rompre les bracelets de cuir de ses entraves en les frottant contre la lame métallique de la jante, contraignant ses muscles à un supplice d'écartèlement.

Pour tenter d'anesthésier la douleur, il obligea son esprit à revisiter les événements qui l'avaient conduit jusqu'ici, à commencer par les images mémorisées au cours de son agression : les mains gantées de cuir, le survêtement et la casquette à large visière… Cette silhouette masculine n'évoquait rien pour lui. Elle n'était qu'un leurre, une diversion destinée à confondre des poursuivants éventuels. Son agresseur était une femme, il en était persuadé. Sa façon de le toucher, son odeur et ce regard surpris dans le rétroviseur ne laissaient planer aucun doute.

Était-elle le cerveau derrière cette série de meurtres

ou bien l'un de ses exécutants ? L'avait-elle choisi comme éventreur ou pour être le prochain sacrifié ?

L'esprit de Nils, paralysé par la douleur, fonctionnait à demi-régime. S'il voulait avoir une chance de s'en sortir, il devait impérativement mobiliser sa mémoire sur un détail, quelque chose qui pourrait devenir un indice. Il se concentra à nouveau sur l'agression. Ce qui l'avait le plus surpris, c'était la ferme délicatesse avec laquelle cette femme l'avait ceinturé. Il n'y avait pas eu de violence à son encontre, pendant l'assaut. Juste de la détermination. À l'instar de celui qui porte secours à un noyé, elle avait imposé sa volonté, sans chercher à faire mal. Ce contact physique avait projeté Nils dans une étrange intimité.

Quelque chose en lui reconnaissait son assaillante. Et, bien que son esprit réfutât cette idée, il ne pouvait nier ce sentiment de familiarité qu'il avait éprouvée au toucher de cette femme.

Une sorte de déjà-vu.

Son cœur avait tressailli pendant qu'il se débattait. Mais ce n'était pas de la peur. C'était autre chose, un sentiment ambigu qu'il ne parvenait pas à définir. Si seulement la douleur lui accordait un répit, peut-être y parviendrait-il ?

## 56

McKenna était accoudé au comptoir d'accueil du Blood & Transplant. Les locaux étaient presque déserts à cette heure, mais un personnel de garde assurait la permanence.

La mission des agences était de localiser et d'attribuer des transplants vingt-quatre heures sur vingt-quatre, sur l'ensemble du territoire. Un réseau informatique les reliait entre elles. Étant en contact permanent avec les différentes équipes chirurgicales du pays, elles pouvaient gérer les greffons disponibles en temps réel. Le problème n'était pas la demande mais l'offre.

— Quatre mille transplantations au Royaume-Uni l'année dernière, expliqua le responsable. La liste d'attente fait plus du double.

— Et combien de décès par an, faute de greffons ?

— Entre deux cents et trois cents. C'est à croire que les gens sont encore plus égoïstes morts que vivants.

McKenna hocha la tête, songeur.

— Si ça vous choque, vous pouvez contribuer à réparer cette injustice, insista le responsable en lui tendant une fiche à remplir. Vous êtes donneur d'organes ?

— Je ne suis pas une affaire. Je n'ai pas de cœur, mes poumons sont un vrai cendrier, quant à mon foie, même transplanté, il pousserait au vice un saint homme.

— Je prends quand même, répondit l'employé nonchalamment. Ça ne vous coûtera que vingt secondes. Vingt secondes pour sauver une vie, c'est pas grand-chose, hein ? Tenez.

Il lui tendit un stylo. Amusé du culot de son interlocuteur, le détective commença à remplir le formulaire.

— Vous aurez fini avant lui.

L'employé venait de désigner du menton Elvis Fry, le responsable de l'unité de vidéosurveillance de Coventry Street. McKenna l'avait appelé à la rescousse pour un crackage très officiel du réseau informatique du Blood & Transplant, dans l'espoir de restaurer les données effacées et d'établir ainsi un lien entre David Djoser et les victimes des éventreurs. Mais la motivation d'Elvis était tout autre.

— Elle arrive à quelle heure, Scully[1] ? demanda-t-il en pianotant fiévreusement.

— Dès qu'elle aura fini, mentit McKenna.

Le policier avait utilisé Dahlia comme appât, histoire de convaincre la star des *geeks* de le rejoindre un peu plus vite. L'ex-hacker avait branché tout un tas de « périphériques » bien à lui sur le nodal informatique de l'agence.

— Je ne veux pas vous décourager, commenta le responsable des lieux, mais si on vous dit que les dossiers des 3 et 4 ont disparu, c'est qu'ils ont disparu.

— C'est pas parce qu'on supprime des données

_____
1. Agent du FBI, héroïne de la série télévisée *X-Files*.

informatiques qu'elles disparaissent d'un disque dur, répliqua Elvis. Même si on reformate, les données sont toujours là. Tant qu'il y a assez de place dans la partition disque, bien sûr.

— Traduction ? fit McKenna.

— Traduction ? Je les aurai, vos infos. J'en ai pas pour longtemps. Le plus compliqué, c'était d'installer le logiciel de restauration sur la partition système sans écraser les fichiers qu'on veut récupérer. Et ça, c'est fait. Comment il s'appelle, votre macchabée, déjà ?

— Djoser. David Djoser.

Elvis tapa le nom sur son moteur de recherche perso. Au bout de quelques secondes, un listing apparut sur l'écran.

— « David Djoser, dossier donneur », c'est ça ? demanda l'ex-hackeur en roulant des mécaniques.

— Elvis, vous êtes vraiment le King, déclara McKenna, impressionné.

— Touchez-en deux mots à votre collègue ricaine. Et… si vous aviez son phone, aussi, ça m'arrangerait…

Le responsable de l'agence n'en revenait pas. Les données des 3 et 4 août derniers étaient restaurées. Il s'installa devant l'écran et parcourut le dossier en le commentant à voix haute :

— Traumatisme crânien. Mort cérébrale. Gardé sous ventilation mécanique. Ce donneur a permis de réaliser six greffes d'organes les 3 et 4 août derniers : rein droit, rein gauche, foie, poumons, pancréas et cœur. Il a sauvé six vies.

— Sauvé ? euh… c'est beaucoup dire… rectifia le détective. Vous avez le nom des receveurs ?

L'employé fit pivoter l'écran vers lui.

La première chose qui frappa McKenna fut l'expression de David Djoser sur sa photo d'identité. Un sourire franc et généreux émanait de cet Oriental qui avait choisi de faire don de sa personne à de parfaits inconnus. La rubrique « profession » affichait : artiste peintre, plasticien. Celle du « lieu de naissance » indiquait : Égypte. La dernière adresse connue était celle de l'appartement que McKenna avait perquisitionné. Mais, très vite, le regard du policier s'intensifia. Il venait d'avoir confirmation du nom des receveurs de David Djoser : Alan Ginsburg, Andrew Kumar, Becky Yu, Lidy Moutoussamy, Tobby Graham et… Nils Blake. Ce dernier avait reçu le cœur du compagnon d'Helen.

Sans cœur, pas d'identité pour le défunt, pas de nom.

Sans nom, pas de jugement lors de la Pesée, pas de vie éternelle, pas de paix pour l'âme. L'Au-delà n'était pas accessible à Ceux dont le Nom n'était plus.

L'hypothèse de Dahlia se révélait exacte. Helen cherchait à reconstituer le corps de l'homme qu'elle aimait, comme Isis l'avait fait jadis pour Osiris. Il ne lui manquait qu'un seul organe pour rassembler tous ses morceaux. Le prochain sacrifié serait sans conteste Nils Blake. Et le prochain éventreur…

Un frisson glacial parcourut le corps de McKenna.

## 57

Elle était entrée dans la police pour redécouvrir la différence entre le Bien et le Mal. Pour se sentir à l'abri de cette frontière qui avait été violée tant de fois durant son enfance et qui, pour elle, n'existait plus. Le Livre, qui soi-disant la définissait, justifiait les actes les plus pervers du maître de maison, faisant du mal qu'il pratiquait sur elle une pénitence indispensable ou du bien dont il la privait un carême nécessaire. « L'exemple vient de haut », prétendait le proverbe. Mais son « haut » à elle était loin d'être exemplaire.

Au cours de sa carrière, Dahlia avait résolu de nombreuses affaires où le Mal avait fait son nid. En arrachant les victimes à ses griffes, en mettant ses disciples sous les verrous, elle avait eu l'impression de faire le Bien. Un bien désintéressé. Un bien profane. Un bien qui ne rachetait aucun péché, aucune peine temporelle. Un bien qui ne réclamait aucune indulgence.

Chaque fois qu'un psychopathe était arrêté grâce à ses talents de profileur, elle avait l'impression de rectifier l'injustice dont ses frères et elle avaient souffert. Mais cette sensation s'effaçait très vite et il lui fallait trouver une nouvelle affaire pour tenter d'étancher sa soif de probité et de rédemption.

Le taxi de Dahlia pénétra dans l'enceinte du St Bartholomew's Hospital sous le grondement du tonnerre. Les éclairs qui déchiraient le ciel surexposaient momentanément la silhouette fantomatique du plus vieil hôpital de Londres, offrant à la criminologue une image bien moins rassurante que celle qu'elle avait découverte en plein jour.

Elle paya le chauffeur et se risqua à l'extérieur. Des rafales de pluie s'abattaient sur elle sans rémission, lui fouettant le visage. Elle abrita sa tête tant bien que mal sous le col de son manteau et courut contre le vent et les embruns qui semblaient s'opposer à sa visite.

Elle poussa la porte des urgences, secoua son imper et présenta sa carte de police à l'hôtesse d'accueil.

— Agent Spécial Dahlia Rhymes. Je viens relever mes collègues auprès d'Helen Ross. Ils sont à quel étage ?

— Chirurgie viscérale, 5e, répondit la jeune femme.

Une fois libérée, Helen Ross avait contacté ses collègues de l'hôpital et leur avait proposé son aide pour la nuit. L'offre avait divisé le personnel. Certains ne souhaitaient pas que leur chef de service revienne aussi tôt, compte tenu des soupçons qui avaient pesé sur elle. D'autres, la majorité, y voyaient une aubaine, étant donné les heures supplémentaires qu'ils avaient accumulées suite à son arrestation. Berg et Knox avaient donc escorté leur « protégée » jusqu'à Barts et croupissaient à présent dans une salle d'attente, à l'entrée du bloc.

Dahlia les y retrouva, avachis sur des chaises inconfortables, un gobelet à la main.

— Rien à signaler ?

— Quelques fantômes dans les couloirs, plaisanta Knox, mais ils ne viennent pas ici. Le café est trop dégueu.

— Terry va y aller, fit Berg à Dahlia. Il est soutien de famille. Pas moi.

— La vie de célibataire a des compensations…

— Allez, dégage avant que je change d'avis.

Le lieutenant ne se le fit pas dire deux fois. Il ramassa son trench et les salua en sortant.

— Tu es sûr que tu ne veux pas y aller, toi aussi ? s'enquit Dahlia. Il ne peut pas m'arriver grand-chose, ici.

— Tu te souviens de ce qu'a dit le Pr Schell ? « L'un d'entre vous doit rester attentif pour pouvoir briser à tout moment le lien qui s'établit. »

— Tu m'impressionnes, fit Dahlia en s'asseyant à ses côtés.

— C'est un début.

Loin de dérider la criminologue, ce « plan drague » la mit mal à l'aise. Berg s'en rendit compte et rectifia :

— Je plaisantais, Rhymes.

— Excuse-moi, je… je suis un peu à cran, en ce moment.

— Tu es toujours à cran, d'après ce que j'ai pu voir. Mais, en ce moment, tu as de bonnes raisons. Et, dans ces cas-là, les amis, ça existe, tu sais ?

Faisait-il allusion à la disparition de Nils, sans le nommer ? McKenna avait-il prévenu les autres membres de la brigade du drame personnel que traversait Dahlia ?

Quoi qu'il en soit, la délicatesse de son collègue la toucha. Elle lui adressa un demi-sourire et se leva. Elle se rendit à la porte du bloc opératoire pour vérifier, par le hublot, qu'Helen Ross s'y trouvait bien. Elle l'aperçut en pleine action, entourée de son personnel. Elle jeta un coup d'œil sur les pièces attenantes : une salle préparatoire, une salle de réveil et un vestiaire chirurgical. Aucune d'entre elles n'avait sa propre sortie. Quand Dahlia se tourna à nouveau vers l'équipe chirurgicale, Helen la salua de la tête. Gênée, elle revint vers la salle d'attente et demanda à Berg :

— Il y a d'autres issues possibles en dehors du couloir où nous nous trouvons ?

— Non. On a vérifié. La stérilisation du bloc exige qu'on limite les accès. Assieds-toi, va. Ça risque de durer un bon bout de temps, tu sais ?

Elle obtempéra.

— Comment tu trouves le big boss, en ce moment ? demanda Berg.

— Je ne le connais pas, je ne sais pas comment il est d'habitude, alors je ne peux pas juger. La seule chose que je peux te dire, c'est que… il m'a l'air d'être un père fantastique.

Berg dévisagea sa partenaire, comme s'il avait eu l'intention de lui confier quelque chose et qu'il avait préféré y renoncer. La situation familiale chaotique de McKenna avait sans doute des répercussions négatives sur la vie professionnelle du colosse irlandais. Et son équipe en faisait sûrement les frais. Alors, Dahlia crut bon de préciser :

— Je le trouve juste super courageux de se battre comme il le fait pour ses enfants. Ça ne doit pas être évident tous les jours de remplacer une mère.

Berg hocha la tête gravement.

— Il a morflé grave, tu sais ? Et il morfle encore. Il t'a raconté ce qui lui est arrivé ?

— Il m'a juste dit que l'Alzheimer lui avait pris sa femme…

— Ouais… Écoute, euh… Je crois qu'il vaut mieux que tu l'apprennes par moi plutôt que quelqu'un fasse une gaffe au bureau et…

Le portable de Dahlia sonna, interrompant l'inspecteur. Elle s'excusa d'un geste et décrocha :

— Rhymes…

À l'autre bout du fil, il n'y avait rien. Rien, si ce n'était cette mélodie douce et envoûtante : la *Gnossienne n° 1* d'Erik Satie, sifflée par quelqu'un.

Dahlia releva la tête lentement, le visage grave… Cette musique évoquait quelque chose en elle, mais elle ne savait pas quoi exactement. Elle fit un effort pour se rappeler… en vain. C'était trop flou, trop lointain…

Dans le vestiaire du bloc opératoire, Helen Ross s'arrêta de siffler. Elle raccrocha le téléphone mural et enfila une écharpe et un pardessus. Elle ouvrit son casier et collecta son courrier, portant une attention toute particulière à une boîte FedEx SameDay format A4. Légèrement taché de sang coagulé, le colis express était adressé à Helen Ross, St Bartholomew's Hospital.


Plongée dans un état second, Dahlia regardait droit devant elle, son portable à la main.

— Ça va ? s'inquiéta Berg.

— Oui. Je… J'ai besoin de prendre l'air. Tu me prépares un café en attendant ?

— Ouais, ben on va dire un double, fit-il en réalisant l'état de somnolence de sa partenaire.

Dahlia se leva et sortit dans le couloir d'un pas décidé mais étrangement ralenti dans son rythme. En passant près d'une poubelle, elle se débarrassa de son portable.

À travers le hublot de la porte du bloc, Helen Ross suivait sa progression tout en surveillant Berg du coin de l'œil. Le policier se rendit au distributeur de boissons, tournant momentanément le dos au couloir. Helen en profita pour se glisser à l'extérieur, sa boîte FedEx sous le bras. Elle rattrapa Dahlia et toutes deux pénétrèrent ensemble dans la cabine d'ascenseur.

## 58

Un courant d'air glacial balayait la galerie. Pourtant, Nils était en sueur. Le cuir de ses entraves, déjà bien effiloché, avait fini par céder. Ses bras perclus retombèrent devant lui. Il resta quelques secondes, plié en deux, à reprendre son souffle, entre joie et épuisement.

Ses mains étaient libres. Mais les fers qu'il portait aux chevilles étaient toujours solidaires des barreaux de la chaise. Il se pencha en avant et attrapa ses chaînes. Il entreprit de les faire glisser sous les pieds de son siège.

N'y parvenant pas, il se leva, prit appui sur l'établi et s'élança de toutes ses forces contre le mur, chaise en avant. Il espérait ainsi en briser la charpente. Il recommença l'opération plusieurs fois. Sa seule alliée était sa rage qui grandissait à chaque nouvel échec.

Mobilisant le peu d'énergie qui lui restait, il se jeta si violemment contre le mur que sa tête alla cogner contre la paroi de pierre. La chaise se rompit enfin. Mais, lorsque Nils retomba sur le sol, l'un des barreaux fracturés lui déchira la cuisse. Le cri qu'il poussa était un mélange de douleur et de libération. Bientôt, les efforts qu'il avait imposés à son corps affaibli par l'absence de traitement déclenchèrent une crise de vomissements coercitifs.

Il resta quelques instants à terre, reprenant son souffle, concentrant son esprit sur Dahlia, pour ne pas perdre connaissance. Comment avait-elle interprété son silence forcé ? Avait-elle cherché à le revoir ? « Pas de sentiment », c'était ça, le deal. Il savait secrètement qu'il n'avait pas pu respecter leur contrat. L'avait-elle respecté, elle ? Tenait-elle seulement un peu à lui ?

Il se redressa et grimaça en apercevant sa blessure. Il allait devoir trouver de quoi arrêter le sang.

Et vite.

Il s'aida de la berline renversée pour se mettre debout et retira sa veste. Il déchira la couture d'une de ses manches avec ses dents, l'arracha et la noua au-dessus de la plaie. Il fit un double nœud et serra le garrot aussi fort qu'il put.

Ainsi fagoté, il entreprit de faire le tour de sa prison, les fers aux pieds, à la recherche d'une issue. La lumière chaude et instable provenait de lampes à pétrole, suspendues aux étais de chêne à chaque croisement de corridor. Les murs étaient couverts de hiéroglyphes tracés à la bombe. À mesure qu'il avançait dans la galerie, traînant des pieds dans un cliquetis de chaînes, il avait l'impression perturbante de violer un tombeau.

La seule issue semblait être une trappe en bois massif vers laquelle montaient des marches creusées dans la pierre.

Nils entreprit d'en forcer l'ouverture, mais elle était si solidement verrouillée de l'extérieur qu'elle ne bougea pas d'un iota. À bout de forces, il renonça.

C'est alors que, de l'autre côté de la trappe, lui

parvint la sonnerie étouffée de son portable. Son seul espoir de contacter quelqu'un était hors d'atteinte. Il fallait se rendre à l'évidence. S'il pouvait arpenter le sous-sol de cette cave à son gré, il lui était impossible d'en sortir.

Il ne reverrait jamais Dahlia.

Il décrocha une lampe à pétrole et pénétra à l'intérieur d'une salle adjacente plongée dans l'obscurité. Ce qu'il y découvrit le fit frissonner. Non pas de peur mais d'émotion. Il y avait là, entreposées, des sculptures dont le style lui paraissait étrangement familier. Un mélange dérangeant d'anatomie humaine et animale. Des êtres hybrides et borgnes dont l'œil gauche unique et inquisiteur occupait la moitié du visage. Ces statues ressemblaient étrangement aux œuvres qu'il sculptait, mais ce n'étaient pas les siennes.

Il se retourna en brandissant sa lanterne. Dans la lueur instable de la flamme, d'autres cyclopes hybrides le fixaient depuis le mur d'en face.

Derrière eux s'ouvrait un couloir, le long duquel couraient des câbles électriques. Il s'y engagea.

Six vases canopes à l'effigie du chacal ou du faucon y étaient alignés. Il souleva le couvercle de l'un d'eux et fit un bond en arrière tant la puanteur était obscène. Il y avait des viscères humains à l'intérieur de ces vases. Et, en y regardant de plus près, chacun portait le nom des sacrifiés : Alan Ginsburg, Andrew Kumar, Becky Yu, Lidy Moutoussamy…

Les deux derniers canopes étaient vides, mais ils étaient déjà baptisés Tobby Graham et… Nils Blake.

Il n'y avait plus de doute possible sur la raison de sa présence ici. Pris d'un accès de rage, l'avocat renversa le canope qui portait son nom. Il s'acharna dessus, encore et encore, comme s'il pouvait inverser le cours des choses. Et ce, jusqu'à ce qu'il ne soit plus qu'un amas de débris. À bout de souffle, il s'adossa au mur le plus proche et ferma les yeux pour recouvrer son sang-froid.

Au-delà du couloir s'ouvrait une dernière pièce. Il décida de s'y aventurer en suivant les câbles.

En son centre se dressait, grandiose, un sarcophage qui contrastait violemment avec le matériel médical qui l'entourait. Au-dessus de lui, une tente translucide tombait en baldaquin.

Nils s'en approcha à petits pas, ralenti par ses entraves, hésitant entre angoisse et fascination...

Qu'allait-il découvrir dans ce cercueil ? Un énième sacrifice humain ?

Il lui sembla percevoir un bruit que le cliquetis de ses chaînes l'empêchait d'identifier. Il s'immobilisa un moment pour prêter l'oreille. Un étrange clapotis s'échappait du sarcophage, comme si celui-ci était rempli d'eau.

Nils se remit à marcher, de plus en plus vite, obsédé par l'idée de savoir ce que renfermait la bière. Bientôt, à travers le rideau diaphane, dans la lueur chaude de la lanterne, une silhouette humaine se dessina, allongée...

Nils souleva le rideau.

Un homme oriental gisait dans le sarcophage, comme dans une baignoire. Son corps nu baignait dans du formol. Il était parfaitement conservé. Seule une longue cicatrice verticale, dans l'axe du sternum, venait entacher sa perfection.

## 59

Les rues étroites du East End firent bientôt place à de larges boulevards où McKenna put accélérer à sa guise. Gyrophare allumé, sirène hurlante, le Land Cruiser se faufilait dans des voies encore encombrées malgré l'heure tardive.

— Elle m'a dit qu'elle sortait prendre l'air, soupira Berg au téléphone. Ne la voyant pas revenir, je l'ai appelée sur son portable et je me suis aperçu qu'il sonnait dans la poubelle du couloir.

— Il était quelle heure ?

— 1 h 30 du mat. J'ai été la chercher dehors et j'ai vu que ma voiture n'était plus sur le parking.

— Est-ce qu'elle a parlé à Helen Ross ?

— Non. Elle était avec moi dans la salle d'attente. Elle est juste allée vérifier par le hublot que Ross était toujours au bloc, mais elle est restée dans le couloir.

— Elle n'aurait pas reçu un coup de fil, par hasard ?

— Si. Juste avant de sortir, pourquoi ?

— Elle a dit quelque chose au téléphone ?

— Non, euh… elle a écouté un moment, puis elle a raccroché sans rien dire. Ça devait être une erreur.

McKenna frappa son volant de rage. Il pestait contre le manque de perspicacité de son inspecteur.

— Va voir si Ross est encore au bloc.

— Mais… elle est en pleine opération, boss, je l'aurais vue sortir si elle avait terminé.

— Tu veux parier ?

Berg perdit soudain toute assurance. Les années passées à travailler auprès de son patron lui avaient appris à ne jamais douter de ses intuitions.

— Passe-moi Knox, pendant que tu vérifies. Et demande au chirurgien à quelle heure elle les a quittés.

— Le boss veut te parler, dit Berg à Knox qui avait rappliqué à l'hôpital, toutes affaires cessantes.

— On va la retrouver, vieux. Te bile pas.

— On va dire ça, ouais.

Le lieutenant regarda son collègue s'éloigner, rongé par le remords. Il respira un bon coup et porta le téléphone à l'oreille :

— Je suis désolé, Mac, Rhymes a insisté pour me remplacer et…

— Ferme ta gueule, Knox et écoute-moi. Rhymes est actuellement sous l'emprise d'Helen Ross. Exactement comme les cinq autres éventreurs. Toutes les deux sont à bord de la voiture de Berg et se dirigent vers l'endroit où Nils Blake est retenu en otage. Si on n'arrive pas à les retrouver à temps, on aura un sixième sacrifice humain sur les bras. Et Rhymes sera notre dernier éventreur, tu comprends ça ?

Avant que Knox puisse répondre, Berg lui arracha le téléphone des mains.

— Elle est plus là, boss. Elle est partie il y a une demi-heure.

— En même temps que Rhymes…

— Elle leur a dit qu'elle rentrait chez elle.

— Envoie une équipe pour vérifier, ordonna-t-il sans conviction. Et une autre chez Blake.

— Pourquoi chez Blake ?

— Les sacrifiés ont tous été retrouvés à leur domicile. Transmets l'immatriculation de la BM au central, ainsi que le signalement de Ross et de Rhymes. Qu'ils diffusent largement. Je veux des barrages routiers dans un rayon de quarante miles autour de l'hôpital. Contacte la presse. Dis-leur que Scotland Yard offre une récompense de dix mille livres pour toute information permettant de localiser Helen Ross.

— Quinn n'acceptera jamais.

— Il l'a bien fait pour Raoul Moat[1].

Le Land Cruiser se retrouva momentanément bloqué derrière un taxi qui bouchait la bretelle d'accès au Rotherhithe Tunnel.

McKenna klaxonna rageusement. Le chauffeur comprit le message et dégagea la route.

— Toutes les communications radio devront se faire sur fréquence tactique, poursuivit le détective. Il est possible qu'Helen Ross nous écoute sur la radio de Berg. Dernière chose… Appelle Battersea[2]. Il va nous falloir un hélicoptère.

— Pour aller où, boss ?

— Là où se trouve ta voiture. Tu me fais trianguler son détecteur GPS et tu m'envoies le retour sur mon ordi. On se retrouve à l'héliport.

McKenna raccrocha et quitta aussitôt cet état de

---

1. Une des chasses à l'homme les plus retentissantes du Royaume-Uni.
2. Héliport de Londres.

total contrôle des événements, d'indéfectible assurance qu'il projetait pour ses hommes. Au fil des années, il avait appris à jouer ce personnage de chef jamais pris au dépourvu. Cela rassurait aussi bien ceux qui étaient sous ses ordres que ses supérieurs. Et, qui sait, peut-être cela finissait-il par le rassurer, lui aussi ?

Pour l'heure, il n'avait pas la moindre idée de comment tout cela allait finir. La seule chose dont il était convaincu, c'était qu'Helen avait prévu la suite des événements dans ses moindres détails. Il avait l'impression d'avancer sur la piste d'un jeu de l'oie où chaque événement avait été soupesé et chaque parade élaborée au prix convenu. Et, lui, McKenna, le grand détective de Scotland Yard jamais pris au dépourvu, était tombé dans le panneau.

Comme un bleu.

Il s'en voulait terriblement de n'avoir rien vu venir, aveuglé qu'il était par son indéfectible assurance. Il alluma une cigarette et se rappela soudain les aveux de sa partenaire, dans le pub : « Je dois être aux manettes, moi ! Savoir ce qui va se passer. »

Rhymes ne s'était jamais soûlée car l'idée de perdre le contrôle la terrifiait.

Une chose était certaine, à présent. Dahlia n'était plus « aux manettes ». Elle avait perdu toute maîtrise d'elle-même et des événements. Son pire cauchemar se réalisait.

## 60

Vu du ciel, l'échangeur autoroutier ressemblait à un circuit vingt-quatre où se croisaient des centaines de véhicules, chacun chargé d'hommes et de femmes aux parcours différents avec leurs lots de problèmes, grands ou petits, mais souvent insurmontables pour qui les subissait. Ces vies se côtoyaient parfois, à l'occasion d'un dépassement sur la voie rapide ou d'un arrêt pipi à la station-service. Mais, la plupart du temps, elles s'ignoraient. Il aurait fallu une imagination débordante aux usagers de la route pour comprendre ce qui se jouait à l'intérieur de la BMW aux couleurs de la police britannique. Son immatriculation la reliait à un certain Jack Berg, inspecteur de Scotland Yard. Mais ce n'était pas lui qui conduisait.

Helen Ross était au volant.

Elle semblait étrangement sereine, pour ne pas dire rêveuse. Rien de ce qui l'attendait au bout de ce périple ne pourrait la surprendre. Tout s'était déroulé exactement selon ses prévisions. En quittant l'hôtel *Guoman Tower*, la veille, Neve Graham avait placé le pancréas du petit Tobby dans la boîte FedEx SameDay prépayée qu'elle transportait dans son sac. Puis elle l'avait glissée dans une des nombreuses *dropbox* que comptait la compagnie de courrier express à Londres. Telle était la dernière mission de tout éventreur avant l'oubli : livrer le précieux greffon.

Chacun avait joué sa partition à merveille. L'idée de « protection rapprochée » avait divisé les enquêteurs, les obligeant à réagir, chacun selon ses priorités. Il n'était plus resté à Helen qu'à récupérer l'envoi de Mme Graham à l'hôpital le lendemain et à attendre que sa sixième proie morde à l'hameçon.

Elle capta le regard de sa passagère dans le rétroviseur. Assise sur la banquette arrière, Dahlia fixait le vide. Elle se balançait lentement, au rythme des secousses imposées par la route. Elle était prisonnière d'une transe profonde qui avait pris sa source dans la salle d'interrogatoire lorsque Helen était parvenue à enfoncer ses barrières psychiques. Elle n'avait pas pu lui transmettre l'ensemble des consignes. Mais elle aurait tout le temps de le faire une fois parvenue à destination.

Sauver David. Redonner à son corps son intégrité pour que son âme puisse le reconnaître. Telle était l'obsession d'Helen. Non pas qu'elle veuille le ressusciter. Elle avait accepté la mort physique de son compagnon. Mais elle refusait de « faire son deuil », comme disent les gens normaux. De laisser le temps cautériser son chagrin. Elle voulait garder ses plaies ouvertes, donner un sens à sa souffrance. S'en servir comme monnaie d'échange, comme obole, dans ce troc *post mortem* qui allait l'opposer aux dieux. Car il y aurait marchandage, comme pour tout avec eux.

Le droit à la Pesée et une vie dans l'Au-delà, c'était

tout ce qu'elle voulait obtenir pour David et pour elle. Après tout, cela n'était pas plus absurde de croire à cela qu'à la résurrection des morts au Jugement dernier !

David, l'Égyptien, ne partageait pas les croyances d'Helen. En tant qu'agnostique, il avait déjà suffisamment de mal à croire en l'existence d'un Dieu pour en envisager plusieurs. Du reste, les seules disputes du couple concernaient la foi et la notion de point final de l'existence. « Jusqu'à ce que la mort nous sépare », disait-on lors des mariages chrétiens.

Pour Helen, la mort n'avait pas le pouvoir de séparer. Elle n'était pas cette barrière infranchissable qu'on voulait bien nous présenter. Pour David, c'était une maladie qu'on attrapait en naissant et qui finissait par avoir votre peau, le plus tard possible. Seul l'art pouvait la vaincre en inventant une autre vie, immortelle celle-là. Les médecins comme Helen ne pouvaient que la retarder en réparant les corps, comme les garagistes font pour les voitures. Mais David était prêt à leur offrir ses pièces détachées si cela pouvait prolonger le combat. C'était pour cette raison qu'il était donneur d'organes.

Leurs visions étaient irréconciliables. À tel point qu'Helen et David avaient fini par bannir ces conversations en les déclarant taboues.

Ils s'étaient rencontrés sur le campus de l'University College London. David y étudiait les arts graphiques, tandis qu'Helen suivait les cours du soir en égyptologie et rites anciens. Elle avait éprouvé le besoin d'étudier les origines de l'hypnose pour en repousser les limites. C'était dans le limon noir de l'Égypte antique que se trouvait sa source : les temples du sommeil de Ramsès II. Pour espérer en percer les secrets, elle devait en maîtriser la culture et les croyances. Et ce fut ainsi que l'hypnothérapeute du St Bartholomew's Hospital mélangea médecine moderne et ésotérisme.

Elle avait dix ans de plus que David, mais sa maturité et la passion d'Helen pour son talent d'artiste avaient balayé leurs différences. Leur histoire d'amour avait résisté au temps. Et, si le destin ne s'était mis en tête d'y mettre un terme, il n'y aurait eu ni éventreurs ni sacrifiés.

La voiture de police volée quitta l'autoroute M1. Elle emprunta une bretelle de sortie et passa devant un panneau qui annonçait : *Stoke-on-Trent, 42 miles*.

Un paysage vallonné et luxuriant se déroulait devant elle. En contrebas, les eaux de la rivière Trent se paraient de mercure sous la lumière blafarde de la lune. L'orage qui avait assiégé Londres et sa banlieue semblait s'éloigner vers d'autres places fortes, laissant derrière lui un épais brouillard qui rendait la conduite dangereuse.

Helen s'efforçait de rester concentrée sur la route, mais des gémissements en provenance de la banquette arrière attiraient périodiquement son attention. Dans le rétroviseur, Dahlia semblait plus agitée, comme si elle luttait contre sa torpeur.

Il fallait faire vite.

La qualité des transes et leur durée variaient d'une personne à l'autre. Les gens simples s'accommodaient aisément de cet état de somnambulisme induit, mais l'agent du FBI était loin d'être « simple ». Tôt ou tard, Helen allait devoir s'arrêter en chemin pour approfondir sa transe. À cela aussi, elle s'était préparée. Quoi

404

qu'il en soit, elle avait suffisamment d'avance sur des poursuivants éventuels pour ne pas être inquiétée.

Bientôt, elle rendrait son cœur à David et accomplirait pour lui l'ultime sacrifice. Elle ne laisserait personne les séparer à nouveau. Pour l'amour de David, elle irait jusqu'au bout.

## 61

Un EC135 bleu marine et jaune filait vers le nord sous un ciel d'encre. Il longeait des paysages de campagne que la banlieue de Londres tentait en vain de digérer. À basse altitude, le pilotage était dangereux, mais c'était à cette hauteur que le signal du détecteur GPS de la voiture de police était le plus fort.

La triangulation était en cours.

— Dans la banlieue ouest de Nottingham, hurla McKenna dans son casque émetteur pour tenter de couvrir le bruit des rotors. Contacte la police locale et demande-leur de se tenir prêts à dépêcher des renforts sur place.

Sur le siège arrière, Berg définissait un périmètre de recherche sur une carte régionale en se référant au signal que le détecteur GPS de sa voiture envoyait à sa tablette.

— On leur dira quel bled exactement quand on saura, grogna McKenna qui perdait patience. Mais d'après le signal, ça s'oriente plutôt vers…

Le policier se tourna vers son collègue pour qu'il complète sa phrase.

— Vers les Midlands de l'Ouest, fit l'inspecteur, sans hésiter. Direction Stoke-on-Trent.

— T'as entendu ? Oui. Stoke-on-Trent.

L'hélicoptère vira dans cette direction.

Arrivée au sommet d'une colline, la BMW sortit momentanément de la brume. Helen remarqua la présence d'une Volvo break devant elle.

La voiture ralentit aux abords d'un passage à niveau. Le feu rouge de signalisation s'était mis à clignoter dans le brouillard et sa sirène déchirait déjà le silence de la campagne. Les barrières s'abaissèrent lentement.

La BMW n'eut pas d'autre choix que de se ranger derrière la Volvo.

Des secondes s'écoulèrent, interminables. Des gouttelettes de sueur apparurent sur le front d'Helen. Voilà qui ne faisait pas partie de son plan. À travers le pare-brise, elle distinguait clairement deux enfants qui chahutaient sur la banquette arrière. Quand ils aperçurent la voiture de police, ils se collèrent à la vitre et pointèrent leurs doigts en guise de revolver sur celle qu'ils prenaient pour un policier.

Helen pensa un instant faire demi-tour. Ces gosses allaient peut-être attirer l'attention de leurs parents, lesquels la reconnaîtraient sûrement. Son visage avait fait la une des médias ces derniers jours. Elle allait être contrainte de les supprimer. Or elle n'avait jamais tué personne. Du moins… directement.

Elle plaça la main sur le levier de vitesse, s'apprêtant à faire marche arrière quand une voix l'interpella :

— Qu'est-ce que je fais ici ?

Elle se retourna et aperçut Dahlia qui tentait d'ouvrir la portière.

Dans son rétroviseur, le conducteur de la Volvo crut voir une policière en civil descendre de sa voiture et se rendre à l'arrière pour s'entretenir avec sa passagère.

*Une collègue ou une détenue ?* se demanda-t-il. *Difficile à dire...*

Sa curiosité le poussa à baisser sa vitre et à sortir la tête à l'extérieur pour tenter d'en savoir plus. Mais la sirène stridente du passage à niveau l'empêchait d'entendre quoi que ce soit.

Soudain, la policière leva les yeux dans sa direction. Angoissé, le conducteur battit en retraite dans son habitacle.

— Qu'est-ce qui se passe, chéri ? s'inquiéta sa femme.

— Rien. La flic, derrière... elle m'a regardé bizarrement.

Les enfants éclatèrent de rire. Leur mère se retourna et les fit taire.

— Tu as fait un excès de vitesse ?

— Je ne crois pas, non.

Elle jeta un coup d'œil par la lunette arrière. La conductrice était toujours penchée à la portière en grande discussion avec sa passagère. Allait-on leur demander leurs papiers ?

Dans la lumière intermittente du feu rouge, le visage de la policière lui sembla bientôt familier.

À l'arrière de la BM, Dahlia avait perdu toute volonté de fuir. Concentrée sur le regard d'Helen, son inquiétude s'était évanouie et une douce torpeur avait pris sa place. Combien de temps avait-elle passé à l'arrière de cette voiture ? Cinq minutes ? Une heure ? Impossible à dire.

Helen se rendit compte que les occupants de la Volvo l'observaient. L'avaient-ils reconnue ?

Leurs regards se croisèrent à nouveau.

Elle comprit.

Elle se tourna vers sa prisonnière.

*Son arme*, songea-t-elle. *J'ai besoin de son arme.*

Dahlia se laissa fouiller sans l'ombre d'une résistance. Quand Helen lui emprunta son Smith & Wesson, elle n'éprouva pas le besoin de réagir. La portière se referma sur elle, censurant d'emblée tous les bruits extérieurs : la sirène, bien sûr, mais aussi le rugissement de la tempête qui semblait s'être levée sans crier gare. La voiture elle-même s'était mise à vibrer violemment comme lors d'un tremblement de terre. Cette sensation fut la dernière que Dahlia emporta avec elle. Car, l'instant d'après, elle perdit connaissance.

En réalité, dehors, il n'y avait ni tempête ni tremblement de terre. Juste un train de marchandises qui franchissait la route dans un fracas de métal assourdissant. L'appel d'air provoqué par son passage aspirait les feuilles mortes dans un tourbillon ascendant autour d'Helen, tandis qu'elle revenait d'un pas décidé vers la Volvo, pistolet au poing.

Le conducteur prit peur. Il était coincé entre la voiture de police à l'arrière et la barrière qui l'empêchait d'avancer.

Cédant à la panique, il braqua son volant à fond et entama un demi-tour désespéré, faisant fumer ses pneumatiques. Son pare-chocs avant heurta la lisse et se détacha sous la violence de l'impact. Le feu de signalisation fut emporté. Helen bondit sur le côté, évitant la Volvo de justesse.

Elle reprit son équilibre et mit la voiture en joue. Mais l'expression terrifiée des enfants, dans sa ligne de mire, la fit renoncer.

## 62

Des pylônes électriques rendaient le survol de la région délicat. À bord de l'hélicoptère, McKenna scrutait le paysage nocturne à travers ses jumelles. Une voie de chemin de fer se déployait sous l'appareil, contournant les vallées comme un serpent interminable.

— Je n'ai plus de signal, fit Berg les yeux verrouillés sur son ordi. Elle a dû se débarrasser de la voiture dans un lac ou ce genre de truc.

— Je crois plutôt que ce sont ces putains de lignes à haute tension qui brouillent le signal.

— Je ne peux pas descendre plus bas, prévint le pilote. C'est trop dangereux.

— Je sais, soupira McKenna.

Il sortit une photo de la poche intérieure de son parka et l'étudia pour la énième fois. Helen et David y étaient adossés à une charpente en ruine en bord de voie de chemin de fer. Était-ce une gare désaffectée ? Derrière eux, à l'horizon, on apercevait la tour d'un château fort. Quel pouvait bien être le nom de ce patelin ?

Helen regardait son compagnon amoureusement, mais lui avait le visage tourné vers la personne qui prenait le cliché. Quelqu'un avait donc été témoin de cet instant, quelqu'un qui savait où était cette gare, à moins que...

McKenna approcha son visage du bas de la photo et plissa les yeux, faisant un effort d'accommodation. David tenait quelque chose dans la main droite, une sorte de petit câble, de... déclencheur souple ?

Il ne regardait pas quelqu'un. Il regardait l'appareil pour s'assurer qu'il fonctionne. Il prenait la photo à distance, comme font les amoureux quand ils veulent s'immortaliser ensemble dans un décor qui a une signification particulière. Quelle signification pouvait donc avoir cet endroit pour eux ?

Un vibreur de portable ramena McKenna à la réalité. Il s'en saisit, lut le nom qui s'affichait sur l'écran LCD et fit glisser son casque sur sa nuque pour prendre la communication.

— Ouais, Knox... Quoi ?... Il est certain que c'était elle ?

Berg leva les yeux de la carte routière et interrogea son supérieur du regard.

— Ça s'est passé où ?... À *quel* passage à niveau ?... Sur la route de... ? Uttoxeter... OK.

Le détective arracha la carte des mains de son collègue et l'étudia en demandant :

— Il est du coin, ton témoin ?

McKenna trouva l'emplacement d'Uttoxeter sur le plan et fit signe à Berg de lui passer son stylo.

— Très bien, demande-lui s'il n'y a pas une gare désaffectée dans la région ou un château fort.

Pendant qu'il attendait la réponse, il examina à nouveau la photo.

— Excuse-moi, tu peux répéter ? Avec ce foutu

412

rotor, j'entends rien !... Une église du $XI^e$ siècle ?
Euh...

Ses yeux revinrent sur le cliché.

— Ouais, ça pourrait le faire. On la trouve où ?

Quand Dahlia rouvrit les yeux, Helen était penchée
au-dessus d'elle, à l'arrière de la voiture de police.

— Viens, on est arrivées, lui confia-t-elle d'une
voix rauque et envoûtante.

La criminologue leva les yeux vers son guide et
sortit de la voiture, sans le vouloir vraiment, à la
manière de ces enfants qui ne savent pas encore que
désobéir est une option.

Helen la prit par la main et l'entraîna vers des bâtiments en ruine, dévorés par la végétation. L'endroit
évoquait une usine abandonnée ou plutôt... une mine
désaffectée car son architecture était organisée autour
d'une fosse centrale vers laquelle convergeaient des
voies de chemin de fer. Tout autour, des constructions
de briques s'entassaient, sans esthétisme particulier.
Elles étaient surmontées d'un beffroi dont les charpentes en bois noirci menaçaient de s'écrouler à tout
moment.

Une Mercedes CLA était garée plus loin. Même
modèle, même couleur que celle de Nils. Véritable
anachronisme dans ce paysage du $XIX^e$ siècle, son luxe
contrastait violemment avec l'état de délabrement des
lieux.

Les deux femmes émergèrent d'un escalier de pierre
envahi par des plantes grimpantes. Elles franchirent
une passerelle cahotante et traversèrent l'ancien hangar
de criblage.

Helen progressait avec assurance. Elle connaissait

chaque recoin de l'ancienne mine, chaque zone d'effondrement. Dahlia la suivait, accrochée à sa main comme à une bouée de sauvetage.

Une vaste salle s'ouvrit à l'entrée du puits. Constamment battue par les courants d'air, elle semblait vouloir précipiter le visiteur dans le gouffre. La lumière lunaire, qui perçait par les multiples orifices de la toiture défoncée du beffroi, dessinait des rayons de particules en suspension. Il se dégageait de l'ensemble une atmosphère de cathédrale païenne.

Helen sortit une torche électrique de la poche de son manteau et la braqua vers les deux monte-charge suspendus au-dessus du puits. L'un d'eux était impraticable, son couloir de descente obstrué par des arbrisseaux qui avaient pris racine dans les margelles du précipice. Helen installa Dahlia dans l'autre. Puis elle s'y glissa à son tour et actionna la mise en marche.

Il y eut un soubresaut avant que la cabine plonge comme une pierre dans l'abîme à la vitesse vertigineuse de dix mètres à la seconde.

À travers le grillage à petites mailles de la cage, Dahlia voyait défiler les charpentes de la fosse, mais aussi le goyot[1] et son empilement d'échelles. Au bout de quelques secondes, la lumière lunaire vint à manquer. Et l'ampoule de la torche s'enfonça au cœur des ténèbres.

La cage s'immobilisa enfin, à deux cent vingt-neuf mètres de la surface. La descente n'avait pas dépassé une minute.

---

1. Dans les mines, compartiment destiné au passage de l'air ou des tuyauteries, mais aussi à une issue de secours.

Les verrous se fixèrent et les passagères descendirent.

Elles s'engagèrent dans une salle creusée à même la pierre dont la voûte avait été maçonnée. Des lampes à huile en assuraient l'éclairage.

À travers un dédale de galeries obscures et d'escaliers de fortune, Helen suivait un chemin précis qu'elle seule semblait connaître. Ses uniques repères étaient des symboles hiéroglyphiques tagués ici et là sur les murs noirs.

Plus les deux femmes s'enfonçaient dans les galeries, plus la hauteur de celles-ci diminuait, les forçant à courber l'échine.

— Attention à la tête, recommanda Helen en orientant le faisceau de la torche vers l'étai de chêne qui soutenait une roche plus friable et plus basse à cet endroit.

Au-delà de ce goulot, le couloir s'élargissait en une grotte naturelle, haute de plafond. Elle avait été aménagée confortablement. Il y avait là des tables de travail, des chaises, mais aussi un ordinateur et tout un équipement biologique qui conférait au lieu un aspect de laboratoire d'expérimentation.

— Tu vas m'attendre ici jusqu'à ce que je revienne te chercher, d'accord ?

Dahlia acquiesça, le regard vide. Helen l'installa sur un siège.

S'il y avait des insomniaques à Dilhorne, ils devaient être aux fenêtres. Un hélicoptère de Scotland Yard était en train de se poser, en pleine nuit, au pied de All Saints Church. Cette église de style roman faisait la fierté des quatre cent cinquante-huit habitants du village. Elle datait de la conquête de l'Angleterre par les Normands. Sa tour octogonale la faisait ressembler à un krak de Chevaliers. Mais son jardin évoquait davantage un cimetière druidique avec ses pierres tombales verticales, alignées de guingois dans l'herbe verte.

Les yeux rivés sur l'EC135 à bord duquel se trouvaient leurs collègues de la capitale, quatre représentants de la police locale attendaient près de leurs voitures respectives. Ils portaient les nouveaux gilets pare-balles jaune fluo de la police anglaise, destinés à assurer une meilleure protection et une plus grande visibilité.

Les phares de leurs voitures illuminaient juste assez de surface au sol pour que les enquêteurs puissent les rejoindre malgré la brume persistante. Le détective marchait le nez levé, comparant l'église au supposé château fort de sa photo. Leur tour octogonale était identique.

— D.C.I. McKenna et inspecteur Berg, Scotland Yard, fit McKenna en exhibant son badge. Qui est responsable, ici ?

L'inspecteur décocha un coup d'œil à son patron. Il savait bien que le « responsable » en question ne le resterait pas bien longtemps.

— C'est moi, dit un des policiers en le saluant. Caporal Trenton Jordan, Dilhorne Police.

Cheveux grisonnants et rares, taille rondelette, le sous-officier était impressionné de recevoir le haut gradé de Scotland Yard en charge de l'affaire des éventreurs. En bon lecteur assidu des tabloïds, il se délectait d'avance de pouvoir y jouer un rôle.

— Vous reconnaissez cet homme ? fit McKenna en présentant le cliché de l'Oriental.

Jordan secoua la tête.

— David Djoser, ça ne vous dit rien ? insista le détective.

— Djoser ? Difficile de ne pas connaître ce nom dans la région, monsieur. Les Djoser ont racheté les mines aux Bamford en 1930 et ils les ont exploitées jusqu'à leur fermeture.

— Les mines ?

Jordan pointa la photo du doigt.

— Foxfield. Les anciennes mines de charbon.

McKenna retourna la photo et l'examina à la lumière de cette information. La charpente en ruine à laquelle David Djoser était adossé pouvait très bien être le beffroi d'une fosse et les rails servir à transporter son minerai.

## 63

Helen actionna la manivelle d'un vieux treuil et la lourde trappe de bois qui condamnait l'entrée d'un large puits se souleva dans un grincement fraîchement huilé. L'anesthésiste se glissa dessous et descendit les marches de pierre menant à l'étage inférieur. Mais à peine l'eut-elle atteint que Nils surgit devant elle à pleine vitesse, les fers aux pieds.

Cette charge désespérée la prit par surprise.

Elle perdit l'équilibre. Ses mains tendues cherchèrent en vain quelque chose à quoi se retenir, mais l'élan de son adversaire était trop puissant.

Ils se fracassèrent ensemble contre le mur opposé.

Dans la violence de l'impact, le Smith & Wesson virevolta en l'air. Il fut projeté quelques mètres plus loin.

Helen et Nils heurtèrent violemment le sol. Faute de pouvoir amortir sa chute, l'hypnothérapeute perdit connaissance.

Quand l'avocat releva les yeux, il aperçut le pistolet dans la boue. Cependant, sa vision, altérée par le manque d'oxygène, ne lui permettait plus de faire le point. Il essaya de se remettre debout, mais sa blessure à la cuisse s'était rouverte pendant l'assaut et elle le brûlait atrocement. De plus, son état général s'était considérablement aggravé en raison de son sevrage médicamenteux. Il ne lui permettait plus de coordonner ses mouvements. Ses sens s'ankylosaient. Son visage était d'une pâleur cadavérique. Son faciès s'était creusé, ses globes oculaires enfoncés. Il tenta une nouvelle fois de solliciter ses chevilles entravées, mais ses jambes capitulèrent sous lui. Il toucha terre à nouveau dans un cri de douleur.

Toutefois, il n'abdiqua pas.

Utilisant ce qui lui restait de forces, il serra les dents et se hissa par-dessus le corps inanimé de son bourreau. Puis il rampa en gémissant vers l'arme floue. Étrangement, elle semblait s'éloigner à chaque coudée, comme dans ces cauchemars où, prisonnier des sables mouvants, on n'atteint jamais la terre ferme.

Derrière lui, Helen reprit connaissance. Elle se redressa, porta sa main gauche à sa nuque en grimaçant, puis regarda ses doigts salis. Elle saignait.

Les muscles de Nils étaient tétanisés. Ses paupières lourdes se fermaient. Dans une tentative désespérée, il allongea le bras vers le pistolet jusqu'à l'écartèlement. Le bout de ses doigts gourds ne parvint qu'à frôler la crosse.

Helen se releva. En quelques enjambées, elle le dépassa et s'empara du Smith & Wesson.

Les faisceaux des phares n'arrivaient plus à transpercer l'épais brouillard. Les deux voitures de police progressaient, tant bien que mal, sur une route de campagne déserte. La lune faisait briller leurs carrosseries dans la brume, les rendant presque phosphorescentes.

À bord de l'une d'elles, McKenna et Berg écoutaient le caporal Jordan leur dresser l'historique de la mine :

— Quand l'exploitation a cessé en 1965, les fondus de spéléo ont investi les lieux pendant des années, jusqu'à ce qu'un éboulement fasse plusieurs victimes. Les géologues ont déclaré la zone « à risque » et le comté l'a fermée.

— Je chope à nouveau le signal du détecteur GPS, s'enthousiasma Berg, les yeux rivés sur l'écran de son ordi. Droit devant nous.

L'inspecteur se tourna vers son patron, lequel se contenta d'acquiescer gravement.

La route traversa un petit pont qui enjambait un ruisseau. Les champs cédèrent peu à peu le pas à la forêt.

Il était 5 h 30.

Le soleil serait levé dans deux heures.

Un mile plus loin, la lueur des voitures fit revivre, l'espace d'un instant, le coron déserté.

Avec ses petites maisons identiques, adossées les unes aux autres, noires comme le charbon, il ressemblait à une fourmilière que ses ouvrières auraient abandonnée. Les portes, les fenêtres étaient restées ouvertes.

*Une ville fantôme figée dans le temps*, songea McKenna.

— On est presque arrivés, déclara Jordan.

Ils franchirent un panneau endommagé sur lequel on devinait encore l'inscription : « Mines de charbon de Foxfield ». La mention « DANGER, ENTRÉE INTERDITE » avait été ajoutée à la bombe aérosol.

La route se transforma très vite en un étroit chemin de terre qui zigzagua le long d'une pente à quarante-cinq degrés. Il s'ouvrit bientôt sur un plateau abandonné. Sans doute l'ancien parking de la mine.

McKenna jeta un œil par la fenêtre et en eut confirmation. La silhouette impressionnante de l'exploitation minière se dressait au-dessus d'eux, émergeant du brouillard comme un château hanté.

— Éteignez vos phares et rangez-vous, ordonna le détective. On va poursuivre à pied.

Les policiers du Yard dégainèrent leurs armes, en vérifièrent le chargement. Jordan et son collègue échangèrent des regards où se mêlaient inquiétude et excitation. Leurs quarante ans de service à Dilhorne ne leur avaient jamais fourni l'occasion d'utiliser leurs pistolets de service. Si quelqu'un avait besoin d'en vérifier le fonctionnement, c'était bien eux.

Le corps de David Djoser était à présent allongé sur une table d'opération, le torse incisé, des clavicules jusqu'au pubis. Sa cage thoracique était maintenue ouverte grâce à un écarteur de côtes.

Attentivement penchée au-dessus de lui, Helen opérait en tenue de bloc, tout en murmurant les litanies du *Livre des morts* dans un copte très ancien. Ses mains expertes pratiquaient les sutures avec une rare dextérité.

L'opération consistait à remettre en place, dans le corps de David, les greffons récupérés par les éventreurs. En général, une intervention de ce genre aurait nécessité la présence d'une équipe chirurgicale d'une douzaine de personnes et d'un environnement parfaitement stérile, mais le but d'Helen n'était pas de rendre la vie terrestre à son compagnon. Son but était de lui ouvrir les portes de la vie éternelle. Pour cela, tous les morceaux de son corps devaient être rassemblés afin qu'il récupère son nom et puisse enfin se présenter devant Anubis pour la Pesée.

Sanglé sur la table d'opération, Nils, inconscient, était vêtu d'une chemise d'hôpital ouverte dans le dos. Sa blessure à la cuisse avait été soignée, comme en témoignait le pansement qu'il portait. Il était relié à un équipement médical qui mesurait son rythme cardiaque, ses écarts de tension, et son amplitude respiratoire. Les fluctuations de ses ondes cérébrales s'enregistraient par un frétillement d'aiguille sur le cadran d'un encéphalogramme. Le tout était alimenté par un générateur dont le ronflement permanent couvrait le sifflement des courants d'air.

Arme au poing, McKenna, Berg et les quatre policiers en uniformes marchaient le long des rails rouillés tapissés de mauvaises herbes. Le son de leurs pas dans le gravier violait le silence de cette tombe à ciel ouvert. Leurs haleines se condensaient dans l'air glacial. Leurs lumières électriques balayaient les ruines estompées par la brume.

Ils reconnurent les hauts fourneaux, les wagonnets culbutés sur leurs tréteaux, les fours à coke. Mais bientôt, ils s'immobilisèrent. Le faisceau de leurs torches venait d'illuminer la voiture de police volée.

Berg s'avança vers elle et en inspecta l'intérieur. Aucun doute. C'était bien la sienne.

En poursuivant leur avancée, ils tombèrent sur la Mercedes CLA. McKenna orienta sa lampe vers la plaque d'immatriculation et compara son numéro à celui qui figurait sur son smartphone.

— C'est la voiture de Blake, murmura-t-il.

Avec une incroyable habileté, Helen remettait en place les pièces de ce puzzle organique. Cohabitaient, dans les cavités thoracique et abdominale, des organes encore fonctionnels comme le pancréas du petit Tobby, et d'autres en voie de décomposition comme les poumons prélevés sur le cadavre de Mme Moutoussamy. Tous étaient traités avec la même déférence et avaient droit aux mêmes incantations rituelles murmurées à l'oreille du défunt.

— Vous ne voyez pas qu'il est mort ! s'exclama Nils qui avait repris connaissance.

Helen Ross se tourna vers lui. Ses yeux clairs, vastes et pénétrants plongèrent dans ceux de l'avocat. Ils étaient pétris de cette sereine indulgence qu'éprouvent les hommes de foi pour leurs frères incroyants moins chanceux.

— Nous passons tous par ce stade, avant la Traversée, dit-elle d'une voix rauque et rassurante.

— Il a déjà traversé, il y a cinq mois. Et il a choisi de me redonner la vie, à moi et à cinq autres personnes. Pourquoi ne pas respecter sa volonté ?

Helen fronça les sourcils, gênée par la question.

— Notre volonté est peu de chose comparée à celle de nos dieux.

Elle posa son scalpel et se désintéressa momentanément de David pour s'approcher de son autre patient, ses mains gantées dressées à la hauteur des épaules. Inquiet, Nils la suivit du regard jusqu'à s'en dévisser la tête. Elle s'arrêta derrière lui pour accélérer le goutte-à-goutte de sa perfusion.

*Qu'y a-t-il dans cette poche de sérum ?* frémit-il.

— Vous n'avez aucune raison de vous inquiéter, lui confia-t-elle. Vos signes vitaux sont stables et la menace d'insuffisance surrénale due à l'interruption de votre traitement immuno-suppresseur est contenue.

— Je suppose que je dois vous remercier...

Helen ignora cette remarque et revint au chevet de David. Nils devait à tout prix trouver un moyen d'établir un contact avec son bourreau. Et ce n'était pas en l'agressant qu'il y parviendrait. Il lui fallait changer son approche.

— Votre compagnon a changé ma vie, madame. Il l'a changée en bien. Son cœur a fait de moi un autre homme. Plus tolérant, plus... altruiste. Il était comme ça, n'est-ce pas ?

Helen contempla le visage inerte de son compagnon. Et des larmes pointèrent à la commissure de ses paupières.

L'avocat n'avait aucun moyen de savoir si ses paroles avaient un quelconque effet sur son tortionnaire. Mais, sanglé sur cette table d'opération, elles étaient sa seule arme. Tel un négociateur avec un forcené, il n'avait qu'une issue possible : instaurer le dialogue.

— Il a tout changé chez moi : mes goûts, mes préjugés. Mon rapport à l'argent, aussi. Avant, l'art, c'était juste un placement, pour moi. Depuis ma transplantation, je sculpte. Des choses qui me surprennent moi-même. Des cyclopes hybrides d'hommes et d'animaux, comme ceux qui sont entreposés au fond de cette galerie. Ce sont ses œuvres, n'est-ce pas ?

Helen releva la tête, songeuse, comme si ces révélations ne faisaient que confirmer ses croyances.

— On n'acquiert pas ce genre de talent en cinq mois, madame. Ce n'est pas de moi que vient cette inspiration, mais de lui. C'était un artiste, n'est-ce pas ?

Des larmes coulèrent le long du masque chirurgical d'Helen, y laissant un sillon plus foncé.

— S'il n'avait pas souhaité que j'hérite de son cœur, croyez-vous vraiment qu'il me confierait quelque chose d'aussi intime que son art ?

La plaidoirie commençait à faire douter l'hypnothérapeute. Ce qui eut pour effet inattendu de la contrarier grandement. Elle revint vers son otage, les yeux rougis par l'émotion, mais le regard mort. D'un geste brusque, elle le bâillonna avec du chatterton. Si fort qu'il sentit ses vertèbres cervicales craquer. Il se démena, lutta comme un loup pris au piège, mais les contorsions de son corps étaient impuissantes à venir à bout de ses entraves. Ses mots, étouffés par le ruban adhésif, ne pouvaient plus rien pour lui.

La négociation était terminée.

Helen tourna les talons et s'absenta de la salle sacrificielle, laissant Nils à ses hurlements asphyxiés.

La fosse, à moitié obstruée, s'ouvrait à pic devant les policiers comme la gueule d'un dragon affamé n'attendant qu'une excuse pour les dévorer. Derrière eux se dressait une charpente de fer semblable à un clocher. Elle abritait une bielle gigantesque encadrée par deux roues de dix mètres de diamètre. Des câbles d'acier s'y enroulaient, assurant la propulsion des monte-charge.

McKenna s'avança vers le puits en orientant sa torche sur le sol effondré. Les parois rocheuses s'évanouissaient dans les ténèbres, aspirées par des courants d'air incessants.

— Faites attention, monsieur, s'exclama Jordan. Ne vous approchez pas trop. C'est dans cette zone que l'accident s'est produit. En tout cas, ils n'ont pas pu descendre là-dedans. Il y a longtemps que ces cages ne fonctionnent plus.

Le détective en eut confirmation en ramenant sa torche vers l'élévateur de gauche. Il était à moitié digéré par la végétation.

— Et la deuxième cage ?

— Elle est au fond du trou. Depuis 1965.

McKenna dirigea sa lampe au-dessus de lui. Un câble d'ascenseur luisait dans le noir. Intrigué, il leva la main et toucha le ruban d'acier. Il était gluant.

— Pas depuis 1965, non, rectifia-t-il en exhibant sa main imbibée de graisse toute fraîche.

Les policiers locaux n'en revenaient pas. Le caporal toucha le cordage à son tour pour vérifier. Il était bien visqueux.

— D'où est-ce qu'on commande les monte-charge ? s'enquit le détective.

— Depuis l'intérieur des cages, répondit Jordan avec un petit rire narquois.

— Mais… il y a bien une sortie de secours, non ?

— Ouais, le goyot, fit le policier en éclairant le conduit d'aération du puits. Deux cent vingt-neuf mètres jusqu'au palier d'accrochage le plus proche. Trente-deux échelles à descendre. Et à remonter, bien sûr.

— Non. Juste à descendre. Pour remonter, il y a la cage d'en bas.

McKenna fit un signe à Berg. Tous deux se dirigèrent vers le goyot.

— Attendez ! s'exclama Jordan. Les échelles sont en bois. Ça fait cinquante ans qu'elles pourrissent là. Sans entretien.

— C'est quoi, l'autre option, caporal ? Laisser

426

crever les deux otages et retourner à nos mots croisés ? Vous n'êtes pas obligé de descendre avec nous. Et bien sûr, on n'est pas obligés de dire aux médias que, sans le courage des policiers de Dilhorne, rien de tout ça n'aurait été possible.

Les fonctionnaires échangèrent des regards perplexes.

Quand Helen réapparut dans la salle mortuaire, elle était accompagnée de Dahlia, laquelle portait à présent une tenue chirurgicale. On aurait dit deux grands prêtres s'approchant d'un autel.

Le visage de Nils trahit soudain le choc qu'il ressentait. Il passa brusquement de la surprise à l'angoisse. Mais ce fut la rage et la douleur qui l'emportèrent. Son pire cauchemar se matérialisait. Helen avait réservé à Dahlia le rôle d'ultime éventreur.

Il tenta de l'interpeller, sous son bâillon, mais rien de ce qu'il hurlait n'était compréhensible. De plus, l'état de somnambulisme profond dans lequel la criminologue était plongée ne lui permettait pas de reconnaître l'homme qui s'agitait devant ses yeux. Elle s'avançait inexorablement vers la table d'opération et, plus précisément, vers le plateau en inox sur lequel des instruments chirurgicaux étaient alignés.

Nils ne savait plus comment gérer sa panique grandissante. Ce n'était pas tant sa propre mort qui lui faisait peur que ce qu'il adviendrait de Dahlia. Il connaissait, pour l'avoir côtoyé de près, le sort réservé aux éventreurs.

La femme qu'il aimait ne pouvait pas finir ainsi.

C'était à lui d'empêcher cela.

C'était lui le responsable.

Pas elle.

C'était lui qui avait usurpé le cœur d'un autre, lui encore qui avait mis en danger Dahlia en tombant amoureux d'elle.

« Pas de sentiment. » C'était cela leur deal, non ?

Elle était ici par sa faute. C'était à lui de réparer.

— Une seule coupe. Verticale, conseilla Helen. Du haut du sternum jusqu'au nombril. Il te suffit de rouvrir sa cicatrice. Mais d'abord, il faut désinfecter.

Les hurlements étouffés de l'avocat ne parvinrent pas à arracher Dahlia à sa transe. Elle calait à présent ses gestes sur ceux que lui suggérait son guide.

Sous les yeux horrifiés de Nils, elle lui badigeonna le torse de Bétadine.

## 64

Grelottant sous les courants d'air du puits, McKenna, Berg et Jordan descendaient le long des échelles du goyot en prenant garde où ils posaient leurs pieds. Le vieux caporal avait préféré épargner la descente à ses hommes. Le détective leur avait confié une mission : prévenir Scotland Yard et s'assurer qu'ils arrivent sur place avec du matériel approprié pour intervenir en profondeur.

Jordan avait eu raison au moins sur un point : le goyot était dans un sale état. Le bois des échelles était pourri. Il manquait des échelons ici et là, quand ils ne craquaient pas tout bonnement sous le poids de leurs utilisateurs. Certains paliers s'étaient effondrés. Et il fallait parfois se suspendre à des racines pour avoir une chance d'atteindre l'entresol inférieur.

Des chauves-souris, effrayées par la présence des intrus, voletaient autour d'eux et manquèrent plus d'une fois de les faire basculer. Les pieds des policiers glissaient fréquemment sur le bois humide et leurs mains s'écorchaient de plus en plus à force de compenser les pertes d'équilibre. Leurs yeux s'étaient habitués à l'obscurité, mais leurs corps étaient transis de froid.

McKenna avait compté vingt-cinq échelles et le gouffre n'en finissait pas de couler à pic. Les trois hommes descendaient et descendaient encore, à la lumière de leurs torches.

Les qualités athlétiques de Berg lui permettaient de progresser plus vite que ses compagnons d'infortune et de les prévenir de l'état du parcours. Parfois, quand le besoin s'en faisait sentir, il les aidait même à le rejoindre.

— Je vois le toit du monte-charge, murmura l'inspecteur.

Ce fut un soulagement pour tout le monde. C'était le signe que le palier d'accrochage n'était pas loin. Berg fut le premier à poser les pieds sur les dalles de fonte. McKenna suivit. Puis Jordan.

— Ça va ? s'enquit Berg.

Ses deux aînés étaient trop essoufflés pour lui répondre. Ils se contentèrent de hocher la tête en se tenant les côtes.

Ils étaient exténués, mais le plus dur était fait.

Devant eux s'ouvrait une large salle. Des lampes à huile en assuraient l'éclairage. Creusée dans la pierre et maçonnée, la pièce se prolongeait par un dédale de galeries obscures et boueuses le long desquelles couraient de vieux rails rouillés. Ils s'y engagèrent au pas de course.

Les courants d'air redoublaient de violence.

Arrivés à un carrefour, ils hésitèrent entre plusieurs couloirs. Ils les balayèrent avec leur torche, sans trop savoir lequel emprunter. C'est alors que McKenna repéra le symbole hiéroglyphique qu'arborait l'un d'entre eux.

— Par ici, murmura-t-il, suivant son intuition.

Et ils s'engouffrèrent dans le corridor comme un seul homme.


En approchant son scalpel de la poitrine de Nils, les doigts de Dahlia frôlèrent la cicatrice…

Une étrange sensation de déjà-vu la fit douter… Elle connaissait cette peau.

L'avocat s'en rendit compte et tenta d'attirer son attention en lui parlant sous son bâillon.

Elle leva les yeux vers lui et fronça les sourcils en apercevant son visage. Quelque chose chez cet homme lui paraissait familier. Elle se tourna vers Helen pour en avoir confirmation, mais les yeux clairs de l'hypnothérapeute dans lesquels sa volonté se noyait la renvoyaient à une tout autre urgence…

Malgré un effort surhumain, Dahlia ne parvenait pas à retrouver la maîtrise de ses pensées. Son esprit ne pouvait plus formuler ses propres ordres et les transmettre à ses membres. Il ne pouvait que répéter ceux qu'il recevait, à l'instar de l'officier en second sur le pont d'un navire. Il n'y avait pas de mutinerie possible.

La lueur instable des lampes à pétrole fit briller la lame dans les mains de Dahlia…

Nils s'agita sous elle et hurla son nom à travers son bâillon…

Helen prit la main inerte de David au creux des siennes. Elle releva la tête en arrière, ferma les yeux et psalmodia des prières du *Livre des morts*…

L'heure du sixième sacrifice avait sonné.

Celui qui redonnerait son cœur à l'homme de sa vie.

Celui qui lui rendrait son nom.

Le dernier regard que Nils porta sur une Dahlia hagarde fut d'une tendresse folle.

Après quoi, elle incisa.

McKenna et ses hommes débouchèrent dans la grotte naturelle aménagée en laboratoire d'expérimentation.

Des hurlements étouffés attirèrent leur attention vers une large trappe que la charnière d'un vieux treuil maintenait ouverte. Ils s'y précipitèrent.

Tandis que la lame de la scie chirurgicale lacérait profondément le torse de Nils, éclaboussant la visière en plastique de Dahlia, l'expression de la jeune femme ne trahissait aucune émotion particulière. Juste une méticulosité toute scientifique. Elle s'efforçait de suivre le tracé de la cicatrice sans déborder. Ce qui n'était pas une mince affaire, tant le corps de son « patient » s'arquait sous elle.

La chaleur du sang de son amant et les effluves libérés par ses entrailles ouvertes la troublèrent quelque peu.

Derrière elle, McKenna fit irruption dans la salle, bientôt suivi par Berg et Jordan. Tous restèrent bouche bée devant le spectacle d'épouvante qui s'offrait à leurs yeux.

— Seigneur, soupira le caporal en portant la main à sa bouche pour réprimer la montée de bile qui lui brûlait la gorge.

Dahlia était penchée sur Nils, les mains dans ses viscères.

— Rhymes ! hurla le détective.

Mais l'éventreur poursuivait sa tâche, sans lui prêter

attention. Ne sachant plus comment l'arrêter, McKenna leva son arme vers elle.

La suite se passa très vite.

Les mains d'Helen surgirent de derrière la table d'opération, pointant le Smith & Wesson de Dahlia sur le policier.

L'instant d'après, trois coups de feu retentirent presque simultanément.

L'écho de leurs détonations se répercuta à travers les entrailles de la mine.

La balle de McKenna alla se nicher dans l'épaule droite de Dahlia, l'arrachant instantanément à sa transe.

Celle d'Helen atteignit le détective en pleine poitrine.

Quant au troisième projectile, il avait été tiré par le caporal Jordan qui utilisait son arme de service pour la première fois. Et il en tremblait encore.

Helen sentit sa balle salvatrice lui perforer le cœur. Elle eut à peine le temps de goûter le cataclysme biologique qui se produisait en elle, tandis que sa cage physique s'ouvrait enfin pour laisser s'envoler son âme, cet oiseau à tête humaine dont parlaient les écritures. Elle le vit virevolter sous la voûte et aller se poser sur la dépouille de David. L'instant d'après, son corps heurta violemment le sol rocheux de la grotte.

En reprenant ses esprits, Dahlia aperçut avec horreur le cadavre éventré de l'homme qu'elle aimait…

Elle regarda ses mains ensanglantées et réalisa ce qu'elle avait fait.

— Oh, non ! sanglota-t-elle, épouvantée. Nils, non ! Pardonne-moi, mon amour, pardonne-moi…

Un peu plus loin, McKenna se tenait la poitrine. Son poumon droit était touché. Du sang noir giclait entre ses doigts. Les yeux écarquillés, il se noyait peu à peu. Des voix perdues dans un écho l'appelaient sans qu'il puisse les identifier. Était-ce Berg et Dahlia penchés sur lui ? Ou étaient-ce ses enfants ?

— Peter ? Tim ? Ewan ? C'est vous ? C'est toi, Miles ?

Les voix s'éteignirent et, avec elles, tous les sons extérieurs. Il n'entendait plus que sa propre respiration, saccadée, voilée par un gargouillement. Il se sentait comme un navire qui prenait l'eau et qu'on ne parvenait plus à écoper. Son horizon s'enfonçait sous la ligne de flottaison. L'obscurité l'enveloppait peu à peu. Dans un dernier effort, il se redressa et plissa les yeux pour contraindre ses pupilles à lui donner un sursis de lumière. Mais tout ce qu'il parvint à distinguer, ce furent des ombres sur le plafond qui s'agitaient en le narguant.

— Je les vois, Gil ! murmura-t-il entre éveil et torpeur. Je les vois, maintenant ! Elles veulent que… je les suive ! Est-ce que c'est toi qui les envoies, Gil ? Est-ce que c'est toi ?

## 65

*Royal Brompton & Harefield Hospital*
*Trois semaines plus tard...*

Janvier avait laissé place à février. Et la neige avait succédé à la pluie. Une bonne dizaine de centimètres recouvraient à présent le parc de l'hôpital. Dahlia le contemplait depuis sa fenêtre. Cela lui rappelait les vrais hivers de New York.

Elle avait reçu toutes sortes de visites dans sa chambre. Des collègues de Scotland Yard, des paparazzis repoussés par le personnel soignant et jusqu'à l'ambassadeur des États-Unis qui était venu, avec Quinn, jouer le traditionnel numéro de l'amitié anglo-américaine sous l'œil complice et impudique des caméras.

*Il faut que je fasse ma valise.*

Son esprit était un véritable champ de mines. Elle avait beau tenter de le désamorcer, l'image de Nils, éventré par ses mains, était toujours gravée sur sa rétine.

Indélébile.

Dahlia ne cessait de pleurer, à l'instar des éventreurs qui l'avaient précédée. Comme eux, elle était passée par la case Broadmoor, où elle avait subi une batterie de tests psychologiques destinés à évaluer son état mental et le danger qu'elle pouvait représenter pour elle-même. Si l'examen clinique révélait bien une amnésie antérograde partielle, aucune tendance schizoïde n'était apparue. Pas d'insomnie chronique non plus, ni de crises de somnambulisme. Son polysomnogramme était tout ce qu'il y a de plus banal.

Le seul point commun avec les autres éventreurs était son inconsolable chagrin. « Ils pleurent la perte insupportable de l'être qui comptait le plus pour eux », avait-elle déclaré à McKenna. L'être qui comptait le plus pour elle, c'était Nils… Comment Helen avait-elle pu le sentir, alors qu'elle-même refusait de se l'avouer ?

La criminologue avait essayé de reconstruire les événements de cette journée de mille façons différentes, mais pas une ne trouvait grâce à ses yeux. Nils était mort par sa faute. Et la plaidoirie que Maggie Hall avait cru bon d'improviser lors de sa visite amicale n'avait pas modifié son opinion. Dahlia ne s'imaginait pas en victime, elle se jugeait coupable. Et c'était exactement ce qu'elle dirait au procès quand il aurait lieu. Elle aspirait à être condamnée pour ses actes. Plus que d'une relaxe ou d'une absolution que personne ne pouvait lui donner, elle semblait en quête de pénitence.

Elle ne savait pas à quoi ressemblerait le reste de sa vie, mais elle avait le sentiment d'avoir vécu plus intensément ces six jours que les trente années qui avaient précédé. Elle allait devoir combler le vide qu'ils avaient généré. Une existence suffirait-elle pour apprendre à vivre sans Nils ?

Le bruit de quelqu'un qui toquait à la porte l'arracha à ses pensées.

— Entrez, fit Dahlia en se redressant sur son bras gauche. Le droit était immobilisé dans une attelle qui maintenait le plâtre de son épaule en place.

— Hey, Rhymes, dit Berg en refermant derrière lui.

— Hey, répondit-elle en souriant.

Un sourire triste. C'était tout ce qu'elle avait en magasin.

— Je me suis dit qu'un petit coup de main pour tes papiers de sortie, avec l'administration de l'hôpital, ça pouvait pas faire de mal.

— C'est gentil.

L'inspecteur attrapa une chaise et s'installa près du lit.

— Je t'ai apporté deux trois trucs, pour tuer le temps pendant le vol, fit-il en déposant un sac plastique sur le couvre-lit. Je te préviens, c'est un peu *Brit*, comme sélection, hein ?

Dahlia tendit la main gauche pour attraper le sachet. Elle avait encore du mal à bouger. Berg le fit à sa place. Il sortit un exemplaire de *Fabulous Magazine*, une boîte de noix de cajou et un coffret de la série télévisée *Sherlock*.

— Merci, dit-elle, surprise de constater à quel point il avait mis dans le mille.

— J'ai fait ça un peu à l'aveugle, dit-il sur la défensive.

— Mais avec du flair.

Berg minimisa d'un geste. Un silence gêné s'installa entre eux.

— Comment va ton épaule ?

Elle fit la grimace.

— Les médecins disent que leur prothèse en platine est d'enfer, mais qu'il faudra que j'attende un petit bout de temps avant de refaire des pompes. Et toi, le rapport, ça a été ?

Il haussa les épaules.

— L'affaire est bouclée. Scotland Yard et le FBI sabrent le champagne. Quinn va avoir son avancement. Quant à l'état mental des éventreurs, il s'améliore de jour en jour, comme si la mort d'Helen Ross les avait libérés d'une espèce de sortilège.

Dahlia acquiesça, rassurée.

— Côté bonnes nouvelles, il y a même un patient de cet hôpital qui a pu bénéficier d'une greffe. Le cœur du boss était compatible.

— McKenna était donneur ? fit Dahlia avec un mélange de surprise et d'admiration.

— À ce qu'il paraît...

Elle baissa la tête, songeuse.

— Mais à quel prix, tout ça, hein ? À quel prix ? conclut Berg avec une pointe d'amertume.

Un nouveau silence, plus pesant cette fois, prit racine dans la chambre. Il empruntait tantôt le visage de Nils, tantôt celui du détective.

— Et les enfants de McKenna ? s'enquit Dalhia. Vous avez trouvé une solution ? Qu'est-ce qu'ils vont devenir ?

— Ses enfants ? répéta l'inspecteur avec embarras. Tu veux vraiment savoir ?

— Bien sûr. L'ambassadeur m'a dit qu'il s'en occuperait personnellement. Mais, depuis sa visite, je n'ai aucune nouvelle. Je n'arrive pas à l'avoir au téléphone. Pas plus que Quinn, d'ailleurs. Je te préviens, je ne vous lâcherai pas tant qu'on n'aura pas trouvé une famille d'accueil pour ses enfants. Et il est hors de question de les séparer.

Berg soupira longuement et se leva pour se dégourdir les jambes. Ou plutôt pour se laisser le temps de choisir les mots les plus adéquats.

— Quinn ne t'a rien dit, hein ? L'enfoiré...

L'inspecteur s'approcha de la fenêtre et regarda au-dehors.

— Quand la femme de Mac a eu son accident... les enfants... les enfants sont morts sur le coup. Il n'a jamais pu accepter ça et... il a continué à... les faire vivre dans sa tête.

Dahlia était abasourdie.

— Mais... ce n'est pas possible, je les ai...

Elle avait l'impression de les avoir... Mais non... Elle ne les avait jamais vus. La première fois, à l'accueil de Scotland Yard, McKenna s'était éloigné pour parler à quelqu'un, mais elle n'avait jamais vu ce quelqu'un.

« Je suis désolé, un problème avec mes enfants. Faut que j'y aille », lui avait-il déclaré en revenant auprès d'elle.

Elle ne les avait jamais rencontrés. Pas plus que lorsqu'elle s'était rendue chez lui.

« J'ai juste besoin de cinq minutes pour endormir Miles et je vous rejoins dans le living. »

Elle avait vu McKenna monter à l'étage, elle avait entendu la berceuse qu'il chantait à son petit garçon, mais juste entendu. Les cartes de jeu des enfants étaient éparpillées dans le salon, leurs joysticks de console traînaient sur la moquette, mais les enfants n'existaient qu'en photo, dans cette maison.

« Miles, Ewan, Tim et Peter fréquentent cette pièce beaucoup plus que moi. Ce qui explique son état. »

— Tout le monde savait, au bureau ? demanda-t-elle à Berg, encore incrédule.

— Ouais. J'ai voulu t'en parler à l'hôpital, mais…

— Mais comment est-ce que Quinn…

— Mac était son meilleur détective, Rhymes. Tant qu'il n'y avait pas de répercussions sur son boulot, il lui laissait croire ce qu'il voulait. Et le boss était nickel au bureau. Il faisait même plus d'heures qu'avant.

Dahlia ne put s'empêcher de repenser à la réflexion que lui avait faite le détective pendant qu'ils menaient l'enquête :

« Le deuil n'est pas une convalescence dont on se remet, Rhymes. C'est un cancer. La mort est contagieuse et, quand elle frappe ceux qu'on aime, le cerveau n'a qu'une solution pour survivre. Refuser de croire et se couper de la réalité. »

Sur le moment, elle avait cru qu'il parlait d'Helen.

Adossé au guichet administratif de l'hôpital, Berg attendait que la criminologue finisse de remplir ses papiers de sortie.

— Tu crois vraiment que tu es en état de supporter huit heures de vol ?

— J'ai besoin de rentrer chez moi.

— Bien sûr.

Ils sortirent ensemble des bâtiments et se dirigèrent vers le taxi qui attendait Dahlia.

Hormis la neige, le temps était superbe.

Le chauffeur prit en charge le bagage. Berg précéda sa collègue pour lui ouvrir la portière. Toujours sur la défensive, il crut bon de préciser :

— Ne prends pas ça pour du machisme, c'est juste un reste de galanterie british.

Il y eut un nouveau silence que l'inspecteur se décida à rompre.

— Je voudrais pouvoir te dire quelque chose... qui t'aide à... à surpasser... euh... Je ne sais pas...

— Ça va aller, Berg. Merci.

Ils se regardèrent, aussi vides l'un que l'autre. Puis il lui tendit la main en disant :

— Au revoir, Rhymes.

— Dahlia... corrigea-t-elle en la serrant.

Berg apprécia d'un hochement de tête, se souvenant du tacle appuyé que lui avait valu sa trop grande familiarité, lors de leur première rencontre.

— Au revoir, Dahlia. Moi, c'est Jack. Comme tous les Britanniques. On reste en contact ?

Elle réfléchit un moment, puis :

— Je ne sais pas faire ça, Jack. Mais je reviens dans un mois, pour le procès.

Il acquiesça.

— Prends soin de toi...

Dahlia s'installa dans le taxi. Elle était sur le point de fermer la portière quand un rire espiègle attira son attention. Elle se retourna et aperçut un petit garçon noir dans un fauteuil roulant.

— N'en fais pas trop, Badji, lui conseilla sa mère.

L'enfant maladif dont Nils lui avait parlé avait l'air à présent en pleine forme. La mine ravie, il quittait l'hôpital en compagnie de ses parents. Il leva la tête et aperçut Dahlia qui l'observait.

— J'ai un cœur tout neuf, lui lança-t-il, tout fier, avant de se pencher pour ramasser la neige dont il allait faire des boules.

En voyant cet enfant se réjouir du simple bonheur d'être en vie, Dahlia se rappela les paroles de Nils : « Aujourd'hui, le plus important pour moi, c'est ce que je vis maintenant. Là, en ce moment même. C'est bien un synonyme de cadeau, "présent", non ? »

Elle se laissa contaminer par la lumière positive de l'homme qu'elle aimait, par cette présence apaisante qui lui manquait tellement, par ce nouveau mode d'emploi de la vie qu'il aurait voulu lui transmettre comme le fait un donneur. Et il se passa quelque chose d'inexplicable qu'elle ressentit au plus profond d'elle-même, en un lieu secret, inviolé par son père, un territoire qu'elle ignorait posséder, une île déserte amarrée à son âme sur laquelle quelqu'un venait d'accoster.

Nils était là, assis à côté d'elle dans ce taxi qui l'emmenait loin de toutes les larmes que ses yeux avaient répandues sans honte. Elle ressentit soudain le besoin urgent de lui parler, de prononcer les paroles qu'elle s'était interdites quand ils étaient face à face. Mais les mots n'existaient pas pour traduire ce qu'elle ressentait. Alors, sa main chercha la sienne et la trouva.

# REMERCIEMENTS

Merci à ma mère pour tout ce qui ne peut s'énumérer ici et pour cette oreille tendre et indulgente qu'elle prêtait aux histoires que je lui racontais, enfant, avant qu'elle ne s'endorme. Certaines pages de ce roman ont été écrites à son chevet et transpirent encore son absence.

À ma femme, Marie, et nos enfants, Alain, Timour, Fantin et Anakin, les cinq piliers sur lesquels j'ai bâti mon temple, ma foi, ma religion.

À Jean-Marc Ghanassia pour sa fidélité artistique et amicale de vingt ans.

À mon agent et « partner », Cyril Cannizzo, pour sa foi contagieuse en ma différence qui m'incite à conter toujours plus et sur tous les supports.

Merci à mes éditeurs et amis, Caroline Lépée et Philippe Robinet, pour leurs conseils judicieux, pour la passion et l'énergie qu'ils investissent dans cette croisade que représente la sortie d'un roman au XXI$^e$ siècle.

Merci à mes lectrices et lecteurs des *Âmes rivales* qui, grâce à leurs témoignages et encouragements, ont attisé ma soif de poursuivre notre aventure commune au Pays des Mots.

Enfin, merci à toutes celles et à tous ceux à travers le monde qui, en faisant le don de leurs organes, offrent la vie à de parfaits inconnus.

S'il arrivait qu'en refermant ce livre, votre cœur vous souffle de faire comme eux, écoutez-le. Remplissez la dernière page de ce roman et glissez-la dans votre portefeuille. Ça ne vous coûtera que vingt secondes. Vingt secondes, pour sauver sept vies, ce n'est pas grand-chose !

# CARTE DE DONNEUR
## d'organes et de tissus

Ce document n'est pas obligatoire et n'a pas de valeur légale. Mais il peut vous aider ou vous conforter dans votre démarche. Il ne remplace pas l'échange que les médecins ont toujours avec les proches lorsqu'un prélèvement est envisagé.

**Cette carte vous appartient, conservez-la sur vous.**

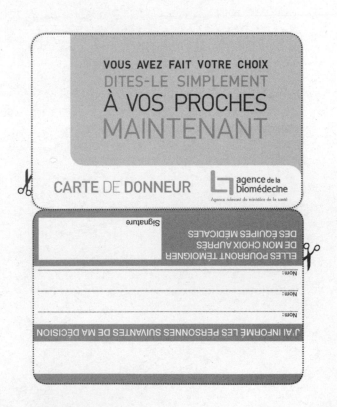

# Faites de nouvelles rencontres sur
# pocket.fr

- Toute l'actualité des auteurs : rencontres, dédicaces, conférences...
- Les dernières parutions
- Des 1$^{ers}$ chapitres à télécharger
- Des jeux-concours sur les différentes collections du catalogue pour gagner des livres et des places de cinéma

POCKET
Un livre, une rencontre.

Composition et mise en pages
Nord Compo à Villeneuve-d'Ascq

Imprimé en France par

MAURY IMPRIMEUR
à Malesherbes (Loiret)
en août 2015

POCKET – 12, avenue d'Italie – 75627 Paris Cedex 13

N° d'impression : 200251
Dépôt légal : septembre 2015
S25397/01